KB085799

연산으로 마스터하는

중학 수학 2 (상)

구성과 특징

연산으로 마스터하는 중학 수학의 특징

01 스스로 원리를 터득하는 계산력 시스템

· 풀이 과정을 채워 가면서 스스로 수학의 연산 원리를 이해할 수 있습니다.

· 쉽고 재미있는 문제들을 통해 개념을 이해하고 다양한 문제 접근 방법으로
  어떠한 문제도 스스로 해결할 수 있습니다.

· 빠르고 정확한 계산능력을 키울 수 있습니다.

02 연산 드릴을 통한 개념 완성 시스템

· 탄탄한 기본 연산력이 수학 실력 향상의 밑거름이 될 수 있습니다.

· 매일 반복하는 연산 학습으로 자연스럽게 개념을 이해할 수 있습니다.

· 주제별, 유형별로 묻는 문제를 반복하여 풀면서 기본 원리를 완성할 수 있습니다.

· 수학의 기초인 연산 부분을 강화하여 학교 수업에 자신감을 가질 수 있습니다.

03 교과 단원별로 구성한 보충 학습 시스템

· 단원별, 유형별 다양한 문제 접근 방법으로 부족한 부분을
  집중 학습할 수 있습니다.

연산으로 마스터하는 중학 수학의 구성

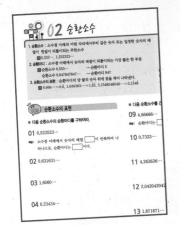

개념정리

핵심 내용정리는 단원에서 꼭 알아야 하는 기본적인 개념과 원리를 창(Window) 형태로 이미지화하여 제시함으로 이해하기 쉽고, 기억이 잘됩니다.

개념 적용/연산 반복 훈련

기본 원리를 적용하여 같은 유형의 문제를 반복적으로, 스몰스텝으로 단계화하여 풀게함으로써 실력을 키울 수 있습니다. 직접 풀이 과정을 쓰면서 개념을 익힐 수 있도록 하세요. 쉽고 재미있는 문제들을 통하여 수학에 대한 자신감을 가질 수 있습니다.

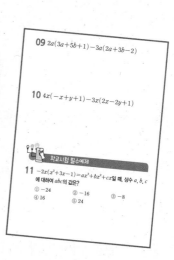

> **TIP /** 문제 풀이에 필요한 도움말을 해당하는 문항의 하단에 제시하여 첨삭지도합니다.

학교시험 필수예제

연산 반복 훈련을 통해 터득한 개념과 원리를 확인 합니다. 각 유형별로 배운 내용을 정리하고 스스로 문제를 해결함으로써 학교 시험에 대비할 수 있습니다.

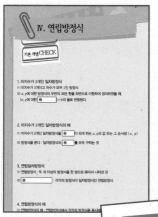

대단원 기본 개념 CHECK

문장력 강화와 서술형 대비를 위해 문장 속 네모박스 채우기로 개념을 정리하며, 부분적으로 공부했던 내용들을 한데 모아 전체적으로 조감할 수 있게하여 단원을 체계적, 종합적으로 마무리하게합니다.

빠른정답 & 친절한 해설

가독성을 고려하여 빠른 정답을 세로로 배치하여 빠르게 정답을 체크할 수 있도록 구성하였습니다.
또한 기본문항들 중에서 자세한 해설이 필요한 문항들은 학생들 스스로 해설을 보고 문제를 해결할 수 있도록 친절하게 풀이하였습니다.

이 책은 수학의 가장 기본이 되는 연산 능력뿐 아니라 확실하게 개념을 잡을 수 있도록 하여 수학의 기본 실력이 향상 되도록 하였습니다.
다음과 같이 본 책을 학습하면 효과를 극대화 할 수 있습니다.

01. 개념, 연산 원리 이해

글과 수식으로 표현된 개념을 창(Window)을 통해 시각적으로 표현하여 직관적으로 개념을 익히고, 구체적인 예시와 함께 연산 원리를 이해합니다.

02. 연산 반복 훈련

동일한 주제의 문제를 반복하여 손으로 풀어 봄으로써 풀이 방법을 익힙니다. 유형별로 문제를 제시하여 약한 유형이 무엇인지 파악할 수 있어 약한 부분에 대한 집중 학습을 합니다.

03. 학교시험 대비

연산 반복 훈련을 통해 개념과 원리를 터득하고, 학교시험 필수 예제 문항을 통해 실제 학교 시험 문제에 적용하여 풀어 봅니다. 또한 교과서 수준의 개념을 한눈에 확인 할 수 있도록 빈칸 채우기 형식의 문제로 대단원 기본 개념 CHECK를 통해 전체적인 개념과 흐름을 확인합니다.

차례

타율
타자들을 평가하기 위한 기록으로, 소수점 이하 셋째 자리까지 나타낸다.

소수, 분수 막대
소수, 분수의 크기를 시각적으로 비교할 수 있도록 만든 수업 도구

이집트 호루스의 눈
고대 이집트인들은 분자가 1인 분수를 사용하여 수의 크기를 나타내었다.

어떻게?
강타자라는 것을
바로 알 수 있을까?
그 답은 바로

(타율)＝(안타 수)÷(타수)에서 나온 소수는
선수들의 성적을 비교하기가 쉽기 때문

2010년 타율이 가장 높았던 이대호는 552번 타석에 올라 베이스온볼스, 데드볼(몸에 맞은 공, 死球), 희생타, 타격방해 등을 제외하고 478타수를 기록했으며 총 174개의 안타를 쳤다. 따라서 이대호의 타율은 174÷78을 계산하면 나오는 0.36401…을 반올림한 0.364, 즉 3할 6푼 4리이다. 그냥 478타수 174안타라고 하지 왜 이렇게 복잡하게 소수로 나타낼까? 그 이유는 일상생활에서 수의 크기를 비교할 때는 소수가 편리하기 때문인데, 예를 들어 $\frac{3}{4}$과 $\frac{5}{8}$를 비교한다면 어떤 것이 큰지 빨리 구별이 되지 않지만 소수로 나타내면 $\frac{3}{4}$은 0.75이고, $\frac{5}{8}$는 0.625로 0.75와 0.625는 어느 것이 큰지 금방 알 수 있기 때문이다. 한편, 분수는 분배 상황에서 참 편리하다. 예를 들어 1을 3으로 나누면 0.33333…으로 끝없이 이어지는데 분수로 나타내면 $\frac{1}{3}$로 간단히 표현할 수 있다.

I. 유리수와 순환소수

학습 목표

1. 순환소수의 의미를 이해한다.
2. 유리수와 순환소수의 관계를 이해한다.

01 유리수와 무한소수

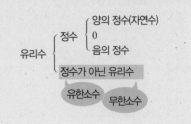

빠른 정답 02쪽 / 친절한 해설 10쪽

1. **유리수** : a, b가 정수이고 $b \neq 0$일 때, 분수 $\dfrac{a}{b}$의 꼴로 나타낼 수 있는 수

2. **소수의 분류**

① 유한소수 : 소수점 아래에 0이 아닌 숫자가 유한개인 소수

   예 0.7, 1.25

② 무한소수 : 소수점 아래에 0이 아닌 숫자가 무한히 계속되는 소수

   예 $-0.666\cdots$, $1.525252\cdots$

유리수 { 정수 { 양의 정수(자연수) / 0 / 음의 정수 } / 정수가 아닌 유리수 { 유한소수, 무한소수 } }

---

 001 유리수

※ 다음 수에 대하여 물음에 답하여라.

$$1 \qquad 3.2525 \qquad -\frac{9}{3} \qquad 0$$
$$\frac{3}{4} \qquad -2.4 \qquad -2 \qquad 3 \qquad \pi$$

01 양의 정수를 모두 골라라.

02 음의 정수를 모두 골라라.

03 정수를 모두 골라라.

04 정수가 아닌 유리수를 모두 골라라.

05 유리수가 아닌 수를 모두 골라라.

---

 002 소수의 분류

※ 다음 분수를 유한소수와 무한소수로 구분하여라.

06 $\dfrac{3}{5}$

해설ㅣ $\dfrac{3}{5} = \boxed{}$ 이므로 $\boxed{}$ 소수이다.

07 $-\dfrac{5}{3}$

08 $\dfrac{7}{4}$

09 $-\dfrac{3}{12}$

10 $\dfrac{5}{16}$

11 $\dfrac{7}{12}$

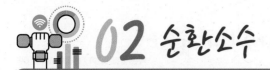 **02 순환소수**

1. **순환소수** : 소수점 아래의 어떤 자리에서부터 같은 숫자 또는 일정한 숫자의 배열이 한없이 되풀이되는 무한소수
   예 0.333⋯, 1.232323⋯
2. **순환마디** : 소수점 아래에서 숫자의 배열이 되풀이되는 가장 짧은 한 부분
   예 순환소수 0.555⋯   → 순환마디 5
   　 순환소수 0.847847847⋯   → 순환마디 847
3. **순환소수의 표현** : 순환마디의 양 끝의 숫자 위에 점을 찍어 나타낸다.
   예 0.666⋯=0.$\dot{6}$, 1.636363⋯=1.$\dot{6}\dot{3}$, 3.1548548548⋯=3.1$\dot{5}$4$\dot{8}$

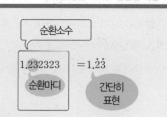

참고 원주율 π=3.141592⋯나 0.1010010001⋯과 같이 무한소수 중에는 순환하지 않는 무한소수도 있다.

---

 003 순환소수의 표현

※ 다음 순환소수의 순환마디를 구하여라.

01 0.523523⋯

해설ㅣ 소수점 아래에서 숫자의 배열 [　] 이 반복하여 나타나므로, 순환마디는 [　] 이다.

02 0.631631⋯

03 1.6060⋯

04 0.23434⋯

05 0.8333⋯

06 0.354354⋯

07 2.15909090⋯

08 3.714285714285714285⋯

※ 다음 순환소수를 간단히 나타내어라.

09 4.66666⋯

해설ㅣ 순환마디는 [　] 이므로 4.66666⋯=4.[　]

10 0.7333⋯

11 4.263636⋯

12 2.042042042⋯

13 1.871871⋯

학교시험 필수예제

14 다음 중 순환소수의 표현으로 옳지 <u>않은</u> 것을 모두 고르면? (정답 2개)

① 0.6333⋯=0.6$\dot{3}$
② 1.313131⋯=$\dot{1}$.$\dot{3}$
③ 0.808080⋯=0.$\dot{8}\dot{0}$
④ 4.162162162⋯=4.$\dot{1}$6$\dot{2}$
⑤ 5.475475475⋯=5.$\dot{4}$7$\dot{5}$

03 소수점 아래 n번째 자리의 숫자

빠른 정답 02쪽 / 친절한 해설 10쪽

순환소수에서 소수점 아래 n번째 자리의 숫자는 순환마디에 있는 숫자가 반복하여 나타남을 이용하여 푼다.

예 $1.\dot{3}\dot{7}$의 소수점 아래 11번째 자리의 숫자

11번째 숫자

$1.3737373737\underline{3}7$

10번째 자리까지 37이 5번 반복

유형 004 소수점 아래 n번째 자리의 숫자

※ 순환마디의 숫자가 반복하여 나타남을 이용하여 주어진 자리의 숫자를 구하여라.

01 순환소수 $1.0\dot{3}\dot{5}$에서 소수점 아래 32번째 자리의 숫자

해설ㅣ 순환마디는 □로 □개의 숫자가 반복된다.
$32 = □ × 10 + □$이므로 소수점 아래 32번째 자리의 숫자는 소수점 아래 □번째 자리의 숫자와 같은 □이다.

02 순환소수 $1.\dot{3}\dot{6}$에서 소수점 아래 40번째 자리의 숫자

03 순환소수 $0.1\dot{3}\dot{5}$에서 소수점 아래 50번째 자리의 숫자

04 순환소수 $1.53846\dot{1}$에서 소수점 아래 70번째 자리의 숫자

※ 다음 분수를 소수로 나타내었을 때, 주어진 자리의 숫자를 구하여라.

05 분수 $\dfrac{2}{11}$를 소수로 나타내었을 때, 소수점 아래 26번째 자리의 숫자

해설ㅣ $\dfrac{2}{11} = $ [   ], $26 = □ × 13$이므로 소수점 아래 26번째 자리의 숫자는 소수점 아래 □번째 자리의 숫자와 같은 □이다.

06 분수 $\dfrac{11}{12}$을 소수로 나타내었을 때, 소수점 아래 45번째 자리의 숫자

07 분수 $\dfrac{10}{37}$을 소수로 나타내었을 때, 소수점 아래 100번째 자리

 ### 학교시험 필수예제

08 $0.120120\cdots$의 소수점 아래 29번째 자리의 숫자를 a, $0.6\dot{2}0\dot{5}$의 소수점 아래 100번째 자리의 숫자를 b라 할 때, $a × b$의 값은?

① 0 ② 4 ③ 5
④ 10 ⑤ 12

04 유한소수로 나타낼 수 있는 분수

빠른 정답 02쪽 / 친절한 해설 10쪽

기약분수의 분모가 2 또는 5만을 소인수로 가질 때, 분모를 10의 거듭제곱인 분수로 고칠 수 있으므로 유한소수로 나타낼 수 있다.

[예] $\dfrac{1}{2} = \dfrac{1 \times 5}{2 \times 5} = \dfrac{5}{10} = 0.5$, $\dfrac{3}{5} = \dfrac{3 \times 2}{5 \times 2} = \dfrac{6}{10} = 0.6$

[참고] 기약분수 : 더 이상 약분이 되지 않는 분수

기약분수로 나타내었을 때,
분모의 소인수가 2나 5뿐이면
⇨ 유한소수

 005 10의 거듭제곱을 이용하여 소수로 나타내기

※ 다음 소수를 분모가 10의 거듭제곱인 분수로 나타내어라.

01 0.3

02 0.23

03 0.123

※ 다음 분수의 분모를 10의 거듭제곱의 꼴로 고쳐서 소수로 나타내어라.

04 $\dfrac{4}{5}$

해설 | $\dfrac{4}{5} = \dfrac{4 \times \square}{5 \times \square} = \dfrac{\square}{10} = \square$

05 $\dfrac{3}{2}$

06 $\dfrac{3}{20}$

해설 | $\dfrac{3}{20} = \dfrac{3}{2^2 \times \square} = \dfrac{3 \times \square}{2^2 \times \square} = \dfrac{\square}{100} = \square$

07 $\dfrac{9}{40}$

※ 다음 분수를 기약분수로 나타내어라.

08 $\dfrac{9}{30}$

09 $\dfrac{13}{65}$

10 $\dfrac{6}{28}$

※ 다음 분수 중 분모를 10의 거듭제곱으로 나타낼 수 있는 것에는 ○표, 그렇지 않은 것에는 ×표 하여라.

11 $\dfrac{3}{2^2 \times 5}$　　　　　　(　)

12 $\dfrac{1}{2^3 \times 3}$　　　　　　(　)

13 $\dfrac{4}{60}$　　　　　　(　)

14 $\dfrac{6}{75}$　　　　　　(　)

006 유한소수로 나타낼 수 있는 분수

※ 다음 분수 중 유한소수로 나타낼 수 있는 것에는 ○표, 그렇지 않은 것에는 ×표 하여라.

15 $\dfrac{9}{2^2 \times 5}$ ( )

16 $\dfrac{26}{2^3 \times 5 \times 13}$ ( )

17 $\dfrac{1}{2^2 \times 5 \times 7}$ ( )

18 $\dfrac{21}{3 \times 5 \times 7}$ ( )

19 $\dfrac{49}{2 \times 5 \times 7}$ ( )

20 $\dfrac{12}{2^2 \times 3 \times 11}$ ( )

※ 다음 분수 중 유한소수로 나타낼 수 있는 것에는 ○표, 그렇지 않은 것에는 ×표 하여라.

21 $\dfrac{11}{20}$ ( )

22 $\dfrac{5}{24}$ ( )

23 $\dfrac{8}{60}$ ( )

24 $\dfrac{21}{70}$ ( )

25 $\dfrac{9}{75}$ ( )

학교시험 필수예제

26 다음 분수 중 유한소수로 나타낼 수 있는 것은?

① $\dfrac{4}{15}$ ② $\dfrac{7}{12}$ ③ $\dfrac{13}{9}$

④ $\dfrac{5}{3^2 \times 7}$ ⑤ $\dfrac{9}{2^2 \times 3 \times 5}$

TIP

기약분수의 분모가 2 또는 5만을 소인수로 가진다.
⇨ 분자와 분모에 적당한 수를 곱하여 분모가 10의 거듭제곱인 분수로 나타낼 수 있다.
⇨ 그 분수는 유한소수로 나타낼 수 있다.

05 순환소수로 나타낼 수 있는 분수

빠른 정답 02쪽 / 친절한 해설 10쪽

기약분수의 분모가 2나 5 이외의 소인수로 가지면 그 분수는 무한소수가 되며, 그 무한소수는 순환소수로 나타내어진다.

예 $\frac{1}{3} = 0.333\cdots$, $\frac{15}{11} = 1.363636\cdots$, $\frac{5}{12} = \frac{5}{2^2 \times 3} = 0.41666\cdots$

기약분수로 나타내었을 때,
분모의 소인수에 2나 5 이외의 수가 있으면
⇨ 순환소수

007 순환소수로 나타낼 수 있는 분수

※ 다음 분수 중 유한소수로 나타낼 수 없는 것에는 '순', 유한소수로 나타낼 수 있는 것에는 '유'를 괄호 안에 써넣어라.

01 $\dfrac{27}{2 \times 3^2}$　　　　　　　（　　）

02 $\dfrac{25}{5 \times 7}$　　　　　　　（　　）

03 $\dfrac{22}{5 \times 11}$　　　　　　　（　　）

04 $\dfrac{18}{2 \times 3^2 \times 5}$　　　　　　（　　）

05 $\dfrac{52}{2^2 \times 3 \times 13}$　　　　　　（　　）

06 $\dfrac{22}{2^2 \times 5 \times 11}$　　　　　　（　　）

07 $\dfrac{12}{2^2 \times 3^2 \times 5}$　　　　　　（　　）

08 $\dfrac{7}{12}$　　　　　　　　（　　）

09 $\dfrac{5}{18}$　　　　　　　　（　　）

10 $\dfrac{45}{40}$　　　　　　　　（　　）

11 $\dfrac{15}{50}$　　　　　　　　（　　）

12 $\dfrac{21}{60}$　　　　　　　　（　　）

학교시험 필수예제

13 다음 분수 중 유한소수로 나타낼 수 없는 것을 모두 찾으면?

(정답 2개)

① $\dfrac{25}{40}$　　　② $\dfrac{7}{15}$　　　③ $\dfrac{6}{24}$

④ $\dfrac{45}{2 \times 3 \times 5^2}$　　　⑤ $\dfrac{3 \times 7}{2 \times 3 \times 7^2}$

06 유한소수가 되게 하는 미지수의 값

기약분수 $\dfrac{a}{b}$에 어떤 자연수 N을 곱하여 유한소수로 나타낼 수 있으려면 곱하는 자연수 N은 분모 b에 있는 2, 5 이외의 소인수와 약분할 수 있어야 한다.

예 $\dfrac{1}{15}$에 자연수 N을 곱하여 유한소수로 나타낼 수 있으려면,

$\dfrac{N}{15} = \dfrac{N}{3 \times 5}$이므로 N은 3의 배수이어야 한다.

008 유한소수가 되게 하는 미지수의 값

※ 다음과 같이 분수에 어떤 자연수 a를 곱하여 유한소수로 나타내려고 한다. 곱해야 할 자연수 중에서 가장 작은 수를 구하여라.

01 $\dfrac{33}{90} \times a$

해설ㅣ $\dfrac{33}{90} = \dfrac{\boxed{}}{2 \times 3 \times 5}$이므로 분모의 $\boxed{}$이 약분되어야 유한소수로 나타낼 수 있다. 따라서 곱해야 할 가장 작은 자연수 a는 $\boxed{}$이다.

02 $\dfrac{7}{36} \times a$

03 $\dfrac{15}{126} \times a$

04 $\dfrac{9}{330} \times a$

※ 다음과 같이 두 분수에 어떤 자연수 a를 각각 곱하면 모두 유한소수로 나타낼 수 있다고 한다. 곱해야 할 자연수 중에서 가장 작은 수를 구하여라.

05 $\dfrac{a}{2 \times 3}$, $\dfrac{a}{2 \times 5^2 \times 7}$

06 $\dfrac{5}{36} \times a$, $\dfrac{13}{14} \times a$

07 $\dfrac{6}{90} \times a$, $\dfrac{11}{280} \times a$

07 순환소수를 분수로 나타내는 방법 (1)

빠른 정답 02쪽 / 친절한 해설 11쪽

1. 순환소수를 분수로 나타낼 때에는 순환마디가 같게 10, 100, 1000, … 등 적당한 수를 곱한 후 두 순환소수의 차를 이용하여 순환하는 부분을 없앤다.

2. 소수점 아래 첫째 자리부터 순환마디가 시작되는 순환소수를 분수로 나타내는 방법
  ① $x =$ (순환소수)로 놓는다.
  ② 순환마디의 숫자의 개수만큼 10의 거듭제곱을 양변에 곱한다.
  ③ 식 ②에서 식 ①을 변끼리 빼어 x의 값을 구한다.

예 $0.\dot{5}$를 분수로 나타내기
  ① $x = 0.555\cdots$
  ② $10x = 5.555\cdots$
  ③ $10x = 5.555\cdots$
  $\underline{-)x = 0.555\cdots}$
  $9x = 5$

$\therefore x = \dfrac{5}{9}$

유형 009 순환소수를 분수로 나타내는 방법 (1)

※ 다음은 순환소수를 분수로 나타내는 과정이다. □ 안에 알맞은 수를 써넣어라.

01 $0.\dot{1}\dot{2}$

$x = 0.\dot{1}\dot{2} = 0.121212\cdots$ 라고 하면

$\boxed{}x = 12.121212\cdots$
$\underline{-)x = 0.121212\cdots}$
$\boxed{}x = \boxed{}$

$\therefore x = \boxed{}$

02 $0.\dot{4}5\dot{6}$

$x = 0.\dot{4}5\dot{6} = 0.456456\cdots$ 라고 하면

$\boxed{}x = 456.456456\cdots$
$\underline{-)x = 0.456456\cdots}$
$\boxed{}x = \boxed{}$

$\therefore x = \boxed{}$

※ 다음 순환소수를 기약분수로 나타내어라.

03 $1.\dot{5}$

04 $2.\dot{0}\dot{3}$

05 $0.5\dot{3}\dot{6}$

08 순환소수를 분수로 나타내는 방법 (2)

1. 소수점 아래 첫째 자리부터 순환마디가 시작되지 않는 순환소수를 분수로 나타낼 때에는 적당한 수를 곱하여 소수점 아래에 순환마디만 반복되어 나타나도록 한 다음 변끼리 빼서 간단히 한다.

2. 소수점 아래 첫째 자리부터 순환마디가 시작되지 않는 순환소수를 분수로 나타내는 방법
   ① $x =$ (순환소수)로 놓는다.
   ② ①의 식에 적당한 수를 곱하여 소수점 아래에 순환마디만 반복되어 나타나는 2개의 식을 만든다.
   ③ 위의 두 식을 변끼리 빼어 x의 값을 구한다.

예 $0.37\dot{2}$를 분수로 나타내기
① $x = 0.3727272\cdots$
② $10x = 3.727272\cdots$
$1000x = 372.727272\cdots$
③ $\quad 1000x = 372.727272\cdots$
$-)\quad\ \ 10x =\ \ \ 3.727272\cdots$
$\overline{\quad\quad 990x = 369}$
$\therefore x = \dfrac{369}{990} = \dfrac{41}{110}$

010 순환소수를 분수로 나타내는 방법 (2)

※ 다음은 순환소수를 기약분수로 나타내는 과정이다. □ 안에 알맞은 수를 써넣어라.

01 $0.7\dot{4}$

해설 | $x = 0.7444\cdots$라 놓고, 양변에 10의 거듭제곱을 곱하여 소수점 오른쪽에 순환마디만 반복하여 나타나도록 하면

$\boxed{}\,x = 7.444\cdots$ ⋯⋯㉠

$\boxed{}\,x = 74.444\cdots$ ⋯⋯㉡

㉡-㉠을 하면

$\boxed{}\,x = 74.444\cdots$

$-)\ \boxed{}\,x =\ \ 7.444\cdots$

$\overline{\boxed{}\,x = 67}$

$\therefore x = \boxed{}$

02 $0.2\dot{7}$

해설 | $x = 0.2777\cdots$이라고 하면

$\boxed{}\,x = 27.777\cdots$

$-)\ \boxed{}\,x =\ \ 2.777\cdots$

$\overline{\boxed{}\,x = 25}$

$\therefore x = \dfrac{25}{\boxed{}} = \boxed{}$

※ 다음 순환소수를 기약분수로 나타내어라.

03 $0.0\dot{3}$

04 $0.3\dot{6}$

05 $0.1\dot{7}$

※ 다음 순환소수를 기약분수로 나타내어라.

06 $1.2\dot{3}\dot{4}$

07 $0.2\dot{3}\dot{6}$

08 $0.6\dot{4}\dot{5}$

09 $0.4\dot{3}\dot{5}$

10 $2.3\dot{5}\dot{7}$

11 $1.2\dot{3}\dot{8}$

12 다음 순환소수를 x로 놓을 때, 분수로 나타내기 위하여 가장 편리한 식을 찾아 연결하여라.

   (1) $2.\dot{1}\dot{3}$ ·   · ㉠ $1000x - 10x$

   (2) $0.\dot{5}6\dot{7}$ ·   · ㉡ $100x - x$

   (3) $3.2\dot{4}\dot{5}$ ·   · ㉢ $1000x - 100x$

   (4) $5.43\dot{1}$ ·   · ㉣ $1000x - x$

학교시험 필수예제

13 순환소수 $x = 1.3\dot{5}\dot{7}$를 분수로 나타내는 과정에서 필요한 식은?

   ① $10x - x$ ② $100x - 10x$

   ③ $1000x - x$ ④ $1000x - 10x$

   ⑤ $1000x - 100x$

09 순환마디를 이용하여 분수로 나타내는 방법

빠른 정답 02쪽 / 친절한 해설 11쪽

순환마디를 이용하여 순환소수를 다음과 같은 방법으로 분수로 나타낼 수 있다.
① 분모 : 순환마디의 숫자의 개수만큼 9를 쓰고, 이어서 소수점 아래의 순환마디 에 포함되지 않는 숫자의 개수만큼 0을 쓴다.
② 분자 : 소수점이 없다고 생각하여 (전체의 수) − (순환하지 않는 부분의 수)

예 순환마디를 이용하여 분수로 나타내는 방법

$$2.3\dot{2} = \frac{232-2}{99} = \frac{230}{99}$$

$$3.4\dot{9} = \frac{349-34}{90} = \frac{315}{90} = \frac{7}{2}$$

---

011 순환마디를 이용하여 분수로 나타내는 방법

※ 다음은 순환소수를 기약분수로 나타내는 과정이다. □ 안에 알맞은 수를 써넣어라.

01 $1.2\dot{4} = \dfrac{124-1}{\boxed{}} = \dfrac{123}{\boxed{}} = \dfrac{41}{\boxed{}}$

02 $2.5\dot{7} = \dfrac{257-\boxed{}}{99} = \dfrac{\boxed{}}{99} = \dfrac{\boxed{}}{33}$

03 $0.2\dot{4}\dot{6} = \dfrac{246-2}{\boxed{}} = \dfrac{244}{\boxed{}} = \dfrac{122}{\boxed{}}$

04 $0.3\dot{4}\dot{8} = \dfrac{348-\boxed{}}{990} = \dfrac{\boxed{}}{990} = \dfrac{\boxed{}}{66}$

※ 다음 순환소수를 기약분수로 나타내어라.

05 $21.\dot{3}$

06 $2.\dot{4}\dot{8}$

07 $1.8\dot{7}$

08 $0.\dot{3}\dot{5}$

09 $1.2\dot{3}\dot{4}$

※ 다음 순환소수를 기약분수로 나타내어라.

10 $0.4\dot{2}$

11 $0.5\dot{7}$

12 $0.2\dot{5}$

13 $0.4\dot{1}\dot{6}$

14 $0.24\dot{3}$

15 $0.4\dot{3}\dot{5}$

16 $2.7\dot{3}\dot{5}$

17 $1.0\dot{4}\dot{2}$

18 $0.58\dot{3}$

19 $0.00\dot{3}$

20 $1.2\dot{4}\dot{5}$

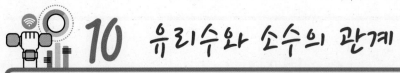
10 유리수와 소수의 관계

1. 유한소수와 순환소수는 모두 분수로 나타낼 수 있으므로 유리수이다.
2. 유리수와 소수의 관계

소수
┌ 유한소수 ────────────────┐
│   유리수
└ 무한소수 ┌ 순환소수 ──────────┘
          └ 순환하지 않는 무한소수

[유리수와 소수의 관계]
1. 유한소수와 순환소수는 모두
   ⇨ 유리수
2. 유리수를 소수로 나타내면
   ⇨ 유한소수나 순환소수가 된다.

유형 012 유리수와 소수의 관계

※ 다음 설명이 옳으면 ○표, 옳지 않으면 ×표를 ( ) 안에 써넣어라.

01 유리수를 소수로 나타내면 무한소수가 된다. ( )

02 소수는 모두 유리수이다. ( )

03 기약분수 $\dfrac{a}{b}$의 분모가 10의 거듭제곱꼴이면 순환 소수로 나타낼 수 있다. ( )

04 분모의 소인수가 5뿐인 분수는 유한소수로 나타낼 수 있다. ( )

05 모든 유리수는 유한소수로 나타낼 수 있다. ( )

06 유한소수로 나타낼 수 없는 분수는 모두 순환소수로 나타낼 수 있다. ( )

07 무한소수는 모두 순환소수이다. ( )

08 순환소수는 분수로 나타낼 수 없다. ( )

09 순환소수 중에는 분수로 나타낼 수 없는 것도 있다.

(　　)

10 순환소수 중에는 유리수가 아닌 것도 있다. (　　)

11 무한소수 중에는 유리수가 아닌 것도 있다. (　　)

12 모든 무한소수는 유리수이다. (　　)

13 모든 무한소수는 유리수가 아니다. (　　)

※ **다음 물음에 답하여라.**

14 a, b는 정수이고 $a \neq 0$일 때, 다음 중 $\dfrac{b}{a}$의 꼴로 나타낼 수 <u>없는</u> 것을 골라라.

┤ 보기 ├
ㄱ 자연수 　　　　　　 ㄴ 정수
ㄷ 유한소수 　　　　　 ㄹ 순환소수
ㅁ 순환하지 않는 무한소수

15 a, b가 정수이고 $a \neq 0$일 때, 다음 중 $\dfrac{b}{a}$의 꼴로 나타낼 수 <u>없는</u> 것을 골라라.

┤ 보기 ├
ㄱ $3.141592\cdots$ 　 ㄴ 0.3 　 ㄷ $3.101010\cdots$
ㄹ -3 　　　　　 ㅁ $0.\dot{1}2\dot{3}$

16 다음은 유리수를 분류한 것이다. <보기> 중 □에 알맞은 것의 개수를 구하여라.

유리수 ┬ 정수 ┬ 양의 정수(자연수)
　　　│　　├ 0
　　　│　　└ 음의 정수
　　　└ □

┤ 보기 ├
$3, \dfrac{6}{3}, \dfrac{11}{5}, -4, 0.1212\cdots, \dfrac{1}{2}, \pi$

Ⅰ. 유리수와 순환소수

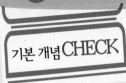

1. 유한소수와 무한소수

(1) 소수점 아래에 0이 아닌 숫자가 유한개인 소수를 [❶   ] 라고 한다.

(2) 소수점 아래에 0이 아닌 숫자가 무한히 계속되는 소수를 [❷   ] 라고 한다.

2. 순환소수

(1) 소수점 아래의 어떤 자리에서부터 같은 숫자 또는 일정한 숫자의 배열이 한없이 되풀이되는 무한소수를 [❸   ] 라고 한다.

(2) 소수점 아래에서 숫자의 배열이 되풀이되는 가장 짧은 한 부분을 [❹   ] 라고 한다.

(3) 순환소수는 순환마디의 양 끝의 숫자 위에 점을 찍어 나타낸다.

   [예] $0.666\cdots=0.\dot{6}$, $1.636363\cdots=1.\dot{6}\dot{3}$, $3.1548548548\cdots=3.1\dot{5}4\dot{8}$

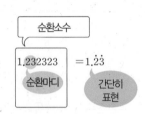

3. 유한소수와 순환소수

(1) 기약분수의 분모가 2 또는 5만을 소인수로 가질 때, 분모가 10의 거듭제곱인 분수로 고칠 수 있으므로 [❺   ] 로 나타낼 수 있다.

(2) 기약분수의 분모가 2나 5 이외의 소인수를 가지면 그 분수는 무한소수가 되며, 그 무한소수는 [❻   ] 로 나타내어진다.

4. 유한소수가 되게 하는 미지수의 값

기약분수 $\dfrac{a}{b}$에 어떤 자연수 N을 곱하여 유한소수로 나타낼 수 있으려면, 곱하는 자연수 N은 분모 b에 있는 2, 5 이외의 소인수와 약분할 수 있어야 한다.

[예] $\dfrac{1}{15}$에 자연수 N을 곱하여 유한소수로 나타낼 수 있으려면, $\dfrac{N}{15}=\dfrac{N}{3\times5}$이므로 N은 3의 배수이어야 한다.

❶ 유한소수   ❷ 무한소수   ❸ 순환소수   ❹ 순환마디   ❺ 유한소수   ❻ 순환소수

5. 순환소수를 분수로 나타내는 방법

(1) 순환소수를 분수로 나타낼 때에는 [❼   ] 가 같게 10, 100, 1000, … 등 적당한 수를 곱한 후 두 순환소수의 차를 이용하여 순환하는 부분을 없앤다.

(2) 소수점 아래 첫째 자리부터 순환마디가 시작되는 순환소수
  ① x＝(순환소수)로 놓는다.
  ② 순환마디의 숫자의 개수만큼 [❽   ] 의 거듭제곱을 양변에 곱한다.
  ③ 식 ②에서 식 ①을 변끼리 빼어 x의 값을 구한다.

(3) 소수점 아래 첫째 자리부터 순환마디가 시작되지 않는 순환소수
  ① x＝(순환소수)로 놓는다.
  ② ①의 식에 적당한 수를 곱하여 소수점 아래에 순환마디만 반복되어 나타나는 2개의 식을 만든다.
  ③ 위의 두 식을 변끼리 빼어 x의 값을 구한다.

예 $0.3\dot{7}\dot{2}$를 분수로 나타내기
  ① $x=0.3727272\cdots$
  ② $10x=3.727272\cdots$
    $1000x=372.727272\cdots$
  ③ $1000x=372.727272\cdots$
   $-)\ \ 10x=\ \ \ \ 3.727272\cdots$
       $990x=369$

$$\therefore x=\frac{369}{990}=\frac{41}{110}$$

6. 순환마디를 이용하여 분수로 나타내는 방법

(1) 분모에는 순환마디의 숫자의 개수만큼 9를 쓰고, 이어서 소수점 아래의 순환마디에 포함되지 않는 숫자의 개수만큼 [❾   ] 을 쓴다.

(2) 분자에는 소수점이 없다고 생각하여 (전체의 수)－(순환하지 않는 부분의 수)를 쓴다.

예 순환마디를 이용하여 분수로 나타내는 방법

$$2.\dot{3}\dot{2}=\frac{232-2}{99}=\frac{230}{99}$$

$$3.4\dot{9}=\frac{349-34}{90}$$

$$=\frac{315}{90}=\frac{7}{2}$$

7. 유리수와 소수의 관계

(1) 유한소수와 순환소수는 모두 분수로 나타낼 수 있으므로 유리수이다.

(2) 유리수와 소수의 관계

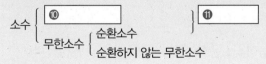

소수 $\begin{cases} ⓾\ \boxed{} \\ \text{무한소수} \begin{cases} \text{순환소수} \\ \text{순환하지 않는 무한소수} \end{cases} \end{cases}$ ⓫ $\boxed{}$

❼ 순환마디   ❽ 10   ❾ 0   ⓾ 유한소수   ⓫ 유리수

하이힐
현대의 하이힐은 여자들이 패션을 살리기 위해
신지만 15세기 무렵 서양에서 남자들이 신었
던 신발이었다.

섭씨온도(℃)와 화씨온도(℉)
국제적인 표준은 섭씨온도이지만 미국을 비롯
한 일부 나라에서는 오랜 관습 때문에 화씨온
도를 사용한다.

아동 투약량
아동의 투약량은 어른처럼 표준화된 용량이 정
해져 있지 않고 아동과 성인의 체표 면적 비율
에 따라 결정된다.

어떻게?
엄마에게 맞는
하이힐의 높이를 구할까?
그 답은 바로

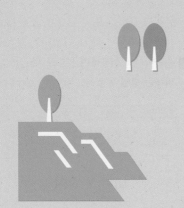

발 크기와 하이힐의 모양새,
주변 사람들의 반응 등의 요인을
반영한 공식을 적용해야

여성들이 하이힐을 신을 때 넘어져 다치지 않고 몸의 균형을 유지할 수 있는 최적의 하이힐 높이를 구하는 공식이
영국 물리학자 폴 스티븐슨 박사에 의해 만들어졌다.

그가 개발한 기본공식은 $H(\text{cm})=Q\times12+3\times\dfrac{S}{8}$ 로 H 는 하이힐의 적정높이, S 는 신발 사이즈를 말

하며 Q 는 $\dfrac{P\times L\times(Y+9)}{(T+1)\times(A+1)\times(Y+10)\times(L\times20)}$ 로 구할 수 있다.

여기서 P 는 하이힐을 신었을 때 주변의 찬사를 받을 수 있는 가능성을, L 은 하이힐 가격(영국 파운드화)을, T 는 하
이힐 유행시기로부터 흐른 시간(다시 말해 하이힐이 유행할 때는 값이 0이 된다), A 는 하이힐을 신은 상태에서의 음
주량, Y 는 하이힐 착용한 년 수를 뜻한다.

그는 그러나 3인치 이상(7.62cm)의 하이힐은 몸의 균형 유지가 어려워 넘어질 가능성이 높아진다고 착용 금지
를 권했다.

Ⅱ. 식의 계산

학습 목표

1. 이차식의 덧셈과 뺄셈의 원리를 이해하고, 그 계산을 할 수 있다.
2. 지수법칙을 이해한다.
3. 다항식의 곱셈의 원리를 이해할 수 있다.
4. 다항식의 나눗셈의 원리를 이해하고, 그 계산을 할 수 있다.

01 문자가 2개인 일차식의 덧셈과 뺄셈

빠른 정답 **03**쪽 / 친절한 해설 **12**쪽

1. **다항식** : $2x-4y+5$와 같이 단항식 $2x$, $-4y$, 5의 합으로 이루어진 식
2. **일차식의 덧셈** : 괄호를 풀고 동류항끼리 모아서 계산한다.
3. **일차식의 뺄셈** : 빼는 식의 각 항의 부호를 반대로 바꾸어 동류항끼리 모아서 계산한다.

참고 동류항은 문자와 차수가 같은 항을 말한다.

$$(2a+3b)+(3a+b)$$) 괄호를 푼다.
$$=2a+3b+3a+b$$) 동류항끼리 모은다.
$$=2a+3a+3b+b$$) 간단히 한다.
$$=5a+4b$$

 013 일차식의 덧셈

※ 다음 식을 간단히 하여라.

01 $(a+2b)+(3a+b)$

해설ㅣ 괄호를 푼 후 동류항끼리 모아서 계산하면
$$(a+2b)+(3a+b)=a+2b+\boxed{}+b$$
$$=a+\boxed{}+2b+b$$
$$=\boxed{}a+3b$$

02 $(2a-b)+(a+3b)$

03 $(2x+4y)+(x-8y)$

04 $(4a+3b-3)+(3a-2b+1)$

05 $(-x+2y+3)+(2x-y-1)$

 014 일차식의 뺄셈

※ 다음 식을 간단히 하여라.

06 $(3a-2b)-(6a-4b)$

해설ㅣ 빼는 식의 각 항의 부호를 반대로 바꾸어 동류항끼리 모아서 계산하면
$$(3a-2b)-(6a-4b)=3a-2b\boxed{}6a\boxed{}4b$$
$$=3a-\boxed{}-2b+\boxed{}$$
$$=\boxed{}a+\boxed{}b$$

07 $(3a+2b)-(a-2b)$

08 $(-x+3y+4)-(2x-y-1)$

학교시험 필수예제

09 $(3a-2b+1)-(2a+4b-3)$을 간단히 하였을 때, a와 b의 계수의 합을 구하면?

① -7　　② -5　　③ -3
④ 3　　⑤ 11

02 이차식의 덧셈과 뺄셈

빠른 정답 03쪽 / 친절한 해설 12쪽

1. **이차식** : 다항식의 각 항의 차수 중 가장 높은 차수가 2인 다항식

2. **이차식의 덧셈과 뺄셈** : 일차식의 덧셈, 뺄셈과 같은 방법으로 괄호를 풀고 동류항끼리 모아서 계산한다.

예 다항식 x^2+3x-1의 항 x^2, $3x$, -1 중에서 차수가 가장 높은 항 x^2의 차수가 2이므로 이 다항식은 이차식이다.

---

015 이차식의 뜻

※ 다음 식이 x에 대한 이차식이면 ○표, 이차식이 아니면 ×표 하여라.

01 $2x-1$ ( )

02 x^2+x+1 ( )

03 $\dfrac{x^2}{3}-\dfrac{x}{4}$ ( )

04 $\dfrac{1}{x^2}+1$ ( )

05 $8-\dfrac{1}{5}x+3x^2$ ( )

06 $3+2x-\dfrac{1}{5}x^2$ ( )

016 이차식의 덧셈

※ 다음 식을 간단히 하여라.

07 $(2x^2+4x-1)+(x^2+5x+2)$

해설 | 괄호를 푼 후 동류항끼리 모아서 계산하면
$(2x^2+4x-1)+(x^2+5x+2)$
$=2x^2+4x-1+\boxed{}+5x+2$
$=2x^2+\boxed{}+4x+5x-\boxed{}+2$
$=\boxed{}$

08 $(3x^2+2x+1)+(x^2-3x+1)$

09 $(-x^2+2x+1)+(2x^2-x-3)$

10 $(2x^2-4x+6)+(-3x^2+x-1)$

11 $(2x^2-6x+3)+(-5x^2+3x-4)$

※ 다음 식을 간단히 하여라.

12 $(3x^2-2x+1)-(2x^2-2x+3)$

해설| 빼는 식의 각 항의 부호를 반대로 바꾸어 동류항끼리 모아서 계산하면
$(3x^2-2x+1)-(2x^2-2x+3)$
$=3x^2-2x+1-2x^2\boxed{}2x\boxed{}3$
$=3x^2-2x^2-\boxed{}+2x+\boxed{}-3$
$=\boxed{}$

13 $(4x^2-2x-3)-(5x^2-3x+2)$

14 $(6x^2-5x-2)-(3x^2-3x+2)$

15 $(5x^2-3x-4)-(2x^2-6x+3)$

16 $(-4x^2-x+8)-(-x^2-9x+5)$

※ 다음 식을 간단히 하였을 때, 각 항의 계수와 상수항의 합을 구하여라.

17 $(-x^2+3x-2)-(-3x^2+2x-6)$

해설| $(-x^2+3x-2)-(-3x^2+2x-6)$
$=-x^2+3x-2\boxed{}3x^2\boxed{}2x\boxed{}6$
$=\boxed{}$
따라서 각 항의 계수와 상수항의 합은
$\boxed{}+1+\boxed{}=\boxed{}$

18 $(-7x^2-5x+1)+(x^2-6x)$

19 $(5x^2-6x)-(-3x^2+8x-2)$

20 $(3x^2-2x-1)+(-9x^2-7x+3)$

21 $(2x^2-5x+4)-(x^2-3x-1)$

03 여러가지괄호가있는다항식의덧셈과뺄셈

여러 가지 괄호가 있는 다항식의 덧셈과 뺄셈은 일반적으로 소괄호, 중괄호, 대괄호의 순서로 괄호를 풀고 동류항끼리 모아서 계산한다.

괄호를 푸는 순서

소괄호 ( )
↓
중괄호 { }
↓
대괄호 [ ]

 019 여러 가지 괄호가 있는 덧셈과 뺄셈

※ 다음 식을 간단히 하여라.

01 $2x-y-\{2y-(x-5y)\}$

해설 │ 안쪽의 괄호부터 풀어서 정리하면
$2x-y-\{2y-(x-5y)\}$
$=2x-y-(2y\boxed{}x\boxed{}5y)$
$=2x-y-(\boxed{}y\boxed{}x)$
$=2x-y-\boxed{}+\boxed{}$
$=\boxed{}x-\boxed{}y$

02 $4x-\{6y-(3x-5y)\}$

03 $x-[x-\{x-(x-1)\}]$

04 $2x-\{3x-2y-(5-6x)+8\}$

※ 다음 등식을 만족하는 상수 a, b의 값을 구하여라.

05 $4x-[y+\{3x-(2x-y)\}]=ax+by$

해설 │ (좌변)$=4x-\{y+(3x-\boxed{}+y)\}$
$=4x-\{y+(\boxed{}+y)\}$
$=4x-(2y+\boxed{})$
$=4x-2y-\boxed{}=\boxed{}x-\boxed{}y$
좌변과 우변의 계수를 각각 비교하면
$a=\boxed{}$, $b=\boxed{}$

06 $3x+2y-\{(x-2y)+(6x-y)\}=ax+by$

07 $5x^2-[2x-\{3x+(x^2-4x)\}]=ax^2+bx$

04 다항식의 덧셈과 뺄셈 응용

$A+B=C \Rightarrow A=C-B$
$A-B=C \Rightarrow A=C+B$
$B-A=C \Rightarrow A=B-C$

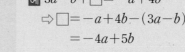 예 $3a-b+\square=-a+4b$
$\Rightarrow \square=-a+4b-(3a-b)$
$= -4a+5b$

 020 다항식의 덧셈과 뺄셈 응용

※ 다음 □ 안에 알맞은 식을 구하여라.

01 $\square+3x-y=-x+3y$

해설 | □를 좌변으로, 나머지 항을 모두 우변으로 이항하면
$\square=-x+3y-(\boxed{})=\boxed{}x+\boxed{}y$

02 $\square+x^2-2x+1=-3x^2+4x-5$

03 $\square-2x-4y-3=3x+y-2$

04 $\square-x^2-2x+3=3x^2-x+1$

05 $x-y+2-(\square)=-4x+2y-1$

06 $2x^2-x+3-(\square)=-5x^2+2x-1$

※ 다음을 만족하는 다항식 A를 구하여라.

07 다항식 A에 x^2+2x-3을 더하면 $2x^2-x+1$이 된다.

해설 | $A+(\boxed{})=2x^2-x+1$
$A=2x^2-x+1-(\boxed{})$
$=\boxed{}$

08 다항식 A에서 x^2+2x-3을 빼면 $2x^2-x+1$이 된다.

09 x^2+2x-3에서 다항식 A를 빼면 $2x^2-x+1$이 된다.

 학교시험 필수예제

10 $3x^2-5x+2$에 A를 더하면 $2x^2+4x-5$이고, $5x^2-x-8$에서 B를 빼면 $2x^2-5x-3$일 때, $A+B$를 구하여라.

05 덧셈, 뺄셈을 거꾸로 한 식에서 바른 답 구하기

빠른 정답 03쪽 / 친절한 해설 13쪽

주어진 식과 어떤 식 A의 덧셈, 뺄셈을 거꾸로 한 문제는 우선 어떤 식 A를 구한 후 A를 이용하여 바른 답을 구한다.

> 식으로 나타내기
> 어떤 식 구하기
> 바른 답 구하기

 021 잘못 뺀 식에서 바른 답 구하기

※ 다음을 읽고 물음에 답하여라.

> $x-2y+3$에 어떤 식을 더해야 할 것을 잘못하여 뺀 결과가 $4x-3y+7$이라고 할 때, 바르게 계산한 답을 구하려고 한다.

01 어떤 식을 A라고 하여 식을 세워라.

02 어떤 식 A를 구하여라.

03 바르게 계산한 답을 구하여라.

※ 다음을 읽고 물음에 답하여라.

> $5x-3y+1$에 어떤 식을 더해야 할 것을 잘못하여 뺀 결과가 $x-5y+3$이라고 할 때, 바르게 계산한 답을 구하려고 한다.

04 어떤 식을 A라고 하여 식을 세워라.

05 어떤 식 A를 구하여라.

06 바르게 계산한 답을 구하여라.

 022 잘못 더한 식에서 바른 답 구하기

※ 다음을 읽고 물음에 답하여라.

> 어떤 식에서 $-x^2-4x+1$을 빼어야 할 것을 잘못하여 더한 결과가 $3x^2+6x-2$라고 할 때, 바르게 계산한 답을 구하려고 한다.

07 어떤 식을 A라고 하여 식을 세워라.

08 어떤 식 A를 구하여라.

09 바르게 계산한 답을 구하여라.

※ 다음을 읽고 물음에 답하여라.

> 어떤 식에서 $3x^2+6x-1$을 빼어야 할 것을 잘못하여 더한 결과가 $-x^2-3x+1$이라고 할 때, 바르게 계산한 답을 구하려고 한다.

10 어떤 식을 A라고 하여 식을 세워라.

11 어떤 식 A를 구하여라.

12 바르게 계산한 답을 구하여라.

06 지수법칙 (1) - 거듭제곱의 곱셈

빠른 정답 03쪽 / 친절한 해설 13쪽

$a \neq 0$이고, m, n이 자연수일 때,

$$a^m \times a^n = \underbrace{a \times a \times a \times \cdots \times a}_{m개} \underbrace{a \times a \times \cdots \times a}_{n개} = a^{m+n}$$

예 $a^3 \times a^2 = a^{3+2} = a^5$

지수의 합

$$a^3 \times a^2 = a^{3+2}$$

 023 **지수법칙 (1) - 거듭제곱의 곱셈**

※ 다음 식을 간단히 하여라.

01 $a^3 \times a^5$

02 $x^3 \times x^5$

03 $5^6 \times 5^2$

04 $a^2 \times a \times a^3$

05 $x^3 \times x^2 \times x^7$

06 $b^4 \times a \times a^2 \times b^3$

해설 | 밑이 같은 거듭제곱끼리 모아서 지수법칙을 이용하면

$b^4 \times a \times a^2 \times b^3 = a \times \boxed{} \times b^4 \times \boxed{}$
$= a^{1+\square} \times b^{4+\square} = \boxed{}$

07 $3^5 \times 2^8 \times 3^3$

08 $5 \times 2^6 \times 2^3 \times 5^6$

09 $a^2 \times b^7 \times b^3 \times a^4$

10 $x^3 \times y^2 \times x^4 \times y^5$

※ 다음 □ 안에 알맞은 수를 구하여라.

11 $5^2 \times 5^\square = 5^5$

12 $a^4 \times a^\square = a^9$

13 $x^\square \times x \times x^5 = x^{10}$

14 $3^2 \times 81 = 3^\square$

15 $2^4 \times 32 = 2^\square$

16 $2 \times 3 \times 4 \times 5 \times 6 = 2^\square \times 3^2 \times 5$

 학교시험 필수예제

17 $2^{x+4} = \boxed{} \times 2^x$일 때, □ 안에 알맞은 수는?

① 6   ② 8   ③ 10
④ 12   ⑤ 16

07 지수법칙 (2) - 거듭제곱의 거듭제곱

빠른 정답 03쪽 / 친절한 해설 13쪽

$a \neq 0$이고, m, n이 자연수일 때,

$$(a^m)^n = \underbrace{a^m \times a^m \times \cdots \times a^m}_{n\text{개}} = a^{\overbrace{m+m+\cdots+m}^{n\text{개}}} = a^{mn}$$

예 $(a^5)^3 = a^{5 \times 3} = a^{15}$

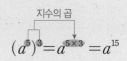
지수의 곱
$$(a^{5})^{3} = a^{5 \times 3} = a^{15}$$

---

024 지수법칙 (2) - 거듭제곱의 거듭제곱

※ 다음 식을 간단히 하여라.

01 $(a^7)^3$

02 $(x^5)^2$

03 $(7^3)^5$

04 $(a^3)^3 \times a^2$

05 $x^3 \times (y^3)^2 \times (y^4)^3$

※ 다음 □ 안에 알맞은 수를 구하여라.

06 $(a^4)^{\square} = a^{20}$

07 $x^5 \times (x^2)^{\square} = x^{13}$

08 $(2^3)^4 \times (2^{\square})^3 = 2^{18}$

※ 다음을 만족하는 x의 값을 구하여라.

09 $16^4 = 4^x$

해설ㅣ 지수법칙을 이용하여 양변의 밑을 같게 만들면
$16^4 = (\boxed{})^4 = \boxed{}^{16}$, $4^x = (\boxed{})^x = \boxed{}^{2x}$
$2^{16} = 2^{\boxed{}}$ ∴ $x = \boxed{}$

10 $4^8 = 16^x$

11 $32^6 = 8^x$

12 $8^5 = 32^x$

13 $32^4 = 16^x$

 학교시험 필수예제

14 $3^x = A$일 때, 27^x을 A를 사용하여 나타내면?

① A ② A^2 ③ A^3

④ A^4 ⑤ A^5

> **Tip** 주어진 등식에서 밑이 다른 경우 지수법칙을 이용하여 밑을 같게 한 후 지수를 비교한다.

08 지수법칙 (3) - 거듭제곱의 나눗셈

빠른 정답 03쪽 / 친절한 해설 13쪽

$a \neq 0$이고, 자연수 m, n에 대하여
① $m > n$일 때, $a^m \div a^n = a^{m-n}$
② $m = n$일 때, $a^m \div a^n = 1$
③ $m < n$일 때, $a^m \div a^n = \dfrac{1}{a^{n-m}}$

지수의 차
$a^5 \div a^3 = a^{5-3} = a^2$
$a^3 \div a^5 = \dfrac{1}{a^{5-3}} = \dfrac{1}{a^2}$
지수의 차

025 지수법칙 (3) - 거듭제곱의 나눗셈

※ 다음 식을 간단히 하여라.

01 $a^5 \div a^3$

02 $x^8 \div x^4$

03 $5^{12} \div 5^3$

04 $y^8 \div y^8$

05 $3^{20} \div 3^{20}$

06 $a^4 \div a^8$

07 $x^5 \div x^8$

08 $3^3 \div 3^{12}$

※ 다음 식을 간단히 하여라.

09 $(a^2)^6 \div a^3$

10 $(x^3)^5 \div (x^4)^2$

11 $(a^3)^3 \div a^4 \div a^2$

12 $(x^7)^3 \div (x^3)^5 \div x^8$

13 $a^5 \times a^3 \div a^4$

14 $(x^3)^2 \times (x^4)^3 \div x^9$

 학교시험 필수예제

15 $x^4 \div x^{\square} = \dfrac{1}{x^5}$일 때, $\square$ 안에 알맞은 수는?

① 1   ② 3   ③ 5
④ 7   ⑤ 9

09 지수법칙 (4) - 곱 또는 몫의 거듭제곱

n이 자연수일 때
1. 곱의 거듭제곱 : $(ab)^n = a^n b^n$
2. 몫의 거듭제곱 : $\left(\dfrac{a}{b}\right)^n = \dfrac{a^n}{b^n}$ (단, $b \neq 0$)

주의 $a^m \times b^n = (ab)^{m \times n}$, $a^m \times b^n = (a+b)^{m \times n}$과 같이 잘못 계산하지 않도록 한다.

[곱의 거듭제곱]
$$(ab)^3 = a^3 b^3$$

[몫의 거듭제곱]
$$\left(\dfrac{a}{b}\right)^3 = \dfrac{a^3}{b^3}$$

유형 026 지수법칙 (4) - 곱의 거듭제곱

※ 다음 식을 간단히 하여라.

01 $(ab^3)^4$

02 $(x^4 y^3)^7$

03 $(ab^2 c^3)^4$

04 $(x^3 y z^2)^5$

05 $(2x)^4$

06 $(-3x)^3$

07 $(2xy^3)^2$

08 $(-2x^2 y)^3$

※ 다음을 만족하는 자연수 a, b의 값을 구하여라.

09 $(x^2 y^a)^3 = x^b y^{15}$

해설ㅣ 지수법칙을 이용하여 양변의 지수를 비교하면
$x^6 y^{\square} = x^b y^{15}$에서 $6 = \square$, $3a = \square$
∴ $a = \square$, $b = \square$

10 $(x^a y^3)^5 = x^{15} y^b$

11 $(x^a y^3)^b = x^{15} y^9$

12 $(x^2 y^a)^b = x^{10} y^5$

13 $(3x^a y^2)^3 = bx^9 y^6$

학교시험 필수예제

14 다음 중 옳은 것은?

① $x^3 \times x^5 = x^8$ 　　② $(x^2)^3 = x^5$
③ $(2a^2 b^4)^2 = 2a^4 b^8$ 　　④ $2x^2 \times 3x^3 = 5x^6$
⑤ $(-x^3 y^2)^2 = -x^6 y^4$

027 지수법칙 (4) – 몫의 거듭제곱

※ 다음 식을 간단히 하여라.

15 $\left(\dfrac{b}{a^3}\right)^5$

16 $\left(\dfrac{x^8}{y^5}\right)^5$

17 $\left(-\dfrac{b^3}{a^2}\right)^3$

18 $\left(-\dfrac{x^2}{y^5}\right)^4$

19 $\left(\dfrac{2a^5}{b^3}\right)^2$

20 $\left(\dfrac{2x^2}{3y^4}\right)^3$

21 $\left(-\dfrac{3a}{2b^2}\right)^2$

22 $\left(-\dfrac{2x^2}{3y^3}\right)^3$

※ 다음을 만족하는 자연수 a, b의 값을 구하여라.

23 $\left(\dfrac{x^a}{y^2}\right)^5 = \dfrac{x^{20}}{y^b}$

해설ㅣ $\boxed{} = \dfrac{x^{20}}{y^b}$ 이므로 $\boxed{} = 20$, $\boxed{} = b$

∴ $a = \boxed{}$, $b = \boxed{}$

24 $\left(\dfrac{x^2}{y^a}\right)^3 = \dfrac{x^b}{y^{18}}$

25 $\left(\dfrac{x^2}{y^a}\right)^b = \dfrac{x^{10}}{y^5}$

26 $\left(\dfrac{3x^a}{y^2}\right)^3 = \dfrac{bx^9}{y^6}$

27 $\left(\dfrac{x^a}{y^3}\right)^b = \dfrac{x^{20}}{y^{12}}$

 학교시험 필수예제

28 다음 중 옳은 것은?

① $a^4 \times a^6 = a^{24}$ ② $(a^5)^4 = a^9$

③ $a^5 \div a^2 = a^3$ ④ $a^3 + a^2 = a^5$

⑤ $\left(\dfrac{b^4}{a}\right)^3 = \dfrac{b^7}{a^3}$

10 단항식끼리의 곱셈

빠른 정답 03쪽 / 친절한 해설 14쪽

1. **단항식** : $2ab$, $-3xy$, $5x^2y^3z$와 같이 수나 문자의 곱만으로 이루어진 식
2. **(단항식)×(단항식)의 계산**
   ① 계수는 계수끼리, 문자는 같은 문자끼리 곱하고, 계수는 문자 앞에 쓴다.
   ② 같은 문자끼리의 곱은 지수법칙을 이용하여 간단히 한다.

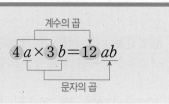

028 단항식끼리의 곱셈

※ 다음 식을 간단히 하여라.

01 $2a \times 3b$

해설ㅣ 계수는 계수끼리, 문자는 같은 문자끼리 곱하면
$$2a \times 3b = (2 \times a) \times (3 \times b)$$
$$= (2 \times 3) \times (a \times b)$$
$$= \boxed{}$$

02 $4x^2 \times 5x$

03 $2a^4 \times (-5ab^2)$

04 $(-3y^3) \times 2xy^4$

05 $5a^2b \times 8ab^2$

06 $(-15xy^3) \times 2x^2y$

07 $2ab^4 \times (-2a^3b^2) \times 3b^3$

08 $x^3y \times (-2xy^2) \times (-x^3y^2)$

※ 다음을 만족하는 자연수 a, b의 값을 구하여라.

09 $4x^2 \times ax = 12x^b$

해설ㅣ $\boxed{} = 12x^b$이므로 $\boxed{} = 12$, $\boxed{} = b$
∴ $a = \boxed{}$, $b = \boxed{}$

10 $(xy^3)^2 \times 2x^2y = ax^4y^b$

11 $ax^4 \times (-2xy^2)^2 = 20x^by^4$

12 $x^ay \times (x^3y^2)^3 = x^{12}y^b$

13 $ax^2y^3 \times (-xy^2)^2 = 8x^by^7$

11 단항식끼리의 나눗셈

빠른 정답 04쪽 / 친절한 해설 14쪽

단항식끼리의 나눗셈의 계산은 다음 두 가지 방법이 있다.

[방법 1] 분수 꼴로 바꾼 다음 계산하는 방법
나눗셈을 분수로 고친 다음 계수는 계수끼리, 문자는 문자끼리 나누어 계산한다.

[방법 2] 나눗셈을 곱셈으로 바꾸어 계산하는 방법
나누는 식을 역수의 곱셈으로 고친 다음 분자는 분자끼리, 분모는 분모끼리 곱하여 계산한다.

[방법 1]
$$A \div B = \frac{A}{B}$$

[방법 2]
$$A \div B = A \times \frac{1}{B}$$

---

 029 단항식끼리의 나눗셈 - 분수 꼴로 계산

※ 다음 식을 간단히 하여라.

01 $12a^8 \div 3a^2$

해설 | $= \dfrac{\boxed{}}{\boxed{}} = \boxed{}$

02 $8x^5 \div (-4x^2)$

03 $6a^3b \div (-8a^{10})$

04 $-9xy^3 \div 12y^2$

05 $9a^4b^5 \div 3a^3b^6$

06 $-18x^5y^8 \div 6x^2y^5$

07 $4a^8b^4 \div (2a^2b)^3$

08 $(-2x^2y^3)^3 \div 12x^2y^5$

---

 030 단항식끼리의 나눗셈 - 곱셈으로 계산

※ 다음 식을 간단히 하여라.

09 $3a^5b^5 \div \dfrac{3}{2}a^3b^7$

해설 | $= 3a^5b^5 \times \dfrac{2}{\boxed{}} = \boxed{}$

10 $12x^2y^4 \div \left(-\dfrac{3}{4}xy\right)$

11 $(-5a^2b^5)^2 \div \left(-\dfrac{5}{a^2b^6}\right) \div a^3b^7$

 학교시험 필수예제

12 $(5ab^x)^2 \div a^{12}b^6 = \dfrac{25b^2}{a^y}$ 를 만족하는 x, y에 대하여

$x+y$의 값은?

① 2   ② 5   ③ 8

④ 11   ⑤ 14

TIP
나누는 식이 분수꼴이거나 나눗셈이 2개 이상인 경우 나눗셈을 곱셈으로 바꾸어 계산하는 것이 편리하다.

12 단항식의 곱셈과 나눗셈의 혼합 계산

빠른 정답 04쪽 / 친절한 해설 14쪽

단항식의 곱셈과 나눗셈의 혼합 계산은 다음 순서에 따라 계산한다.

① 괄호가 있는 거듭제곱은 지수법칙을 이용하여 괄호를 푼다.

② 곱셈과 나눗셈이 섞여 있는 단항식끼리의 계산은 나눗셈을 곱셈으로 고쳐서 계산한다.

③ 계수는 계수끼리, 문자는 문자끼리 계산한다.

예 $6xy^2 \div 2x^2y \times 3x^2y^3$

$= 6xy^2 \times \dfrac{1}{2x^2y} \times 3x^2y^3$

$= \dfrac{18x^3y^5}{2x^2y}$

$= 9xy^4$

031 단항식의 곱셈과 나눗셈의 혼합 계산

※ 다음 식을 간단히 하여라.

01 $12a^3b^2 \times 2b \div 3a^2$

02 $6xy^2 \div 2x^2y \times 3x^2y^3$

03 $8ab^4 \div 4a^2b \times 2ab^4$

04 $x^2y^5 \div 3x^2y \times (-18x^2y)$

05 $5xy \times (3xy)^2 \div 3x^2y^5$

06 $(xy)^3 \times xy^2 \div (-3x^3y)^2$

07 $(-2xy)^3 \div (-4x) \times \dfrac{2}{3}xy^2$

08 $\left(-\dfrac{3}{2}xy^2\right)^3 \times \left(\dfrac{x^2}{y}\right)^4 \div (-6x^4y)$

13 단항식과 다항식의 곱셈

1. **단항식과 다항식의 곱셈** : 분배법칙을 이용하여 단항식을 다항식의 각 항에 곱한다.
2. **전개와 전개식** : 단항식과 다항식의 곱을 하나의 다항식으로 나타내는 것을 전개한다고 하며, 전개하여 얻은 다항식을 전개식이라고 한다.

$$2x(x+y) = 2x \times x + 2x \times y$$
$$= 2x^2 + 2xy$$

$$2x(x+y) = 2x^2 + 2xy \longrightarrow$$
전개

032 단항식과 다항식의 곱셈

※ 다음 식을 전개하여라.

01 $3a(2a+4b)$

02 $5x(2x+3y)$

03 $-2a(5a-3b)$

04 $-5x(3x-4y)$

05 $-2a(3a+b-5)$

06 $(x+3y-4) \times (-2y)$

※ 다음 식을 간단히 하여라.

07 $2a(a+4b)+a(a-2b)$

08 $x(2x-y)+3x(x+2y)$

09 $2a(3a+5b+1)-3a(2a+3b-2)$

10 $4x(-x+y+1)-3x(2x-2y+1)$

 학교시험 필수예제

11 $-2x(x^2+3x-1)=ax^3+bx^2+cx$일 때, 상수 a, b, c에 대하여 abc의 값은?

① -24 ② -16 ③ -8
④ 16 ⑤ 24

14 다항식과 단항식의 나눗셈

빠른 정답 04쪽 / 친절한 해설 14쪽

다항식과 단항식의 나눗셈의 계산은 다음 두 가지 방법이 있다.

[방법 1] 곱셈으로 바꾸어 계산하는 방법 : 다항식에 단항식의 역수를 곱하여 전개한다.

[예] $(a^2+2ab) \div \frac{1}{2}a = (a^2+2ab) \times \frac{2}{a} = a^2 \times \frac{2}{a} + 2ab \times \frac{2}{a} = 2a+4b$

[방법 2] 분수로 고쳐서 계산하는 방법 : 분수 꼴로 고친 후 분자의 각 항을 분모로 나눈다.

[예] $(a^2+2ab) \div a = \frac{a^2+2ab}{a} = \frac{a^2}{a} + \frac{2ab}{a} = a+2b$

$$(A+B) \div C = (A+B) \times \frac{1}{C}$$
$$= A \times \frac{1}{C} + B \times \frac{1}{C}$$
$$= \frac{A}{C} + \frac{B}{C}$$
$$(A+B) \div C = \frac{A+B}{C}$$
$$= \frac{A}{C} + \frac{B}{C}$$

033 다항식과 단항식의 나눗셈

※ 다음 식을 간단히 하여라.

01 $(4a^2-8ab) \div 2a$

02 $(9x^2-6xy) \div 3x$

03 $(5a^2-10ab-a) \div 5a$

04 $(9x^2-6xy+15x) \div (-3x)$

※ 다음 식을 간단히 하여라.

05 $(8a^2-6ab) \div 2a$

06 $(6x^2-4xy) \div 2x$

07 $(a^2+10ab-5a) \div 5a$

08 $(4x^2-2xy-10x) \div (-2x)$

※ 다음 식을 간단히 하여라.

09 $2a(a+b+1)+(-6a^2b-12a^2)\div 3a$

10 $(12xy-9xy^2)\div 3y-\dfrac{16x^2-8x}{4x}$

11 $(10x^2-6xy)\div 2x+(4xy-8y^2)\div \dfrac{2}{3}y$

12 $(x^3y^2-3x^2y^2)\div(-xy)+2xy(x-2)$

※ 다음을 만족하는 상수 a,b,c의 값을 구하여라.

13 $(4x^2-3xy+6x)\div 2x=ax+by+c$

해설ㅣ (좌변) $=\dfrac{4x^2-3xy+6x}{\boxed{}}$

$=\boxed{}-\dfrac{3}{2}y+\boxed{}$

좌변과 우변의 계수를 각각 비교하면

$a=\boxed{}$, $b=-\dfrac{3}{2}$, $c=\boxed{}$

14 $(12x^2-6xy-9x)\div(-3x)=ax+by+c$

15 $(7x^2+14xy-21x)\div \dfrac{7}{3}x=ax+by+c$

16 $(4x^2-9xy+3x)\div\left(-\dfrac{x}{2}\right)=ax+by+c$

TIP
나누는 식이 분수꼴이거나 나눗셈이 2개 이상인 경우 나눗셈을 곱셈으로 바꾸어 계산하는 것이 편리하다.

15 다항식과 다항식의 곱셈

빠른 정답 04쪽 / 친절한 해설 15쪽

다항식과 다항식의 곱셈은 단항식과 다항식의 곱셈과 마찬가지로 분배법칙을 이용하여 전개하고, 전개식에서 동류항이 있으면 동류항끼리 모아서 간단히 한다.

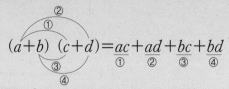

$$(a+b)(c+d)=\underset{①}{ac}+\underset{②}{ad}+\underset{③}{bc}+\underset{④}{bd}$$

예 $(x+3)(x-4)=x\times x+x\times(-4)+3\times x+3\times(-4)$
$$=x^2-4x+3x-12=x^2-x-12$$

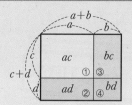

가로, 세로의 길이가 각각 $a+b$, $c+d$ 인 직사각형의 넓이 $(a+b)(c+d)$는 작은 직사각형 ①~④의 넓이의 합과 같다.

035 식의 전개

※ 다음 식을 전개하여라.

01 $(a+1)(b-2)$

해설| $(a+1)(b-2)$
$$=a\times\boxed{}+a\times(\boxed{})+\boxed{}\times b+\boxed{}\times(-2)$$
$$=\boxed{}-2a+b-\boxed{}$$

02 $(x-1)(y+2)$

03 $(2a-3)(a+4)$

04 $(2x+3)(x-4)$

05 $(a+7b)(-3a-2b)$

※ 다음 식의 전개식에서 xy의 계수를 구하여라.

06 $(-x+4y)(3x-5y)$

07 $(x+2y)(2x-3y)$

08 $(x+2y)(-x+y)$

09 $(3x-2y)(4x-y)$

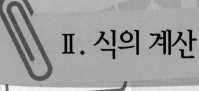

Ⅱ. 식의 계산

기본 개념 CHECK

1. 다항식의 덧셈과 뺄셈

다항식의 덧셈과 뺄셈은 ❶ [   ] 끼리 모아서 간단히 한다.

2. 여러가지 괄호가 있는 다항식

여러 가지 괄호가 있는 다항식의 덧셈과 뺄셈은 일반적으로 소괄호, 중괄호, 대괄호 순서로 괄호를 풀고 동류항끼리 모아서 계산한다.

3. 지수법칙

(1) m, n이 자연수일 때, $a^m \times a^n = $ ❷ [   ] , $(a^m)^n = a^{mn}$

(2) $a \neq 0$이고 , m, n이 자연수일 때,

 ① $m > n$이면 $a^m \div a^n = $ ❸ [   ]

 ② $m = n$이면 $a^m \div a^n = 1$

 ③ $m < n$이면 $a^m \div a^n = \dfrac{1}{a^{n-m}}$

(3) n이 자연수일 때,

 $(ab)^n = $ ❹ [   ] , $\left(\dfrac{a}{b}\right)^n = \dfrac{a^n}{b^n}$ (단, $b \neq 0$)

4. 단항식의 곱셈과 나눗셈의 혼합 계산

단항식의 곱셈과 나눗셈의 혼합 계산은 다음 순서에 따라 계산한다.

① 괄호가 있는 거듭제곱은 지수법칙을 이용하여 괄호를 푼다.

② 곱셈과 나눗셈이 섞여 있는 단항식끼리의 계산은 나눗셈을 ❺ [   ] 으로 고쳐서 계산한다.

③ 계수는 계수끼리, 문자는 문자끼리 계산한다.

5. 단항식끼리의 곱셈과 나눗셈

(1) 곱셈 : 계수는 계수끼리, 문자는 문자끼리 곱하여 계산한다.

(2) 나눗셈 : 곱셈으로 바꾼 후 계수는 계수끼리, 문자는 문자끼리 계산한다.

개념 Window

$(2a+3b)+(3a+b)$
$=2a+3b+3a+b$
$=2a+3a+3b+b$
$=5a+4b$

$(\ \ ) \Rightarrow \{\ \ \} \Rightarrow [\ \ ]$
소괄호   중괄호   대괄호

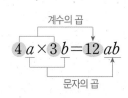

계수의 곱

$4\,a \times 3\,b = 12\,ab$

문자의 곱

---

❶ 동류항 ❷ a^{m+n} ❸ a^{m-n} ❹ $a^n b^n$ ❺ 곱셈

6. 단항식과 다항식의 곱셈과 나눗셈

(1) 곱셈 : 분배법칙을 이용하여 단항식을 다항식의 각 항에 곱한다.

(2) ❻ ⬚ : 단항식과 다항식의 곱을 하나의 다항식으로 나타내는 것

(3) 나눗셈 : 곱셈으로 바꾼 후 계수는 계수끼리, 문자는 문자끼리 계산한다.

개념 window

$$2x\overparen{(x+y)}=2x\times x+2x\times y$$
$$=2x^2+2xy$$

$$2x(x+y)=2x^2+2xy$$
전개 →

7. 다항식과 단항식의 나눗셈의 계산은 다음 두 가지 방법이 있다.

[방법 1] 곱셈으로 바꾸어 계산하는 방법 : 다항식에 단항식의 ❼ ⬚ 를 곱하여 전개한다.

[방법 2] 분수로 고쳐서 계산하는 방법: 분수 꼴로 고친 후 분자의 각 항을 ❽ ⬚ 로 나눈다.

$$(A+B)\div C=(A+B)\times\frac{1}{C}$$

$$(A+B)\div C=\frac{A+B}{C}$$

8. 다항식의 곱셈

분배법칙을 이용하여 다음과 같이 전개한다.

$$(a+b)\,(c+d)=\underset{①}{ac}+\underset{②}{ad}+\underset{③}{bc}+\underset{④}{bd}$$

[예] $(x+3)(x-4)=x\times x+x\times(-4)+3\times x+3\times(-4)$
$$=x^2-4x+3x-12=x^2-x-12$$

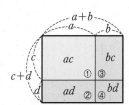

가로, 세로의 길이가 각각 $a+b$, $c+d$인 직사각형의 넓이 $(a+b)$ $(c+d)$는 작은 직사각형 ①~④의 넓이의 합과 같다.

❻ 전개 ❼ 역수 ❽ 분모

온도 센서
냉장고나 오븐에는 일정 온도 범위에서 작동하는 온도 센서가 중요한 역할을 한다.

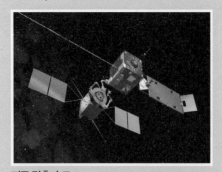

지구 탈출 속도
지구의 중력을 벗어나 우주로 로켓을 쏘아 올리려면 초당 10,735 km 이상의 속도가 필요하다.

서해대교
교량의 무게, 바람의 압력, 선박의 충돌 사고 등에 대비해 충분한 안전 허용치를 두고 설계되었다.

어떻게?
컴퓨터가 켜지는지
알 수 있을까?
그 답은 바로

일정한 전압이나 전류의 허용 범위를 벗어나면
작동하는 콘트롤러 덕분

컴퓨터는 전원 스위치를 누르면 그냥 켜지지는 않는다. 대기 상태의 전압이 일정 조건을 만족해야 비로소 파워가 들어오고 컴퓨터가 작동하게 된다. 냉장고나 에어컨, 각종 온도 조절기, 스마트폰의 작동, 자동차와 엘리베이터의 과속 안전장치, 가정의 누전 차단기 등 우리 주변에서 볼 수 있는 많은 전자 기기들은 허용 범위를 벗어날 때만 작동하는 콘트롤러의 도움을 받는다. 또한, 투표를 통한 후보자의 선출, 약품의 임상 실험, 인공위성을 대기권 밖으로 쏘아 올리는 데 필요한 속도, 긴 교량의 바람에 대한 허용 안전치, 안전하게 운반할 수 있는 선박의 화물 적재량, 아주 적은 전기 신호를 증폭하는 증폭기 등 실생활에서 부등식에 기초한 다양한 방법들이 활용되고 있다.

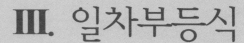

Ⅲ. 일차부등식

학습 목표

1. 다양한 상황을 이용하여 일차부등식과 그 해의 의미를 이해한다.

2. 부등식의 기본 성질을 이용하여 일차부등식을 풀 수 있다.

3. 일차부등식을 활용하여 다양한 실생활 문제를 해결할 수 있다.

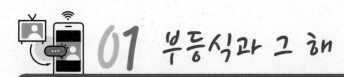

01 부등식과 그 해

1. **부등식** : 부등호를 사용하여 식이나 수량 사이의 대소 관계를 나타낸 식

   예 $x+2>3$, $a-5\leq b-5$

2. 부등호의 왼쪽에 있는 식을 **좌변**, 오른쪽에 있는 식을 **우변**, 좌변과 우변을 통틀어 **양변**이라고 한다.

3. **부등식의 해** : 부등식을 참이 되게 하는 미지수의 값을 부등식의 해라고 한다.

4. **부등식을 푼다** : 부등식의 모든 해를 구하는 것

- $a<b$: a는 b보다 작다. (미만)
- $a>b$: a는 b보다 크다. (초과)
- $a\leq b$: a는 b보다 작거나 같다. (이하)
- $a\geq b$: a는 b보다 크거나 같다. (이상)

036 부등식과 그 해

※ 다음을 부등식으로 나타내어라.

01 x에서 2을 뺀 값은 3보다 크다.

02 오빠의 나이 x살의 2배는 36살보다 많거나 같다.

03 x km의 거리를 시속 100 km로 가면 2시간을 넘지 않는다.

04 무게가 0.8 kg인 물건 x개를 0.6 kg인 상자에 담았더니 그 무게가 7 kg 미만이다.

05 한 개에 400원인 사과 x개의 값은 6000원보다 크지 않다.

06 한 권에 200원인 노트 y권의 값과 한 자루에 100원인 연필 5자루의 값은 3000원 이하이다.

07 어떤 수 x의 4배에서 7을 뺀 것은 13보다 작다.

08 어떤 수 x를 2배한 후 3을 더하면 x의 5배보다 크지 않다.

09 걸어서 5 km를 가다가 시속 9 km로 x시간 달려간 전체 거리가 20 km 이상이다.

10 0.4 kg의 상자에 x kg짜리 물건을 10개 담으면 무게가 7 kg을 초과한다.

※ x의 값이 -2, -1, 0, 1, 2일 때, 다음 부등식의 해를 구하여라.

11 $x+2<1$

해설 | x에 -2, -1, 0, 1, 2을 차례로 대입하여 부등식이 참이 되는 x의 값을 찾는다.

x의 값	부등식 $x+2<1$			참 / 거짓
	좌변의 값	부등호	우변의 값	
-2	$-2+2=0$		1	
-1	$-1+2=1$	$=$	1	거짓
0	$0+2=2$		1	
1	$1+2=3$	$>$	1	거짓
2	$2+2=4$	$>$	1	거짓

따라서 구하는 해는 $\boxed{}$이다.

12 $3x-2<-5$

13 $x-3\leq4x$

※ 다음 중 $x=-1$을 해로 갖는 부등식에는 ○표, 그렇지 않은 것에는 ×표 하여라.

14 $x-1\geq0$　　　　　　（　　）

해설 | 부등식의 x에 주어진 수를 대입하여 부등식을 만족하는지 알아본다.
$x=-1$일 때, $(\boxed{})-1=\boxed{}<0$
따라서 $x=-1$은 주어진 부등식의 해가 아니다.

15 $1-2x<0$　　　　　　（　　）

16 $2x-2\geq0$　　　　　　（　　）

17 $3-x<5$　　　　　　（　　）

18 $-x-2\geq-2$　　　　　　（　　）

19 $\dfrac{x-1}{4}<0$　　　　　　（　　）

학교시험 필수예제

20 다음 중 $x=1$을 해로 갖는 부등식은?

① $x+1>3$　　② $2x-3<3$　　③ $-x+2>5$
④ $-2x-5\geq0$　　⑤ $x>-x+6$

02 부등식의 기본 성질

1. 부등식의 양변에 같은 수를 더하거나 양변에서 같은 수를 빼어도 부등호의 방향은 바뀌지 않는다.
  ➡ $a<b$이면 $a+c<b+c$, $a-c<b-c$

2. 부등식의 양변에 같은 양수를 곱하거나 양변을 같은 양수로 나누어도 부등호의 방향은 바뀌지 않는다.
  ➡ $a<b$, $c>0$이면 $ac<bc$, $\dfrac{a}{c}<\dfrac{b}{c}$

3. 부등식의 양변에 같은 음수를 곱하거나 양변을 같은 음수로 나누면 부등호의 방향이 바뀐다.
  ➡ $a<b$, $c<0$이면 $ac>bc$, $\dfrac{a}{c}>\dfrac{b}{c}$

참고 부등호 $<$, $>$를 $\leq$, $\geq$로 바꾸어도 부등식의 성질은 성립한다.

주의 **부등호의 방향이 바뀌지 않는 경우**
• 같은 수를 더하거나 뺄 때
• 양수로 곱하거나 나눌 때

부등호의 방향이 바뀌는 경우
• 음수로 곱하거나 나눌 때

037 부등식의 기본 성질

※ $a<b$일 때, 다음 ☐ 안에 알맞은 부등호를 써넣어라.

01 $a+3$ ☐ $b+3$

해설ㅣ $a<b$의 양변에 같은 수를 더하여도 부등호의 방향은 바뀌지 않으므로 $a+3$ ☐ $b+3$

02 $a-4$ ☐ $b-4$

03 $a\times5$ ☐ $b\times5$

04 $a\times(-2)$ ☐ $b\times(-2)$

05 $a\div3$ ☐ $b\div3$

06 $a\div(-4)$ ☐ $b\div(-4)$

※ $a<b$일 때, 다음 ☐ 안에 알맞은 부등호를 써넣어라.

07 $2a+1$ ☐ $2b+1$

해설ㅣ $a<b$의 양변에 양수 2를 곱하면 $2a<2b$
또, 양변에 1을 더하면 $2a+1$ ☐ $2b+1$

08 $4a-3$ ☐ $4b-3$

09 $-a-2$ ☐ $-b-2$

10 $\dfrac{1}{4}a+3$ ☐ $\dfrac{1}{4}b+3$

11 $-2a+5$ ☐ $-2b+5$

※ 다음 □ 안에 알맞은 부등호를 써넣어라.

12 $a+6<b+6$일 때, a □ b

13 $a-12<b-12$일 때, a □ b

14 $2a<2b$일 때, a □ b

15 $-8a<-8b$일 때, a □ b

16 $2a+5<2b+5$일 때, a □ b

17 $-3x+4\leq-3y+4$일 때, $4x$ □ $4y$

※ a, b가 다음 식을 만족시킬 때, a와 b의 대소 관계를 부등호를 사용하여 나타내어라.

18 $a-7<b-7$

19 $3a-8\leq3b-8$

20 $\dfrac{a}{3}-6\leq\dfrac{b}{3}-6$

21 $1-2a>1-2b$

학교시험 필수예제

22 다음 중 옳지 <u>않은</u> 것은?

① $-a<-b$이면 $a>b$이다.
② $2a<2b$이면 $a<b$이다.
③ $3-a>3-b$이면 $a<b$이다.
④ $a-1>b-1$이면 $1-2a>1-2b$이다.
⑤ $a<b$이면 $3a-4<3b-4$이다.

※ $x \le 6$일 때, 다음 식의 값의 범위를 구하여라.

23 $x+1$

24 $x-3$

25 $2x$

26 $\dfrac{x}{3}$

27 $-3x$

28 $2x-1$

29 $-2x+1$

※ $-1 \le x < 3$일 때, 다음 식의 값의 범위를 구하여라.

30 $3x-2$

해설ㅣ 부등식의 양변에 같은 양수를 곱하거나 빼도 부등호의 방향은 바뀌지 않는다.
$-1 \le x < 3$의 각 변에 3을 곱하면
$\boxed{} \le 3x < \boxed{}$
각 변에서 $\boxed{}$를 빼면 $\boxed{} \le 3x - \boxed{} < \boxed{}$

31 $2x-3$

32 $-2x+3$

학교시험 필수예제

33 $-3 < x < 2$일 때, $a < -x+7 < b$를 만족시키는 a와 b에 대하여 $a+b$의 값은?

① 1 　　② 7 　　③ 8
④ 15 　　⑤ 20

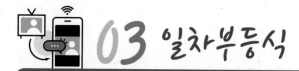 **03** 일차부등식

1. 부등식에서는 등식과 마찬가지로 한 변에 있는 항을 부호를 바꾸어 다른 변으로 이항할 수 있다.
2. **일차부등식** : 부등식의 우변의 모든 항을 좌변으로 이항하여 정리한 식이
   (일차식)> 0, (일차식)< 0, (일차식)≥ 0, (일차식)≤ 0
   중의 한 가지 꼴로 되는 부등식

이항은 부등식의 성질에 의하여 성립한다.
$$x+5>2 \Rightarrow x+5-2>2-2$$
$$\Rightarrow x+5-2>0$$
$$\Rightarrow \underline{x+3}>0$$
일차식

 038 일차부등식의 뜻

※ 다음 부등식 중에서 모든 항을 좌변으로 이항하여 일차부등식이 되는 것에는 ○표, 그렇지 않은 것에는 ×표 하여라.

01 $2x-7\geq 6$ (   )

02 $x^2+5x<x^2-3$ (   )

03 $4(x-1)>x+3$ (   )

04 $x^2-x+1\leq 0$ (   )

05 $2-x>-x$ (   )

06 $x^2-3x<x^2$ (   )

07 $2-\dfrac{1}{x}\leq 3x$ (   )

08 $2x>x^2$ (   )

09 $2-x+x^2\geq x^2$ (   )

학교시험 필수예제

10 다음 중 일차부등식이 <u>아닌</u> 것은?
① $2(x+2)<1-2x$
② $\dfrac{2x+5}{3}<\dfrac{3x-5}{2}$
③ $5x+1<4$
④ $3(1-x)\geq -4+3x$
⑤ $5x-1\leq 5(x-4)$

04 일차부등식의 풀이

x에 대한 일차부등식은 다음과 같은 방법으로 푼다.
① 미지수 x를 포함한 항은 좌변으로, 상수항은 우변으로 이항한다.
② 양변을 간단히 하여 $ax>b$, $ax<b$, $ax \geq b$, $ax \leq b$ $(a \neq 0)$꼴로 나타낸다.
③ 양변을 x의 계수로 나눈다. 이때, 계수가 음수이면 부등호의 방향이 바뀐다.

일차부등식을 풀때
$$x>(수), \ x<(수)$$
$$x \geq (수), \ x \leq (수)$$
의 꼴로 고쳐서 부등식의 해를 구한다.

---

 039 일차부등식의 풀이

※ 다음 일차부등식에 대하여 물음에 답하여라.
$$4x-3>1$$

01 좌변의 상수항을 우변으로 이항하여라.

02 부등식의 우변을 정리하여라.

03 부등식의 양변을 x의 계수로 나누어라.

04 주어진 일차부등식의 해를 말하여라.

※ 다음 일차부등식을 풀어라.

05 $5x-20>2x+1$

해설ㅣ 좌변의 -20을 우변으로 이항하고,
우변의 $2x$를 좌변으로 이항하면
$5x-2x>1+\boxed{}$
좌변과 우변을 정리하면 $3x>\boxed{}$
양변을 x의 계수로 나누면 $x>\boxed{}$

06 $3x+2<x+8$

07 $-2x+12>6x-4$

 학교시험 필수예제

08 부등식 $-3x-2 \geq 7$을 풀면?
① $x \leq -3$ ② $x \geq -3$ ③ $x \leq -1$
④ $x \geq 0$ ⑤ $x \leq 1$

09 다음 부등식 중에서 해가 $x > -3$인 것의 개수를 구하여라.

> ㉠ $x-2 < -5$ ㉡ $x+1 > 4$
> ㉢ $-x-3 > 0$ ㉣ $2x < -6$
> ㉤ $-\dfrac{1}{3}x < 1$

10 다음 부등식 중에서 해가 $x \le 3$인 것의 개수를 구하여라.

> ㉠ $3x \le 9$ ㉡ $-2x \le 6$
> ㉢ $x-3 \le 1$ ㉣ $-2x+3 \ge -3$
> ㉤ $-x+1 > x-5$

11 다음 부등식 중에서 해가 $x > 2$인 것의 개수를 구하여라.

> ㉠ $1-x < 3$ ㉡ $3+2x > x+1$
> ㉢ $x-2 > -4$ ㉣ $2x+1 > -3$
> ㉤ $3x+1 > 7$

※ 다음 일차부등식을 만족하는 자연수 x를 모두 구하여라.

12 $-3x+1 \ge -11$

13 $1+4x \le 7-2x$

14 $x+8 > 3x-1$

학교시험 필수예제

15 다음 부등식을 만족하는 자연수는 모두 몇 개인가?

> $$\dfrac{x-5}{2} < \dfrac{x+2}{4}$$

① 9개   ② 10개   ③ 11개
④ 12개   ⑤ 13개

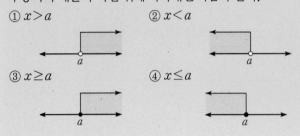 **05 부등식의 해와 수직선**

부등식의 해를 수직선 위에 나타내면 다음과 같다.

① $x>a$　　　　　② $x<a$

③ $x \geq a$　　　　　④ $x \leq a$

부등식의 해를 수직선 위에 나타낼 때, ○은 그 점에 대응하는 수가 해에 포함되지 않음을 뜻하고, ●은 그 점에 대응하는 수가 해에 포함됨을 뜻한다.

 040 부등식의 해와 수직선

※ 다음 일차부등식을 풀고 그 해를 수직선 위에 나타내어라.

01 $-x<2$

02 $2x>8$

03 $6x<-18$

04 $-5x \leq 15$

05 $\dfrac{1}{2}x \geq 4$

06 $x+5>8$

07 $x-3<6$

08 $8+x \geq 13$

 학교시험 필수예제

09 부등식 $-3x+2 \leq -1$의 해를 수직선 위에 옳게 나타낸 것은?

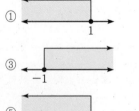

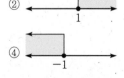

06 괄호가 있는 일차부등식의 풀이

빠른 정답 05쪽 / 친절한 해설 16쪽

괄호를 포함한 부등식을 풀 때에는 분배법칙을 이용하여 괄호를 풀고 부등식을 간단히 정리한 후 푼다.

괄호를 풀 때
⇨ 괄호 안에 있는 모든 항에 빠짐없이 곱한다.

 041 괄호가 있는 일차부등식의 풀이

※ 다음 일차부등식을 풀어라.

01 $-(x-5)>3(1+x)$

해설ㅣ 괄호를 풀면
$-x+\boxed{}>3+3x$
$-x-3x>3-\boxed{}$
$-4x>\boxed{}$
$\therefore x<\boxed{}$

02 $5x-7<2(x-2)$

03 $5x-9<2(x+3)$

04 $-(x-6)>3(x-2)$

05 $8-2(5x+7)\leq 2x$

06 $1-(x+2)\leq 4(2x-1)$

07 $x-(3-x)\geq 1-4(x+1)$

 학교시험 필수예제

08 일차부등식 $-3(x-1)>-x+7$을 풀면?

① $x<-3$ ② $x>-3$ ③ $x<-2$
④ $x>-2$ ⑤ $x<2$

07 계수가 소수 또는 분수인 일차부등식의 풀이

계수가 소수 또는 분수인 부등식은 양변에 적당한 수를 곱하여 계수를 정수로 바꾸어 풀면 편리하다.

1. **계수가 소수인 일차부등식** : 부등식의 양변에 10의 거듭제곱을 곱하여 계수를 정수로 바꾼 후 푼다.
2. **계수가 분수인 일차부등식** : 부등식의 양변에 분모의 최소공배수를 곱하여 계수를 정수로 바꾼 후 푼다.

적당한 수를 곱하여 계수를 정수로 바꿀 때
⇨ 모든 항에 똑같은 수를 곱한다.

042 계수가 소수 또는 분수인 일차부등식의 풀이

※ 다음 일차부등식을 풀어라.

01 $0.3x - 1 \le 0.5 - 0.2x$

해설| 양변에 10을 곱하면

$3x - \boxed{} \le 5 - \boxed{}$

$5x \le \boxed{}$

양변을 5로 나누면 $x \le \boxed{}$

02 $0.5x - 1 \le 1.5x$

03 $0.5x + 0.6 > 0.3x + 1$

04 $1 - 0.7x \le 0.3x - 2$

※ 다음 일차부등식을 풀어라.

05 $\dfrac{x}{3} - \dfrac{1}{2} < x + \dfrac{5}{6}$

해설| 양변에 6을 곱하면

$2x - \boxed{} < 6x + \boxed{}$

$-4x < \boxed{}$

양변을 -4로 나누면 $x > \boxed{}$

06 $\dfrac{3}{2} + \dfrac{1}{4}x \le -\dfrac{1}{2}x$

07 $\dfrac{3x+1}{2} - \dfrac{x+7}{4} < 0$

08 $\dfrac{2}{3}x - 3 < \dfrac{3}{4}x - 4$

※ 다음 일차부등식을 풀어라.

09 $\dfrac{2(x-3)}{5}-1>-0.3x+2$

해설 | 양변에 10을 곱하면

$\boxed{}(x-3)-10>-3x+20$

$\boxed{}x-\boxed{}-10>-3x+20$

$7x>\boxed{}\quad\therefore\ x>\boxed{}$

10 $\dfrac{2(x+3)}{5}>2+0.6x$

11 $1.2x-\dfrac{2}{5}\le0.7x$

12 $0.6x-0.2\ge-\dfrac{2(1-2x)}{5}$

※ 다음 일차부등식을 만족하는 x의 값 중 가장 큰 정수를 구하여라.

13 $3x-\dfrac{x+5}{2}\le3$

해설 | $3x-\dfrac{x+5}{2}\le3$의 양변에 $\boxed{}$를 곱하면

$6x-(x+5)\le\boxed{}\quad\therefore\ x\le\boxed{}$

따라서 주어진 부등식을 만족하는 가장 큰 정수는 $\boxed{}$이다.

14 $\dfrac{x}{2}-0.3(x-1)>x$

15 $0.5x+3\le1-\dfrac{2x+4}{3}$

08 일차부등식의 활용 문제 풀이 순서

빠른 정답 05쪽 / 친절한 해설 16쪽

일차부등식을 이용하여 문제를 풀 때에는 다음 순서로 푼다.
① 주어진 문제의 뜻을 파악하고, 무엇을 미지수로 놓을지 결정한다.
② 수량들 사이의 대소 관계를 일차부등식으로 나타낸다.
③ 부등식을 푼다.
④ 구한 해가 문제의 뜻에 맞는지 확인한다.

참고 물건의 개수, 사람 수 등은 자연수이므로 구한 해의 범위에서 자연수만 택해야 한다.

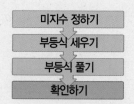

043 일차부등식의 활용 문제 풀이 순서

※ 다음을 읽고 물음에 답하여라.

> 한 송이에 900원인 카네이션 여러 송이와 2000원짜리 안개꽃 한 다발로 10000원 이하의 꽃다발을 만들려고 할 때, 카네이션은 최대 몇 송이까지 살 수 있는지 구하려고 한다.

01 카네이션을 x송이 산다면 꽃다발의 전체 금액은?

02 위 조건에 알맞은 부등식을 만들어라.

03 부등식을 풀어라.

04 카네이션은 최대 몇 개까지 살 수 있는가?

※ 다음을 읽고 물음에 답하여라.

> 한 번에 450 kg까지 운반할 수 있는 엘리베이터가 있다. 몸무게가 60 kg인 사람이 1개에 20 kg인 상자를 여러 개 실어 운반하려고 한다. 한 번에 운반할 수 있는 상자는 최대 몇 개인지 구하려고 한다.

05 상자를 x개 운반한다면 상자와 사람의 총 무게는?

06 위 조건에 알맞은 부등식을 만들어라.

07 부등식을 풀어라.

08 물건은 최대 몇 개까지 운반할 수 있는가?

09 현재 형의 통장에는 15000원, 동생의 통장에는 8000원이 들어 있다. 다음 달부터 매달 형은 500원씩, 동생은 700원씩 저축한다고 할 때, 동생의 저축액이 형의 저축액보다 많아지는 것이 몇 개월 후부터인지 구하여라.

해설ㅣ x개월 후부터 동생의 저축액이 형의 저축액보다 많아진다고 하면

$8000 + \boxed{} > 15000 + \boxed{}$

위의 부등식을 풀면

$x > \boxed{}$

따라서 동생의 저축액이 형의 저축액보다 많아지는 것은 $\boxed{}$개월 후부터이다.

11 현재 형의 통장에는 25000원, 동생의 통장에는 40000원이 들어 있다. 다음 달부터 매달 형은 5000원씩, 동생은 3000원씩 저축한다고 할 때, 형의 저축액이 동생의 저축액보다 많아지는 것은 몇 개월 후부터인지 구하여라.

해설ㅣ x개월 후부터 형의 저축액이 동생의 저축액보다 많아진다고 하면

$25000 + \boxed{} > 40000 + \boxed{}$

위의 부등식을 풀면

$x > \boxed{}$

따라서 형의 저축액이 동생의 저축액보다 많아지는 것은 $\boxed{}$개월 후부터이다.

10 현재 형의 통장에는 13000원, 동생의 통장에는 7000원이 들어 있다. 다음 달부터 매달 형은 500원씩, 동생은 1500원씩 저축한다고 할 때, 동생의 저축액이 형의 저축액보다 많아지는 것이 몇 개월 후부터인지 구하여라.

12 현재 형의 통장에는 2000원, 동생의 통장에는 4000원이 들어 있다. 다음 달부터 매달 형은 1400원씩, 동생은 600원씩 저축한다고 할 때, 형의 저축액이 동생의 저축액의 2배보다 많아지는 것은 몇 개월 후부터인지 구하여라.

09 일차부등식의 활용 (1) - 수

빠른 정답 05쪽 / 친절한 해설 17쪽

1. 연속한 세 자연수
$x-1$, x, $x+1$ (단, $x≥2$)로 놓고 푼다.
2. 물건의 개수
물건의 개수를 x라 놓고, 금액을 이용하여 부등식을 세운다.

범위가 a 이상, b 미만으로 주어지면
⇨ $a≤(x$의 식$)<b$

044 일차부등식의 활용 (1) - 수

※ 다음 물음에 답하여라.

01 어떤 수 x에 9를 더하면 x의 3배보다 크다. 어떤 수 x 중에서 가장 큰 자연수를 구하여라.

02 어떤 자연수의 5배에 1을 더한 수는 21보다 작다. 이를 만족하는 자연수를 모두 구하여라.

03 어떤 자연수의 4배에서 3을 뺀 수는 5보다 크고 15보다 크지 않다고 한다. 이를 만족하는 자연수를 모두 구하여라.

※ 연속한 세 자연수에 대하여 다음 물음에 답하여라.

04 연속한 세 자연수의 합이 21보다 크고 27보다 작을 때, 세 자연수를 구하여라.

05 연속한 세 자연수의 합이 24보다 크고 30보다 작을 때, 세 자연수를 구하여라.

06 연속한 세 자연수의 합이 30보다 클 때, 합이 가장 작은 세 자연수를 구하여라.

※ 다음을 읽고 물음에 답하여라.

> 500원짜리 빵과 700원짜리 음료수를 섞어서 20개를 사고 11000원 이하의 돈을 내려고 할 때 음료수는 최대 몇 개까지 살 수 있는지 구하려고 한다.

07 음료수를 x개 산다고 할 때, 음료수와 빵을 사는데 드는 금액을 각각 구하여라.

해설| 음료수를 x개 산다고 하면 빵은 (⬚)개 살 수 있으므로

음료수는 $700x$(원), 빵은 $500($⬚$)$(원)

08 부등식을 세우고, 음료수는 최대 몇 개 살 수 있는지 구하여라.

※ 다음 물음에 답하여라.

09 500원짜리 펜과 700원짜리 펜을 섞어서 8자루 사고 4800원 미만의 돈을 내려고 한다. 700원짜리 펜은 최대한 몇 자루까지 살 수 있는지 구하여라.

10 한 개에 500원 하는 사과와 한 개에 200원 하는 귤을 합하여 20개를 사려고 한다. 돈을 7000원 이하로 하려고 할 때, 사과는 최대 몇 개까지 살 수 있는지 구하여라.

11 한 송이에 800원 하는 꽃과 한 송이에 1000원 하는 꽃을 합하여 20송이를 17000원이 넘지 않게 사려고 한다. 1000원 하는 꽃은 최대 몇 송이까지 살 수 있는지 구하여라.

12 200원짜리 공책과 100원짜리 공책을 합해 20권을 사려고 한다. 3100원 이하에서 200원짜리 공책은 최대한 몇 권까지 살 수 있는지 구하여라.

10 일차부등식의 활용 (2) - 거리, 속력, 시간

빠른 정답 05쪽 / 친절한 해설 17쪽

1. 거리, 속력, 시간의 최대, 최소 문제는 걸리는 시간의 합을 이용하여 푼다.

2. $(시간) = \dfrac{(거리)}{(속력)}$

최대로 다녀올 수 있는 거리
⇨ 갈 때 걸리는 시간과 올 때 거리는 시간의 합에 대한 부등식을 세운다.

유형 045 일차부등식의 활용 (2) - 거리, 속력, 시간

※ 다음을 읽고 물음에 답하여라.

> 등산을 하는데 올라갈 때에는 시속 2 km, 내려올 때에는 같은 길을 시속 3 km로 걸어서 전체 걸리는 시간을 2시간 이내로 하려고 한다. 출발 지점에서부터 몇 km까지 올라갔다 내려올 수 있는지 구하려고 한다.

01 올라갈 수 있는 곳까지의 거리를 x km라고 할 때, 올라갈 때 걸린 시간과 내려올 때 걸린 시간을 각각 x의 식으로 나타내어라.

해설 | $(시간) = \dfrac{(거리)}{(속력)}$ 이므로 x km까지 올라갔다 내려온다고 하면 올라갈 때와 내려올 때 걸린 시간은 각각 ☐시간, ☐시간이다.

02 조건에 알맞은 부등식을 만들어라.

03 위에서 만든 부등식을 풀어라.

04 최대 몇 km까지 올라갔다 내려올 수 있는지 구하여라.

※ 다음 물음에 답하여라.

05 등산을 하는데 올라갈 때에는 시속 3 km, 내려올 때에는 같은 길을 따라 시속 4 km로 걸어서 전체 걸리는 시간을 3시간 30분 이내로 하려고 한다. 이때, 몇 km까지 올라갈 수 있는지 구하여라.

06 등산을 하는데 올라갈 때에는 시속 3 km, 내려올 때에는 시속 5 km로 걸어서 전체 걸리는 시간을 2시간 이내로 하려고 한다. 이때, 몇 km까지 올라갈 수 있는지 구하여라.

07 역에서 열차를 기다리는데 출발 시간까지는 1시간 20분의 여유가 있다. 여유 시간을 이용하여 시속 5 km로 걸어서 역 근처 백화점에 갔다 오려고 한다. 1시간 이상 쇼핑을 하고 싶다면 역에서 몇 km 이내의 백화점을 이용해야 하는지 구하여라.

해설 이용할 수 있는 백화점까지의 거리를 x km라 하면 1시간 이상 쇼핑하려면 백화점 왕복 시간이 $\boxed{}$ 분 이내이어야 한다.

$$\frac{x}{5} + \frac{x}{5} \leq \boxed{}$$

$$\therefore x \leq \boxed{}$$

따라서 역에서 $\boxed{}$ km 이내에 있는 백화점을 이용해야 한다.

08 보라는 기차를 타고 할머니 댁에 가려고 한다. 기차 출발 시각까지 1시간의 여유가 있어서 이 시간을 이용하여 시속 4 km로 걸어서 할머니께 드릴 선물을 사려고 한다. 선물을 사는 데 10분이 걸린다면 기차역에서 몇 km 이내의 상점을 이용해야 하는지 구하여라.

09 A지점에서 13 km 떨어져 있는 B지점까지 가는데, 처음에는 시속 5 km로 걷다가 도중에 시속 4 km로 걸어서 3시간 이내에 B지점에 도착하려고 한다. 이때, 시속 5 km로 걸은 거리는 몇 km 이상이어야 하는지 구하여라.

10 소아가 집에서 20 km 떨어진 이모네 집을 가는데 처음에는 자전거를 타고 시속 12 km로 달리다가 도중에 자전거가 고장 나서 그 지점에서부터 시속 4 km로 걸어 갔더니 2시간 이내에 도착하였다. 자전거가 고장 난 지점은 집에서 몇 km 이상 떨어진 곳인지 구하여라.

Ⅲ. 일차부등식

1. 부등식과 그 해

(1) 부등호 $<$, $>$, $\leq$, $\geq$를 사용하여 수 또는 식의 대소 관계를 나타낸 식을 ❶ [＿＿＿＿]이라고 한다.

(2) 주어진 부등식을 참이 되게 하는 x의 값을 그 부등식의 ❷ [＿＿＿＿]라고 한다.

2. 부등식의 성질

(1) $a<b$이면 $a+c$ ❸ [＿] $b+c$, $a-c<b-c$

(2) $a<b$, $c>0$이면 $ac<bc$, $\dfrac{a}{c}$ ❹ [＿] $\dfrac{b}{c}$

(3) $a<b$, $c<0$이면 ac ❺ [＿] bc, $\dfrac{a}{c}$ ❻ [＿] $\dfrac{b}{c}$

개념 window

부등호의 방향이 바뀌지 않는 경우
• 같은 수를 더하거나 뺄 때
• 양수로 곱하거나 나눌 때

부등호의 방향이 바뀌는 경우
• 음수로 곱하거나 나눌 때

3. 일차부등식의 뜻과 그 해

(1) 부등식의 우변의 모든 항을 좌변으로 이항하여 정리한 식이

$$(일차식)>0, \ (일차식)<0, \ (일차식)\geq0, \ (일차식)\leq0$$

중의 한 가지 꼴로 되는 부등식을 ❼ [＿＿＿＿]이라고 한다.

(2) 부등식의 성질을 이용하여 부등식을 변형해도 해는 같으므로 주어진 부등식을

$$x>(수), \ x<(수), \ x\geq(수), \ x\leq(수)$$

의 꼴로 바꾸면 일차부등식의 해를 모두 구할 수 있다.

4. 부등식의 해와 수직선

① $x>a$

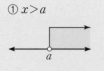

② ❽ [＿＿＿＿]

③ $x\geq a$

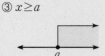

④ ❾ [＿＿＿＿]

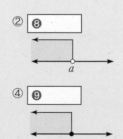

부등식의 해를 수직선 위에 나타낼 때, ○은 그 점에 대응하는 수가 해에 포함되지 않음을 뜻하고, ●은 그 점에 대응하는 수가 해에 포함됨을 뜻한다.

❶ 부등식 ❷ 해 ❸ $<$ ❹ $<$ ❺ $>$ ❻ $>$ ❼ 일차부등식 ❽ $x<a$ ❾ $x\leq a$

5. 계수가 소수 또는 분수인 부등식은 양변에 적당한 수를 곱하여 계수를 정수로 바꾸어 풀면 편리하다..

(1) 계수가 [**⑩**]인 일차부등식: 부등식의 양변에 10이 거듭제곱을 곱하여 계수를 정수로 바꾼 후 푼다.

(2) 계수가 [**⑪**]인 일차부등식: 부등식의 양변에 분모의 최소공배수를 곱하여 계수를 정수로 바꾼 후 푼다.

개념 window

적당한 수를 곱하여 계수를 정수로 바꿀 때
→ 모든 항에 똑같은 수를 곱한다.

6. 일차부등식을 이용하여 문제를 풀 때에는 다음 순서로 푼다.

① 주어진 문제를 뜻을 파악하고, 무엇을 미지수로 놓을지 결정한다.

② 수량들 사이의 대소 관계를 일차부등식으로 나타낸다.

③ 부등식을 푼다.

④ 구한 해가 문제의 뜻에 맞는지 확인한다.

참고 물건의 개수, 사람 수등은 자연수이므로 구한 해의 범위에서 자연수만 택해야 한다.

미지수 정하기
⇓
부등식 세우기
⇓
부등식 풀기
⇓
확인하기

7. 연속하는 세 자연수와 물건의 개수 문제

(1) 연속한 세 자연수

$x-1, x, x+1$ (단, $x \geq 2$)로 놓고 푼다.

(2) 물건의 개수

물건의 개수를 x라 놓고, 금액을 이용하여 부등식을 세운다.

범위가 a이상, b미만으로 주어지면
→ $a \leq (x의 식) < b$

8. 거리 ,속력, 시간의 최대, 최소 문제는 걸리는 시간의 합을 이용하여 푼다.

$$(시간) = \frac{⑫}{⑬}, \quad (속력) = \frac{⑮}{⑭}, \quad (거리) = \boxed{} \times \boxed{}$$

⑩ 소수   ⑪ 분수   ⑫ 거리   ⑬ 속력   ⑭ 시간   ⑮ 거리

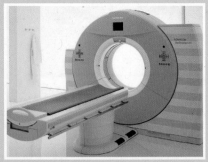

컴퓨터 단층 촬영(CT)
2차원 엑스선 영상으로부터의 신체 내부의 3차원 영상을 만든다.

수술에 활용된 3D프린팅 모형
3차원 물체를 만들어내는 3D프린터가 산업 전반에 큰 변화를 일으킬 전망이다.

가상현실, 증강현실
최근에는 인간과 컴퓨터 간의 상호작용에 관한 연구가 활발하다.

어떻게?
X선으로 신체의 단면 영상을
촬영할 수 있을까?
그 답은 바로

여러 방향에서 투과시킨 X선의 양을
연립방정식을 풀어 측정할 수 있기 때문

생활이 다양하고 한층 복잡해짐에 따라 발생하는 문제들도 단순하지가 않다. 단순한 사칙연산만으로 해결하기 힘든 실생활의 문제는 미지수를 이용하여 방정식을 만들고 이 식을 풀어서 해결한다. 흔히 'CT'라고 불리는 컴퓨터 단층 촬영은 체내에 X선을 통과시킨 후 X선이 신체의 각 부분에서 얼마만큼 흡수됐는지를 측정한다. 이런 과정을 한 방향 뿐 아니라 여러 방향에서 되풀이한다. 한 방향에서 X선을 투과시킬 때마다 신체의 각 부분을 미지수로 하는 방정식을 얻을 수 있기 때문에 여러 방향에서 X선을 투과시키면 연립방정식을 얻게 된다. 컴퓨터가 복잡한 계산과정을 거쳐 연립방정식을 풀면 신체의 각 부분에서 흡수한 X선의 양을 알아낼 수 있고, 이를 토대로 신체의 단면 영상을 얻을 수 있다.

이렇듯 방정식은 자연현상 및 실생활의 복잡하고 다양한 상황을 간결하고 명확하게 표현해주며 연립방정식에 기초한 식의 조작으로 쉽고 빠르게 해답에 도달하도록 해준다. 최근에는 컴퓨터 그래픽, 3D프린터, 가상현실, 증강현실 게임 등에도 활용되고 있다.

IV. 연립방정식

학습 목표

1. 미지수가 2개인 일차방정식과 그 해의 의미를 이해한다.
2. 미지수가 2개인 연립일차방정식과 그 해의 의미를 이해하고, 이를풀 수 있다.
3. 미지수가 2개인 연립일차방정식을 활용하여 다양한 실생활 문제를 해결할 수 있다.

01 미지수가 2개인 일차방정식

1. **미지수가 2개인 일차방정식** : 미지수가 2개이고 차수가 모두 1인 방정식
2. **2개의 미지수 x, y에 대한 일차방정식**
   $$ax+by+c=0 \ (a, b, c는 \ 상수, \ a\neq0, \ b\neq0)$$

[미지수가 2개인 일차방정식]

$$3x + 4y \qquad = 0$$
$$2x + y + 1 = 0$$
$$x - y + 3 = 0$$

주의 $x+2y=x+y$는 모든 항을 좌변으로 이항하여 정리하였을 때 $y=0$이 되므로 미지수가 2개인 일차방정식이 아니다.

유형 046 미지수가 2개인 일차방정식

※ 다음 문장을 미지수가 2개인 일차방정식으로 나타내어라.

01 성은이는 친구들과 분식집에서 500원 하는 어묵 x개와 600원 하는 떡꼬치 y개를 먹었는데 그 값이 3300원이었다.

02 미성이는 수학 시험에서 5점짜리 문항 x개와 7점짜리 문항 y개를 맞혀서 81점을 받았다.

03 x원짜리 공책 4권과 y원짜리 연필 5자루를 샀더니 값이 6500원이었다.

04 한 팩의 열량이 200 kcal인 우유 x팩, 한 병의 열량이 90 kcal인 요구르트 y병을 합한 총열량은 580 kcal이다.

05 한 개에 400원인 자두 x개와 한 개에 900원인 복숭아 y개를 샀더니 값이 5000원이었다.

※ 다음 중 미지수가 2개인 일차방정식인 것에는 ○표, 그렇지 않은 것에는 ×표 하여라.

06 $2x-3y$ ( )

07 $x+2y=0$ ( )

08 $x^2-2y=5$ ( )

09 $\dfrac{1}{x}+\dfrac{1}{y}=3$ ( )

10 $\dfrac{x}{2}-\dfrac{y}{5}=7$ ( )

11 $x^2+y=x(x-2)$ ( )

12 $x+xy-4=0$ ( )

13 $3x-4y=2(x-2y)+3$ ( )

1. **미지수가 2개인 일차방정식의 해** : 미지수가 2개인 일차방정식을 참이 되게 하는 x, y의 값 또는 그 순서쌍 (x, y)

2. **방정식을 푼다** : 일차방정식의 해를 모두 구하는 것

순서쌍 (a, b)가 주어진 일차방정식의 해인지 알아보려면
➪ 방정식에 $x=a$, $y=b$를 대입하여 등식이 성립하는지 확인해 본다.

 047 **미지수가 2개인 일차방정식의 해**

※ 다음 중 해가 $(4, 1)$인 일차방정식인 것에는 ○표, 그렇지 않은 것에는 ×표 하여라.

01 $x-2y=3$　　　　　　（　　）

해설 | 주어진 방정식에 $x=4$, $y=\boxed{}$을 대입하면
(좌변)$=4-\boxed{}=\boxed{}$, (우변)$=\boxed{}$
(좌변)$\neq$(우변)이므로 $(4, 1)$은 주어진 일차방정식의 (해이다, 해가 아니다).

02 $2x-y=7$　　　　　　（　　）

03 $3x+2y=10$　　　　　　（　　）

04 $x-4y=0$　　　　　　（　　）

05 $2x+4y=14$　　　　　　（　　）

※ x, y가 자연수일 때, 다음 표를 완성하고, 일차방정식의 해를 모두 구하여라.

06 $3x+y=10$

해설 | x가 자연수이므로 주어진 방정식에 1, 2, 3, …을 차례대로 대입하여 y의 값을 구하면 다음과 같다.

x	1	2	3	4	…
y	$\boxed{}$	$\boxed{}$	$\boxed{}$	$\boxed{}$	…

x, y의 값은 자연수이므로 이것을 만족하는 순서쌍 (x, y)는 $(1, 7)$, $(2, \boxed{})$, $(3, \boxed{})$

07 $x+y=4$

x	1	2	3	4	…
y					…

08 $2x+y=8$

x	1	2	3	4	…
y					…

※ 순서쌍 $(2, 3)$이 다음 일차방정식의 해일 때, 상수 a의 값을 구하여라.

09 $4x-2y=a$

해설ㅣ 주어진 방정식에 $x=\boxed{}$, $y=\boxed{}$을 대입하면

$4\times\boxed{}-2\times\boxed{}=a$

$\therefore a=\boxed{}$

10 $x-ay=-10$

11 $ax+2y=10$

12 $-2x+ay=11$

13 $(a-1)x+4y=8$

※ 다음 주어진 일차방정식의 해가 $(3, a)$일 때, a의 값을 구하여라.

14 $3x+2y=13$

해설ㅣ 주어진 방정식에 $x=\boxed{}$, $y=\boxed{}$를 대입하면

$3\times\boxed{}+2\times\boxed{}=13$

$\therefore a=\boxed{}$

15 $5x-2y=5$

16 $7x-3y=9$

17 $-2x+4y=18$

18 $-4x+6y=30$

03 미지수가 2개인 연립일차방정식

빠른 정답 05쪽 / 친절한 해설 18쪽

1. 연립일차방정식
① 연립방정식 : 두 개 이상의 방정식을 한 쌍으로 묶어서 나타낸 것
② 연립일차방정식 : 각각의 방정식이 일차방정식인 연립방정식

2. 연립방정식의 해
① 연립방정식의 해 : 연립방정식에서 각각의 방정식을 동시에 만족하는 x, y 의 값 또는 그 순서쌍 (x, y)
② 연립방정식을 푼다 : 연립방정식의 해를 구하는 것

예 x, y가 자연수일 때,

연립방정식 $\begin{cases} x+y=4 \\ 2x+y=7 \end{cases}$ 의 해

$x+y=4$의 해 $(1, 3)$

$2x+y=7$의 해 $(2, 2)$

$(1, 5)$ $(2, 3)$ $(3, 1)$

유형 048 미지수가 2개인 연립일차방정식

※ 다음 문장을 연립방정식으로 나타내어라.

01 한 송이에 500원인 꽃 x송이와 한 송이에 300원인 꽃 y송이를 합하여 15송이를 사고 6500원을 지불하였다.

해설ㅣ $\begin{cases} x+y= \boxed{} \\ \boxed{}x+ \boxed{}y= \boxed{} \end{cases}$

02 한 개에 300원인 귤 x개와 한 개에 500원인 사과 y개를 합하여 12개를 사고 4000원을 지불하였다.

03 100원짜리 동전 x개와 50원짜리 동전 y개를 모두 합하면 8개이고 그 금액은 600원이다.

04 강아지 x마리와 오리 y마리가 함께 있는데 머리의 수는 모두 6개이고, 다리의 수는 모두 20개이다.

05 농구경기에서 2점 슛 x개, 3점 슛 y개를 합하여 7번 넣어 16점을 득점하였다.

※ 다음 연립방정식 중 해가 $(3, -1)$인 것에는 ○표, 그렇지 않은 것에는 ×표 하여라.

06 $\begin{cases} x+y=5 \\ x+2y=1 \end{cases}$ ( )

07 $\begin{cases} 2x-y=7 \\ x+3y=-1 \end{cases}$ ( )

08 $\begin{cases} 3x-y=10 \\ 2x-3y=9 \end{cases}$ ( )

09 $\begin{cases} x-4y=7 \\ 2x+3y=3 \end{cases}$ ( )

10 $\begin{cases} x+2y=1 \\ 3x+5y=4 \end{cases}$ ( )

※ x, y가 자연수일 때, 다음 연립방정식을 풀어라.

11 $\begin{cases} x+y=7 & \cdots\cdots① \\ 2x+y=8 & \cdots\cdots② \end{cases}$

(1) ①식을 만족하는 x, y의 값을 다음 표에 적어라.

x	1	2	3	4	5	6
y						

(2) ②식을 만족하는 x, y의 값을 다음 표에 적어라.

x	1	2	3
y			

(3) 위의 (1), (2)의 표를 보고 두 일차방정식의 공통인 해를 순서쌍으로 나타내어라.

12 $\begin{cases} x+y=6 & \cdots\cdots① \\ 2x+y=10 & \cdots\cdots② \end{cases}$

(1) ①식을 만족하는 x, y의 값을 다음 표에 적어라.

x	1	2	3	4	5
y					

(2) ②식을 만족하는 x, y의 값을 다음 표에 적어라.

x	1	2	3	4
y				

(3) 위의 (1), (2)의 표를 보고 두 일차방정식의 공통인 해를 순서쌍으로 나타내어라.

※ 순서쌍 $(1, 3)$이 다음 연립방정식의 해일 때, 상수 a, b에 대하여 $a+b$의 값을 구하여라.

13 $\begin{cases} 2x+y=a \\ bx+2y=10 \end{cases}$

해설ㅣ $x=\boxed{}$, $y=3$을 $2x+y=a$에 대입하면

$2\times\boxed{}+3=a$ $\therefore a=\boxed{}$

$x=1$, $y=\boxed{}$을 $bx+2y=10$에 대입하면

$b+2\times\boxed{}=10$ $\therefore b=\boxed{}$

$\therefore a+b=\boxed{}$

14 $\begin{cases} ax+y=10 \\ 2x+3y=b \end{cases}$

15 $\begin{cases} x+2y=a \\ 2x+y=b \end{cases}$

16 $\begin{cases} 4x+2y=a \\ x+by=13 \end{cases}$

04 연립일차방정식의 풀이 (1) – 가감법

1. **소거** : 미지수가 2개인 연립방정식에서 한 미지수를 없애는 것
2. **가감법** : 연립방정식의 두 방정식을 변끼리 더하거나 빼어서 한 미지수를 소거하여 연립방정식의 해를 구하는 방법
3. **가감법을 이용한 연립방정식의 풀이 순서**
   ① 소거하려고 하는 문자의 계수의 절댓값이 같을 때 ⇨ 두 방정식을 변끼리 더하거나 뺀다.
   ② 소거하려고 하는 문자의 계수의 절댓값이 같지 않을 때 ⇨ 적당한 수를 곱하여 계수의 절댓값이 같도록 한 후 두 방정식을 변끼리 더하거나 뺀다.

예 가감법을 이용한 연립방정식

$$\begin{cases} x+y=5 \\ 2x-y=4 \end{cases}$$ 의 풀이

$$\begin{array}{r} x+y=5 \\ +)\ 2x-y=4 \\ \hline 3x\quad =9 \end{array}$$

049 연립일차방정식의 풀이 (1) –가감법

※ 가감법을 이용하여 다음 연립방정식을 풀어라.

01 $\begin{cases} x+y=6 \\ 3x-y=2 \end{cases}$

해설 | $\begin{cases} x+y=6 \quad\cdots\cdots\ \text{㉠} \\ 3x-y=2 \quad\cdots\cdots\ \text{㉡} \end{cases}$ 에서

㉠+㉡을 하면 $\boxed{}x=8$ ∴ $x=\boxed{}$

$x=\boxed{}$을 ㉠에 대입하면 $\boxed{}+y=6$ ∴ $y=\boxed{}$

따라서 구하는 해는 $x=\boxed{}$, $y=\boxed{}$

02 $\begin{cases} x+y=10 \\ 4x-y=5 \end{cases}$

03 $\begin{cases} x-2y=10 \\ 3x+2y=-2 \end{cases}$

04 $\begin{cases} 4x+3y=20 \\ 4x+y=12 \end{cases}$

해설 | $\begin{cases} 4x+3y=20 \quad\cdots\cdots\ \text{㉠} \\ 4x+y=12 \quad\cdots\cdots\ \text{㉡} \end{cases}$ 에서

㉠-㉡을 하면 $\boxed{}y=8$ ∴ $y=\boxed{}$

$y=\boxed{}$을 ㉡에 대입하면 $4x+\boxed{}=12$ ∴ $x=\boxed{}$

따라서 구하는 해는 $x=\boxed{}$, $y=\boxed{}$

05 $\begin{cases} 3x+5y=7 \\ 3x+y=-1 \end{cases}$

06 $\begin{cases} 3x-2y=8 \\ 3x-5y=11 \end{cases}$

07 $\begin{cases} 4x+y=11 \\ 5x+2y=13 \end{cases}$

해설ㅣ $\begin{cases} 4x+y=11 & \cdots\cdots \text{㉠} \\ 5x+2y=13 & \cdots\cdots \text{㉡} \end{cases}$ 에서 ㉠의 양변에 $\boxed{}$ 를 곱

해 y의 계수의 절댓값을 같게 한 다음 변끼리 뺀다.

㉠×$\boxed{}$−㉡을 하면 $\boxed{}x=9$ ∴ $x=\boxed{}$

$x=\boxed{}$을 ㉠에 대입하면 $\boxed{}+y=11$ ∴ $y=\boxed{}$

따라서 구하는 해는 $x=\boxed{}$, $y=\boxed{}$

08 $\begin{cases} x-5y=-5 \\ 2x-7y=-1 \end{cases}$

09 $\begin{cases} 2x+5y=9 \\ x+4y=6 \end{cases}$

10 $\begin{cases} x-4y=-5 \\ 3x+y=11 \end{cases}$

11 $\begin{cases} 2x+3y=3 \\ 3x+2y=7 \end{cases}$

해설ㅣ $\begin{cases} 2x+3y=3 & \cdots\cdots \text{㉠} \\ 3x+2y=7 & \cdots\cdots \text{㉡} \end{cases}$ 에서

㉠×3, ㉡×$\boxed{}$를 하면

$\begin{cases} \boxed{}x+9y=\boxed{} \\ \boxed{}x+4y=\boxed{} \end{cases}$

두 방정식을 변끼리 빼면

$5y=\boxed{}$ ∴ $y=\boxed{}$

$y=\boxed{}$을 ㉠에 대입하면

$2x+3\times(\boxed{})=3$ ∴ $x=\boxed{}$

따라서 구하는 해는 $x=\boxed{}$, $y=\boxed{}$

12 $\begin{cases} 4x+7y=-13 \\ 5x+2y=4 \end{cases}$

13 $\begin{cases} -3x+7y=-4 \\ 4x-3y=-1 \end{cases}$

05 연립일차방정식의 풀이 (2) - 대입법

1. **대입법** : 연립방정식에서 한 방정식을 다른 방정식에 대입하여 연립방정식의 해를 구하는 방법

2. **대입법을 이용한 연립방정식의 풀이 순서**
  ① 한 방정식을 한 미지수에 대하여 푼다.
  ② ①의 식을 다른 방정식에 대입하여 일차방정식의 해를 구한다.
  ③ ②의 해를 ①의 식에 대입하여 다른 미지수의 값을 구한다.

예 대입법을 이용한 연립방정식

$$\begin{cases} y=3x+2 \\ 2x+y=17 \end{cases}$$ 의 풀이

$$y=3x+2$$
↓ 대입
$$2x+y=17$$
↓ y를 소거
$$2x+(3x+2)=17$$

---

 050 연립일차방정식의 풀이 (2) - 대입법

※ 대입법을 이용하여 다음 연립방정식을 풀어라.

01 $\begin{cases} y=-x+7 \\ 4x-y=3 \end{cases}$

해설ㅣ $\begin{cases} y=-x+7 & \cdots\cdots \text{㉠} \\ 4x-y=3 & \cdots\cdots \text{㉡} \end{cases}$ 에서

㉠을 ㉡에 대입하면

$4x-(\boxed{})=3$ ∴ $x=\boxed{}$

$x=\boxed{}$ 을 ㉠에 대입하면 $y=\boxed{}$

따라서 구하는 해는 $x=\boxed{}$, $y=\boxed{}$

02 $\begin{cases} y=-5x+2 \\ 2x+y=-1 \end{cases}$

03 $\begin{cases} y=2x+5 \\ 3x-y=-4 \end{cases}$

04 $\begin{cases} y=2x-1 \\ 5x-3y=6 \end{cases}$

05 $\begin{cases} y=4x-7 \\ 2x-5y=-1 \end{cases}$

06 $\begin{cases} 3x-2y=5 \\ y=2x-1 \end{cases}$

07 $\begin{cases} y=4-x \\ 5x-3y=4 \end{cases}$

08 $\begin{cases} x=y+5 \\ 2x+y=7 \end{cases}$

09 $\begin{cases} x=2y+1 \\ x-4y=1 \end{cases}$

10 $\begin{cases} 4x+5y=3 \\ x=-2y-9 \end{cases}$

11 $\begin{cases} 2x-5y=-12 \\ x=y+3 \end{cases}$

12 $\begin{cases} x=3y+1 \\ 2x-y=12 \end{cases}$

13 $\begin{cases} 3x=2y+8 \\ 3x-4y=-2 \end{cases}$

14 $\begin{cases} 2y=3x+2 \\ 2y=-2x-3 \end{cases}$

06 괄호가 있는 연립방정식의 풀이

빠른 정답 05쪽 / 친절한 해설 20쪽

먼저 괄호를 풀어 동류항끼리 모아서 간단히 정리한 후 연립방정식을 푼다.

예 $\begin{cases} 2x-3(x+y)=6 \\ 5(x-y)-4x=10 \end{cases}$

$\Rightarrow \begin{cases} -x-3y=6 \\ x-5y=10 \end{cases}$

051 괄호가 있는 연립방정식의 풀이

※ 다음 연립방정식을 풀어라.

01 $\begin{cases} 5(2x-1)+y=2 \\ 3x-y=6 \end{cases}$

해설 | 주어진 연립방정식을 정리하면

$\begin{cases} 10x+y=\boxed{} & \cdots\cdots \text{㉠} \\ 3x-y=6 & \cdots\cdots \text{㉡} \end{cases}$ 에서

㉠+㉡을 하면 $13x=\boxed{}$ ∴ $x=\boxed{}$

$x=\boxed{}$ 을 ㉡에 대입하면 $\boxed{}-y=6$ ∴ $y=\boxed{}$

따라서 구하는 해는 $x=\boxed{}$, $y=\boxed{}$

02 $\begin{cases} 3(x-1)=y+1 \\ x+1=y-1 \end{cases}$

03 $\begin{cases} x+2y=1 \\ 3x-4(y+1)=9 \end{cases}$

04 $\begin{cases} x+4(y-1)=16 \\ 3(x+2)-2y=-4 \end{cases}$

05 $\begin{cases} 2(x+y)+3y=4 \\ 5x-4(x-y)=5 \end{cases}$

06 $\begin{cases} 7x-(x-5y)=8 \\ 4x+2(x+y)=3x+2 \end{cases}$

※ 다음 연립방정식의 해가 $x=p$, $y=q$일 때, $p+q$의 값을 구하여라.

07 $\begin{cases} 3(x-y)+4y=2 \\ x+2(x-2y)=7 \end{cases}$

해설 | 주어진 연립방정식을 정리하면

$\begin{cases} 3x+y=\boxed{} & \cdots\cdots \text{㉠} \\ 3x-\boxed{}y=7 & \cdots\cdots \text{㉡} \end{cases}$

㉠-㉡을 하면 $5y=\boxed{}$ ∴ $y=\boxed{}$

$y=\boxed{}$를 ㉠에 대입하면 $3x-\boxed{}=2$

∴ $x=\boxed{}$ ∴ $p+q=\boxed{}+(\boxed{})=\boxed{}$

08 $\begin{cases} 3(x-2)-2y=2(x-1) \\ 5(x-1)=2(y+3)+1 \end{cases}$

09 $\begin{cases} 3(x+2y)-7y=-14 \\ 3x-2(x-y)=7 \end{cases}$

10 $\begin{cases} 3(x-2y)+5y=1 \\ x+2(x-3y)=-9 \end{cases}$

11 $\begin{cases} 4(x+y)-3y=-7 \\ 2x-y=1 \end{cases}$

12 $\begin{cases} 3x-4(x+2y)=5 \\ 2(x-y)=3-5y \end{cases}$

07 계수가 분수인 연립방정식의 풀이

빠른 정답 06쪽 / 친절한 해설 20쪽

양변에 분모의 최소공배수를 곱하여 계수를 정수로 바꾸어 푼다.
① 각 일차방정식의 양변에 분모의 최소공배수를 곱하여 계수를 정수로 고친다.
② 동류항이 있으면 간단히 한다.
③ 가감법이나 대입법으로 한 미지수를 소거하여 푼다.

예 $\begin{cases} \dfrac{1}{2}x + \dfrac{1}{5}y = 2 \\ \dfrac{1}{3}x - \dfrac{1}{2}y = \dfrac{16}{6} \end{cases}$

$\Rightarrow \begin{cases} 5x + 2y = 20 \\ 2x - 3y = 16 \end{cases}$

052 계수가 분수인 연립방정식의 풀이

※ 다음 연립방정식을 풀어라.

01 $\begin{cases} \dfrac{1}{2}x - \dfrac{1}{3}y = \dfrac{2}{3} \\ \dfrac{1}{5}x + \dfrac{1}{10}y = \dfrac{1}{2} \end{cases}$

해설 | 각 일차방정식의 양변에 분모의 최소공배수를 곱하여 정리하면

$\begin{cases} \boxed{}x - 2y = 4 \quad \cdots\cdots ㉠ \\ 2x + y = \boxed{} \quad \cdots\cdots ㉡ \end{cases}$ 에서

㉠+㉡×2를 하면 $7x = \boxed{}$ $\quad \therefore x = \boxed{}$

$x = 2$를 ㉡에 대입하면 $4 + y = \boxed{}$ $\quad \therefore y = \boxed{}$

따라서 구하는 해는 $x = \boxed{}$, $y = \boxed{}$

02 $\begin{cases} \dfrac{x-1}{2} + y = -1 \\ \dfrac{1}{5}x - \dfrac{2}{3}y = 3 \end{cases}$

03 $\begin{cases} x - \dfrac{y}{6} = \dfrac{3}{2} \\ \dfrac{x}{3} - \dfrac{y}{2} = -\dfrac{5}{6} \end{cases}$

04 $\begin{cases} \dfrac{x-3y}{3} - \dfrac{2x+y}{2} = \dfrac{19}{6} \\ \dfrac{2x+y+3}{4} = 1 \end{cases}$

※ 다음 연립방정식의 해가 $x=p, y=q$일 때, $p+q$의 값을 구하여라.

05
$$\begin{cases} x+\dfrac{y-1}{5}=7 \\ x+\dfrac{y+1}{4}=8 \end{cases}$$

해설 각 일차방정식의 양변에 분모의 최소공배수를 곱하여 정리하면

$$\begin{cases} 5x+y=\boxed{} & \cdots\cdots \text{㉠} \\ 4x+y=\boxed{} & \cdots\cdots \text{㉡} \end{cases}$$

㉠$-$㉡을 하면 $x=\boxed{}$

$x=\boxed{}$를 ㉡에 대입하면

$\boxed{}+y=31$ $\therefore y=\boxed{}$

$\therefore p+q=\boxed{}+\boxed{}=\boxed{}$

06
$$\begin{cases} x-\dfrac{y-5}{2}=8 \\ \dfrac{5}{6}x-\dfrac{y}{4}=\dfrac{19}{4} \end{cases}$$

07
$$\begin{cases} \dfrac{x}{2}-y=-1 \\ \dfrac{x}{3}-\dfrac{y}{2}=\dfrac{1}{6} \end{cases}$$

08
$$\begin{cases} \dfrac{x}{4}-\dfrac{y}{8}=1 \\ \dfrac{x}{2}-y=\dfrac{1}{2} \end{cases}$$

09
$$\begin{cases} \dfrac{1}{3}x+\dfrac{1}{2}y=2 \\ \dfrac{2}{3}x-\dfrac{1}{4}y=\dfrac{3}{2} \end{cases}$$

10
$$\begin{cases} \dfrac{1}{3}x-y=-\dfrac{1}{3} \\ \dfrac{1}{4}x-\dfrac{3}{5}y=-\dfrac{1}{10} \end{cases}$$

08 계수가 소수인 연립방정식의 풀이

빠른 정답 06쪽 / 친절한 해설 21쪽

양변에 10의 거듭제곱을 곱하여 계수를 정수로 바꾸어 푼다.
① 각 일차방정식의 양변에 10의 거듭제곱 $(10, 100, 1000, \cdots)$을 곱하여 계수를
 정수로 고친다.
② 동류항이 있으면 간단히 한다.
③ 가감법이나 대입법으로 한 미지수를 소거하여 푼다.

예 $\begin{cases} 0.1x + 0.2y = 0.3 \\ 0.3x + 2y = 0.2 \end{cases}$

$\Rightarrow \begin{cases} x + 2y = 3 \\ 3x + 20y = 2 \end{cases}$

---

053 계수가 소수인 연립방정식의 풀이

※ 다음 연립방정식을 풀어라.

01 $\begin{cases} 0.1x + 0.5y = 1.5 \\ 0.5x - 0.3y = 1.9 \end{cases}$

해설 | 각 일차방정식의 양변에 10의 거듭제곱을 곱하여 계
수를 정수로 고치면

$\begin{cases} x + \boxed{}y = \boxed{} & \cdots\cdots ㉠ \\ 5x - 3y = \boxed{} & \cdots\cdots ㉡ \end{cases}$ 에서

㉠ × 5 − ㉡을 하면

$\boxed{}y = 56 \quad \therefore y = \boxed{}$

$y = \boxed{}$ 를 ㉠에 대입하면

$x + \boxed{} = 15 \quad \therefore x = \boxed{}$

따라서 구하는 해는 $x = \boxed{}, \ y = \boxed{}$

03 $\begin{cases} 0.3x + 0.4y = 0.1 \\ 0.6x + 0.5y = -0.1 \end{cases}$

02 $\begin{cases} 0.2x - 0.5y = -0.2 \\ 0.05x + 0.1y = 0.4 \end{cases}$

04 $\begin{cases} 0.1x + 0.3y = 1 \\ 0.05x - 0.12y = -0.04 \end{cases}$

※ 다음 연립방정식의 해가 $x=p, y=q$일 때, $p+q$의 값을 구하여라.

05 $\begin{cases} 0.3x+0.2y=1.7 \\ 0.1x-0.2y=-0.5 \end{cases}$

해설I 각 일차방정식의 양변에 10의 거듭제곱을 곱하여 계수를 정수로 고치면

$\begin{cases} 3x+2y=\boxed{} & \cdots\cdots \text{㉠} \\ x-2y=-5 & \cdots\cdots \text{㉡} \end{cases}$ 에서

㉠+㉡을 하면

$4x=\boxed{} \quad \therefore x=\boxed{}$

$x=\boxed{}$을 ㉡에 대입하면

$\boxed{}-2y=-5 \quad \therefore y=\boxed{}$

$\therefore p+q=\boxed{}+\boxed{}=\boxed{}$

06 $\begin{cases} 0.2x+0.4y=1.8 \\ 0.1x-0.2y=-0.3 \end{cases}$

07 $\begin{cases} 0.3x-0.1y=-1.4 \\ 0.1x+0.2y=0.7 \end{cases}$

08 $\begin{cases} 0.2x+0.3y=0.2 \\ 0.02x+0.1y=0.16 \end{cases}$

09 $\begin{cases} 0.01x+0.04y=0.2 \\ 0.3x-0.2y=-1 \end{cases}$

10 $\begin{cases} 0.06x+0.05y=0.08 \\ 0.3x+0.2y=0.2 \end{cases}$

09 계수가 소수, 분수인 연립방정식의 풀이

계수가 소수인 방정식의 양변에 10의 거듭제곱을 곱하고, 계수가 분수인 방정식의 양변에 분모의 최소공배수를 곱하여 계수를 정수로 고친다.

예 $\begin{cases} 0.5x - 0.3y = 0.9 \\ \dfrac{1}{9}x - \dfrac{1}{3}y = 1 \end{cases}$

$\Rightarrow \begin{cases} 5x - 3y = 9 \\ x - 3y = 9 \end{cases}$

054 계수가 소수, 분수인 연립방정식의 풀이

※ 다음 연립방정식을 풀어라.

01 $\begin{cases} 0.2x + y = 0.8 \\ -\dfrac{1}{3}x + \dfrac{1}{2}y = 3 \end{cases}$

해설ㅣ 각 일차방정식의 양변에 적당한 수를 곱하여 계수를 정수로 고치면

$\begin{cases} 2x + 10y = 8 & \cdots\cdots ㉠ \\ -2x + \boxed{}y = \boxed{} & \cdots\cdots ㉡ \end{cases}$ 에서

㉠+㉡을 하면

$\boxed{}\,y = 26 \quad \therefore y = \boxed{}$

$y = \boxed{}$ 를 ㉠에 대입하면

$2x + \boxed{} = 8 \quad \therefore x = \boxed{}$

따라서 구하는 해는 $x = \boxed{}$, $y = \boxed{}$

02 $\begin{cases} 0.3x - 0.5y = 1.9 \\ \dfrac{1}{2}x + \dfrac{1}{3}y = \dfrac{5}{6} \end{cases}$

03 $\begin{cases} 0.5x + 0.3y = 0.4 \\ \dfrac{1}{6}x - \dfrac{1}{4}y = \dfrac{5}{6} \end{cases}$

04 $\begin{cases} \dfrac{1}{5}x + 0.3y = 0.2 \\ 0.2x + y = \dfrac{8}{5} \end{cases}$

※ 다음 연립방정식의 해가 $x=p$, $y=q$일 때, $p+q$의 값을 구하여라.

05 $\begin{cases} x - \dfrac{2}{3}y = \dfrac{10}{3} \\ 0.3x - 0.1y = 0.8 \end{cases}$

해설| 각 일차방정식의 양변에 적당한 수를 곱하여 계수를 정수로 고치면

$\begin{cases} \boxed{}x - 2y = 10 & \cdots\cdots\text{㉠} \\ \boxed{}x - y = 8 & \cdots\cdots\text{㉡} \end{cases}$

㉠－㉡을 하면 $-y=\boxed{}$ ∴ $y=\boxed{}$

$y=\boxed{}$를 ㉡에 대입하면

$3x + \boxed{} = 8$ ∴ $x = \boxed{}$

∴ $p+q = \boxed{} + (\boxed{}) = \boxed{}$

06 $\begin{cases} 0.2x + 0.7y = 1.6 \\ \dfrac{1}{3}x - \dfrac{1}{2}y = -\dfrac{2}{3} \end{cases}$

07 $\begin{cases} \dfrac{x}{3} + \dfrac{y}{4} = 3 \\ 0.4x - 0.3y = 1.2 \end{cases}$

08 $\begin{cases} \dfrac{3}{4}x - \dfrac{2}{5}y = 1 \\ 0.3x + 0.4y = 3.2 \end{cases}$

09 $\begin{cases} 0.3x + y = 0.4 \\ \dfrac{3}{4}x + \dfrac{5}{3}y = \dfrac{1}{6} \end{cases}$

10 $\begin{cases} 2x + \dfrac{5}{3}y = \dfrac{8}{3} \\ 0.03x + 0.02y = 0.02 \end{cases}$

10 해가 같은 두 연립방정식

빠른 정답 06쪽 / 친절한 해설 22쪽

해가 같은 두 연립방정식

$$\begin{cases} 3x+y=5 & \cdots\cdots\text{㉠} \\ ax+2y=2 & \cdots\cdots\text{㉡} \end{cases}, \begin{cases} 3x-by=13 & \cdots\cdots\text{㉢} \\ -4x+y=-2 & \cdots\cdots\text{㉣} \end{cases}\text{은} \begin{cases} 3x+y=5 & \cdots\cdots\text{㉠} \\ -4x+y=-2 & \cdots\cdots\text{㉣} \end{cases}\text{를}$$

풀어 x, y의 값을 구한 후 이 값을 ㉡, ㉢에 대입하여 미지의 상수 a, b의 값을 구한다.

해가 같은 두 연립방정식의 해는 각각의 방정식 ㉠, ㉡, ㉢, ㉣을 만족한다.

---

055 해가 같은 두 연립방정식

※ 다음 두 연립방정식의 해가 같을 때, 상수 a, b의 값을 각각 구하여라.

01 $\begin{cases} ax+5y=-1 \\ x+2y=-1 \end{cases}, \begin{cases} -5x-8y=7 \\ 3x+by=1 \end{cases}$

해설 | 두 연립방정식의 해는 연립방정식

$\begin{cases} x+2y=\boxed{} & \cdots\cdots\text{㉠} \\ -5x-8y=\boxed{} & \cdots\cdots\text{㉡} \end{cases}$ 의 해와 같다.

㉠$\times 4+$㉡을 하면 $-x=\boxed{}$ ∴ $x=\boxed{}$

$x=\boxed{}$ 을 ㉠에 대입하면

$\boxed{}+2y=-1$ ∴ $y=\boxed{}$

따라서 연립방정식의 해가 $x=\boxed{}$, $y=\boxed{}$ 이므로

$ax+5y=-1$에 대입하면

$-3a+5=-1$ ∴ $a=\boxed{}$

$3x+by=1$에 대입하면

$-9+b=1$ ∴ $b=\boxed{}$

02 $\begin{cases} 5x+3y=7 \\ ax-5y=13 \end{cases}, \begin{cases} 2x-by=-1 \\ 4x-7y=15 \end{cases}$

03 $\begin{cases} ax-by=-2 \\ 2x+7y=34 \end{cases}, \begin{cases} x-3y=-9 \\ 6x+ay=10 \end{cases}$

04 $\begin{cases} x+y=3 \\ 2x-y=a \end{cases}, \begin{cases} 3x+y=7 \\ x+by=5 \end{cases}$

※ 다음 두 연립방정식의 해가 같을 때, 상수 a, b에 대하여 $a+b$의 값을 구하여라.

05 $\begin{cases} 4x-y=11 \\ 5x+ay=2a \end{cases}$, $\begin{cases} ax+by=-5 \\ 2x-3y=13 \end{cases}$

해설| $\begin{cases} 4x-y=11 & \cdots\cdots\,\text{㉠} \\ 2x-3y=13 & \cdots\cdots\,\text{㉡} \end{cases}$ 에서

㉠$-$㉡$\times 2$를 하면 $5y=\boxed{}$ $\therefore y=\boxed{}$

$y=\boxed{}$을 ㉠에 대입하면

$4x+3=11$ $\therefore x=\boxed{}$

$x=\boxed{}$, $y=-3$을 $5x+ay=2a$에 대입하면

$10-3a=2a$ $\therefore a=\boxed{}$

$a=\boxed{}$, $x=2$, $y=-3$을 $ax+by=-5$에 대입하면

$4-3b=-5$ $\therefore b=\boxed{}$

$\therefore a+b=\boxed{}+\boxed{}=\boxed{}$

06 $\begin{cases} -x+y=4 \\ 3x+ay=b \end{cases}$, $\begin{cases} 2x+y=-5 \\ x+3y=b+4 \end{cases}$

07 $\begin{cases} x-2y=-1 \\ 2x+by=9 \end{cases}$, $\begin{cases} ax-y=4 \\ 3x+y=4 \end{cases}$

08 $\begin{cases} 5x+y=12 \\ 2x+by=-2 \end{cases}$, $\begin{cases} ax-y=6 \\ y=3x-4 \end{cases}$

09 $\begin{cases} 3x+y=-1 \\ ax+2y=2 \end{cases}$, $\begin{cases} 3x-by=13 \\ y=-4x+1 \end{cases}$

 학교시험 필수예제

10 다음 두 연립방정식의 해가 같을 때, 상수 a, b에 대하여 $a+b$의 값을 구하면?

$$\begin{cases} x-y=3 \\ x-2y=a \end{cases}, \begin{cases} 0.2x+0.1y=0.9 \\ 3x+2y=b \end{cases}$$

① 0 　　　　② 4 　　　　③ 8

④ 12 　　　　⑤ 16

11 $A=B=C$꼴의 연립방정식의 풀이

빠른 정답 06쪽 / 친절한 해설 22쪽

$A=B=C$ 꼴의 연립방정식과 다음 세 연립방정식은 그 해가 모두 같으므로 어느 하나를 선택하여 푼다.

$$\begin{cases} A=B \\ A=C \end{cases} \text{또는} \begin{cases} A=B \\ B=C \end{cases} \text{또는} \begin{cases} A=C \\ B=C \end{cases}$$

가장 간단한 식을 두 번 써서 연립방정식을 만들면 계산이 간단해진다.

예 $-8x+2y=-7x+y=-6$

$\Rightarrow \begin{cases} -8x+2y=-6 \\ -7x+y=-6 \end{cases}$

056 $A=B=C$꼴의 연립방정식의 풀이

※ 다음 연립방정식을 풀어라.

01 $2x+y=x+2y=-6$

해설 $\begin{cases} \boxed{}x+y=-6 & \cdots\cdots \text{㉠} \\ x+\boxed{}y=-6 & \cdots\cdots \text{㉡} \end{cases}$

㉠$-$㉡$\times 2$를 하면

$-3y=\boxed{}$ ∴ $y=\boxed{}$

$y=\boxed{}$를 ㉡에 대입하면

$x-\boxed{}=-6$ ∴ $x=\boxed{}$

따라서 구하는 해는 $x=\boxed{}$, $y=\boxed{}$

02 $3x-y-8=2x-y=6$

03 $3x-y=2-x=4+y$

04 $x+y-2=4x+2y+1=3x+2y+2$

05 $-8x+2y=-7x+y=-12$

06 $\dfrac{2x+3}{5}=\dfrac{x+y}{3}=x-\dfrac{y}{2}$

※ 다음 두 연립방정식의 해가 같고, $x=a$, $y=b$일 때, $a+b$의 값을 구하여라.

07 $2x-3y+1=y-3=x+2y-7$

해설ㅣ $\begin{cases} 2x-3y+1=y-3 \\ y-\boxed{}=x+2y-7 \end{cases}$ 에서 $\begin{cases} x-2y=-2 \cdots\cdots \unicode{12910} \\ x+y=\boxed{} \cdots\cdots \unicode{12911} \end{cases}$

$\unicode{12910}-\unicode{12911}$을 하면 $-3y=\boxed{}$ $\therefore y=\boxed{}$

$y=\boxed{}$를 $\unicode{12911}$에 대입하면 $x+\boxed{}=4$ $\therefore x=\boxed{}$

$\therefore a+b=\boxed{}+\boxed{}=\boxed{}$

08 $\dfrac{x+y}{3}=\dfrac{2x+y}{10}=1$

09 $x+2y=-x+y=9$

10 $2x+y=x=4x-5y+4$

11 $2x-y=4x-5y=3$

12 $-x+y-3=3x-2y+7=2x-y+4$

13 $5x-4y-10=3(x-2)+2y=2x+y$

14 $\dfrac{2y-7}{3}=\dfrac{3x-4y+7}{2}=\dfrac{3x+2y-2}{5}$

12 해가 특수한 연립방정식

연립방정식 $\begin{cases} ax+by+c=0 \\ a'x+b'y+c'=0 \end{cases}$ 에 대하여

① $\dfrac{a}{a'}=\dfrac{b}{b'}=\dfrac{c}{c'}$ 이면 $\Rightarrow$ 해가 무수히 많다.

② $\dfrac{a}{a'}=\dfrac{b}{b'}\neq\dfrac{c}{c'}$ 이면 $\Rightarrow$ 해가 없다.

예 $\begin{cases} x+2y=4 \quad \cdots\cdots \text{㉠} \\ 2x+4y=8 \quad \cdots\cdots \text{㉡} \end{cases}$

$\Rightarrow$ ㉠과 ㉡은 같은 식이므로 연립방정식의 해가 무수히 많다.

$\begin{cases} x+2y=4 \quad \cdots\cdots \text{㉢} \\ x+2y=6 \quad \cdots\cdots \text{㉣} \end{cases}$

$\Rightarrow$ ㉢과 ㉣은 좌변이 같고 우변이 다른 식이므로 연립방정식의 해가 없다.

057 해가 무수히 많은 연립방정식

※ 다음 연립방정식을 풀어라.

01 $\begin{cases} 2x+y=-5 \\ -4x-2y=10 \end{cases}$

해설 | $\dfrac{2}{-4}\,\square\,\dfrac{1}{-2}\,\square\,\dfrac{-5}{10}$ 이므로 해가 무수히 많다.

| 다른 풀이 |

$\begin{cases} 2x+y=-5 \quad \cdots\cdots \text{㉠} \\ -4x-2y=10 \quad \cdots\cdots \text{㉡} \end{cases}$ 에서 ㉠$\times2+$㉡을 하면

$0\cdot x+0\cdot y=\square$ 이므로 해가 무수히 많다.

02 $\begin{cases} 4x-2y=8 \\ 2x-y=4 \end{cases}$

03 $\begin{cases} x+2y=5 \\ -2x-4y=-10 \end{cases}$

04 $\begin{cases} x-3y=4 \\ -2x+6y=-8 \end{cases}$

※ 다음 연립방정식의 해가 무수히 많을 때, 상수 $a,\ b$의 값을 구하여라.

05 $\begin{cases} x+ay=3 \\ 2x+4y=b \end{cases}$

해설 | $\dfrac{1}{2}=\dfrac{a}{\square}=\dfrac{\square}{b}$ 이어야 하므로

$\dfrac{1}{2}=\dfrac{a}{\square}$ 에서 $2a=\square$ $\quad \therefore a=\square$

$\dfrac{1}{2}=\dfrac{\square}{b}$ 에서 $b=\square$

06 $\begin{cases} 2x+3y=a \\ -6x+by=-12 \end{cases}$

07 $\begin{cases} 3x-ay=2 \\ bx+6y=-4 \end{cases}$

058 해가 없는 연립방정식

※ 다음 연립방정식을 풀어라.

08 $\begin{cases} x-y=5 \\ 2x-2y=5 \end{cases}$

해설ㅣ $\dfrac{1}{2}\ \square\ \dfrac{-1}{-2}\ \square\ \dfrac{5}{5}$ 이므로 해가 없다.

ㅣ다른 풀이ㅣ

$\begin{cases} x-y=5 \quad \cdots\cdots\text{㉠} \\ 2x-2y=5 \quad \cdots\cdots\text{㉡} \end{cases}$ 에서 ㉠×2−㉡을 하면

$0\cdot x+0\cdot y=\square$ 이므로 해가 없다.

09 $\begin{cases} 4x-5y=2 \\ 12x-15y=4 \end{cases}$

10 $\begin{cases} 6x-12y=-15 \\ 2x-4y=5 \end{cases}$

11 $\begin{cases} 2x+y=-3 \\ -6x-3y=6 \end{cases}$

12 $\begin{cases} 6x-24y=9 \\ -x+4y=-2 \end{cases}$

13 $\begin{cases} -3x+9y=-10 \\ 2x-6y=15 \end{cases}$

※ 다음 연립방정식의 해가 없을 때, 상수 a, b의 조건을 구하여라.

14 $\begin{cases} x-3y=a \\ 4x+by=8 \end{cases}$

15 $\begin{cases} 5x+ay=4 \\ 15x-6y=b \end{cases}$

16 $\begin{cases} 10x-5y=a \\ bx+y=2 \end{cases}$

학교시험 필수예제

17 연립방정식 $\begin{cases} 2x-y=4a \\ 2x-y=2 \end{cases}$ 의 해가 없을 때, 다음 중

상수 a의 값이 될 수 <u>없는</u> 것은?

① $-\dfrac{1}{2}$ ② 0 ③ $\dfrac{1}{2}$

④ 1 ⑤ 2

13 연립방정식의 활용 문제 풀이

빠른 정답 06쪽 / 친절한 해설 24쪽

연립방정식의 활용 문제 풀이 순서

① 주어진 문제의 뜻을 파악하고, 구하려는 것을 x, y로 놓는다.
② 문제의 뜻에 맞게 x, y에 대한 연립방정식을 세운다.
③ 이 연립방정식을 푼다.
④ 구한 해가 문제의 뜻에 맞는지 확인한다.

| 미지수 정하기 |
| 방정식 세우기 |
| 방정식 풀기 |
| 확인하기 |

---

059 연립방정식의 활용 문제 풀이 순서

※ 다음을 읽고 물음에 답하여라.

> 합이 64인 두 자연수가 있다. 큰 수를 작은 수로 나누면 몫이 4이고 나머지가 4일 때, 큰 수와 작은 수를 각각 구하려고 한다.

01 두 수 중에서 큰 수를 x, 작은 수를 y라고 할 때, 위의 조건을 만족시키는 연립방정식을 세워라.

해설ㅣ $\begin{cases} x+y=\boxed{} & \cdots \text{㉠} \\ \boxed{}=4\boxed{}+4 & \cdots \text{㉡} \end{cases}$

02 세운 연립방정식을 풀어라.

해설ㅣ ㉡을 ㉠에 대입하면
$(\boxed{})+y=64$ ∴ $y=\boxed{}$
$y=\boxed{}$ 를 ㉡에 대입하면 $x=\boxed{}$

03 큰 수와 작은 수를 각각 구하여라.

04 구한 해가 문제의 뜻에 맞는지 확인하여라.

해설ㅣ 두 수 $\boxed{}$, $\boxed{}$ 의 합은 64이고 큰 수 $\boxed{}$ 를 작은 수 $\boxed{}$ 로 나누면 $\boxed{}=\boxed{} \times 4+4$ 이므로 구한 해는 문제의 뜻에 맞는다.

※ 다음을 읽고 물음에 답하여라.

> 올해 삼촌의 나이는 준수의 나이의 2배이고, 8년 전에는 삼촌의 나이가 준수의 나이의 4배였다고 할 때, 올해 삼촌과 준수의 나이를 각각 구하려고 한다.

05 올해 삼촌의 나이를 x살, 준수의 나이를 y살이라고 할 때, 위의 조건을 만족시키는 연립방정식을 세워라.

해설ㅣ $\begin{cases} x=2y \\ x-\boxed{}=4(y-\boxed{}) \end{cases}$ 에서
$\begin{cases} x=2y & \cdots \text{㉠} \\ x-4y=\boxed{} & \cdots \text{㉡} \end{cases}$

06 세운 연립방정식을 풀어라.

07 올해 삼촌과 준수의 나이를 각각 구하여라.

08 구한 해가 문제의 뜻에 맞는지 확인하여라.

해설ㅣ 올해 삼촌의 나이는 $\boxed{}$살로 준수의 나이 $\boxed{}$살의 2배이고, 8년 전 삼촌의 나이는 $\boxed{}-8=\boxed{}$살로 준수의 나이 $\boxed{}-8=\boxed{}$살의 4배이다. 따라서 구한 해는 문제의 뜻에 맞는다.

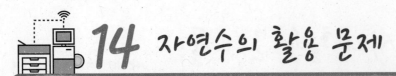

14 자연수의 활용 문제

두 자리 자연수의 활용 문제 풀이
① 두 수를 각각 x, y로 놓고 두 수의 합 또는 차에 대한 연립방정식을 세운다.
② 십의 자리의 숫자를 a, 일의 자리의 숫자를 b로 놓고 $10a+b$로 나타낸다.

두 자리 자연수의 표현
$$ab \Rightarrow 10a+b$$
└─── 일의 자리
└─── 십의 자리

060 자연수의 활용 문제

※ 다음 물음에 답하여라.

01 합이 12인 두 수가 있다. 큰 수가 작은 수보다 4만큼 클 때, 두 수를 각각 구하여라.

해설ㅣ 큰 수를 x, 작은 수를 y라고 하면

$$\begin{cases} x+y=\boxed{} & \cdots\cdots\text{㉠} \\ x=y+\boxed{} & \cdots\cdots\text{㉡} \end{cases}$$

㉡을 ㉠에 대입하면
$(\boxed{})+y=12$ ∴ $y=\boxed{}$
$y=\boxed{}$ 를 ㉡에 대입하면 $x=\boxed{}$
따라서 큰 수는 $\boxed{}$, 작은 수는 $\boxed{}$ 이다.

02 합이 50인 두 자연수가 있다. 큰 수를 작은 수로 나누면 몫은 50이고, 나머지는 2일 때, 두 수를 각각 구하여라.

03 두 자연수가 있다. 큰 수에서 작은 수의 5배를 빼면 10이고, 큰 수를 작은 수로 나누면 몫이 6, 나머지가 1이다. 두 수를 각각 구하여라.

※ 다음 물음에 답하여라.

04 두 자리의 자연수가 있다. 이 수의 각 자리의 숫자의 합은 140이고, 십의 자리의 숫자와 일의 자리의 숫자를 바꾼 수는 처음 수보다 180이 크다. 이때, 처음 수를 구하여라.

해설ㅣ 처음 두 자리의 자연수의 십의 자리의 숫자를 x, 일의 자리의 숫자를 y라고 하면

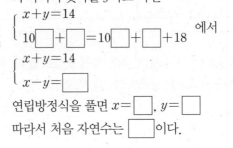

$$\begin{cases} x+y=14 \\ x-y=\boxed{} \end{cases}$$

연립방정식을 풀면 $x=\boxed{}$, $y=\boxed{}$
따라서 처음 자연수는 $\boxed{}$ 이다.

05 두 자리의 자연수가 있다. 이 수의 각 자리의 숫자의 합은 120이고, 십의 자리의 숫자와 일의 자리의 숫자를 바꾼 수는 처음 수보다 180이 작다고 한다. 이때, 처음 수를 구하여라.

06 두 자리의 자연수가 있다. 이 수의 각 자리의 숫자의 합은 140이고, 십의 자리의 숫자와 일의 자리의 숫자를 바꾼 수는 처음 수보다 36이 크다. 이때, 처음 수를 구하여라.

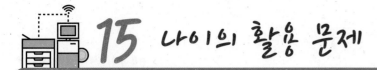

15 나이의 활용 문제

빠른 정답 06쪽 / 친절한 해설 24쪽

나이의 활용 문제 풀이
두 사람의 나이를 각각 x, y로 놓고 나이의 합 또는 차에 대한 연립방정식을 세운다.

예 두 사람의 나이의 차는 3살이고 나이의 합이 27살이다.
$$\Rightarrow \begin{cases} x-y=3 \\ x+y=27 \end{cases}$$

---

061 나이의 활용 문제

※ 다음 물음에 답하여라.

01 보라와 남동생의 나이 차는 7살이고 두 사람의 나이의 합이 21살일 때, 보라와 남동생의 나이를 각각 구하여라.

해설┃ 보라의 나이를 x, 남동생이 나이를 y라고 하면
$$\begin{cases} x-y=\boxed{} \quad \cdots\cdots \text{㉠} \\ x+y=\boxed{} \quad \cdots\cdots \text{㉡} \end{cases}$$
㉠＋㉡을 하면 $2x=\boxed{}$ $\therefore x=\boxed{}$
$x=\boxed{}$를 ㉡에 대입하면 $y=\boxed{}$
따라서 보라의 나이는 $\boxed{}$살이고 남동생의 나이는 $\boxed{}$살이다.

02 경수와 여동생의 나이 차는 5살이고 두 사람의 나이의 합이 27살일 때, 경수와 여동생의 나이를 각각 구하여라.

03 이모와 준수의 나이 차는 11살이고 두 사람의 나이의 합이 41살일 때, 이모와 준수의 나이를 각각 구하여라.

04 삼촌과 규리의 나이의 합은 50살이고 삼촌의 나이는 규리의 나이의 2배보다 2살이 많다. 삼촌과 규리의 나이를 각각 구하여라.

해설┃ 삼촌의 나이를 x살, 규리의 나이를 y살이라고 하면
$$\begin{cases} x+y=\boxed{} \quad \cdots\cdots \text{㉠} \\ x=\boxed{} \quad \cdots\cdots \text{㉡} \end{cases}$$
㉡을 ㉠에 대입하면 $(\boxed{})+y=50$
$\therefore y=\boxed{}$
$y=\boxed{}$을 ㉡에 대입하면 $x=\boxed{}$
따라서 삼촌의 나이는 $\boxed{}$살, 규리의 나이는 $\boxed{}$살이다.

05 아버지와 딸의 나이의 합은 46살이고 아버지의 나이는 딸의 나이의 5배보다 2살이 적다. 아버지와 딸의 나이를 각각 구하여라.

06 규태는 보라보다 7살이 많고 보라의 나이의 3배는 규태의 나이의 2배보다 2살이 적다. 규태와 보라의 나이를 각각 구하여라.

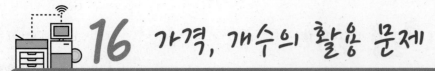

16 가격, 개수의 활용 문제

1. 전체의 개수와 금액이 주어진 경우
 • 전체 물건의 개수에 관한 방정식을 하나 만든다.
 • (물건의 가격)=(수량)×(단가)를 이용하여 전체 금액에 관한 방정식을 하나 더 만든다.

2. 전체의 금액이 두 번 주어진 경우
 • (물건의 가격)=(수량)×(단가)를 이용하여 전체 금액에 관한 방정식을 두 개 만든다.

> 참고 가격이나 입장료에 관한 연립방정식의 작성
> ⇨ 우선 전체 금액에서 하나의 식을 만들고, 문제의 조건에서 나머지 하나의 식을 추가한다.

062 가격, 개수의 활용 문제

※ 다음 물음에 답하여라.

01 50원짜리와 100원짜리 동전을 합하여 15개를 모았더니 1000원이 되었다. 50원짜리 동전의 개수와 100원짜리 동전의 개수를 각각 구하여라.

해설 | 50원짜리 동전을 x개, 100원짜리 동전을 y개라고 하면

$$\begin{cases} x+y=\boxed{} \\ 50x+100y=\boxed{} \end{cases} \text{에서} \begin{cases} x+y=\boxed{} & \cdots\cdots \text{㉠} \\ x+2y=\boxed{} & \cdots\cdots \text{㉡} \end{cases}$$

㉡-㉠을 하면 $y=\boxed{}$

이 값을 ㉠에 대입하면 $x=\boxed{}$

따라서 50원짜리 동전의 개수는 $\boxed{}$개, 100원짜리 동전의 개수는 $\boxed{}$개이다.

02 50원짜리 동전과 100원짜리 동전을 합하여 10개를 모았더니 900원이 되었다. 50원짜리 동전의 개수와 100원짜리 동전의 개수를 각각 구하여라.

03 50원짜리와 100원짜리 동전을 합하여 20개를 모았더니 1700원이 되었다. 이때, 100원짜리 동전의 개수를 구하여라.

04 한 개에 200원 하는 사과와 한 개에 120원 하는 귤을 합하여 11개를 사고 1800원을 지불하였다. 사과와 귤을 각각 몇 개씩 샀는지 구하여라.

05 연필과 지우개의 두 종류가 있다. 연필 2자루와 지우개 3개의 값은 600원, 연필 3자루와 지우개 4개의 값은 850원이다. 연필 한 자루의 값과 지우개 한 개의 값을 각각 구하여라.

해설 | 연필 한 자루의 값을 x원, 지우개 한 개의 값을 y원이라고 하면

$$\begin{cases} 2x + \boxed{} = 600 & \cdots\cdots \text{㉠} \\ 3x + 4y = \boxed{} & \cdots\cdots \text{㉡} \end{cases}$$

㉠×3, ㉡×2를 하면

$$\begin{cases} 6x + \boxed{} = 1800 & \cdots\cdots \text{㉢} \\ 6x + 8y = 1700 & \cdots\cdots \text{㉣} \end{cases}$$

㉢−㉣을 하면 $y = \boxed{}$

이 값을 ㉠에 대입하면 $2x + \boxed{} = 600$

$\therefore x = \boxed{}$

따라서 연필 한 자루의 값은 $\boxed{}$원, 지우개 한 개의 값은 $\boxed{}$원이다.

06 연필 3자루, 지우개 2개를 사면 1400원, 연필 6자루, 지우개 5개를 사면 3050원이라고 한다. 연필 한 자루의 값과 지우개 한 개의 값을 각각 구하여라.

07 볼펜 5자루와 공책 2권의 값은 4100원이고, 볼펜 3자루와 공책 4권의 값은 4700원이다. 볼펜 한 자루의 값과 공책 한 권의 값을 각각 구하여라.

08 사과 4개, 귤 3개를 사면 2400원, 사과 6개, 귤 2개를 사면 3200원이라고 한다. 사과 한 개의 값과 귤 한 개의 값을 각각 구하여라.

09 장미 8송이와 백합 5송이의 값은 12400원이고, 백합한 송이의 값은 장미 한 송이의 값보다 400원 비싸다고 한다. 장미 3송이와 백합 5송이의 값을 구하여라.

해설| 장미 한 송이의 값을 x원, 백합 한 송이의 값을 y원이라고 하면

$$\begin{cases} 8x+5y=12400 & \cdots\cdots \text{㉠} \\ y=x+\boxed{} & \cdots\cdots \text{㉡} \end{cases}$$

㉡을 ㉠에 대입하면 $8x+5(x+\boxed{})=12400$

$13x=\boxed{}$ ∴ $x=\boxed{}$

이 값을 ㉡에 대입하면 $y=1200$

따라서 장미 한 송이의 값은 $\boxed{}$원, 백합 한 송이의 값은 $\boxed{}$원이고, 장미 3송이와 백합 5송이의 값은

$3\times\boxed{}+5\times\boxed{}=\boxed{}$(원)

10 장미 6송이와 튤립 4송이를 사면 값이 10200원이고, 튤립 한 송이의 값은 장미 한 송이의 값보다 300원 비싸다고 한다. 장미 3송이와 튤립 2송이를 샀을 때의 값을 구하여라.

※ 다음 물음에 답하여라.

11 어느 박물관의 입장료가 어른은 1200원, 청소년은 800원이다. 한 가족 7명이 입장하는 데 총 입장료가 7200원이라고 할 때, 어른의 수와 청소년의 수를 각각 구하여라.

해설| 어른의 수와 청소년의 수를 각각 x, y라고 하면

$$\begin{cases} x+y=\boxed{} \\ 1200x+\boxed{}y=7200 \end{cases} \text{에서} \begin{cases} x+y=\boxed{} & \cdots\text{㉠} \\ 3x+\boxed{}y=18 & \cdots\text{㉡} \end{cases}$$

㉡$-$㉠$\times2$를 하면 $x=\boxed{}$

이 값을 ㉠에 대입하면 $y=\boxed{}$

따라서 어른은 $\boxed{}$명, 청소년은 $\boxed{}$명이다.

12 어느 미술관의 입장료는 어른이 1000원, 청소년은 400원이다. 어른과 청소년 250명의 입장료가 190000원이라고 할 때, 이날 입장한 어른의 수와 청소년의 수를 각각 구하여라.

13 어느 미술관에 어른 2명과 어린이 8명이 입장하였는데 입장료의 합계가 9000원이었다. 어른의 입장료가 어린이의 입장료의 2배일 때, 어린이의 입장료의 합계를 구하여라.

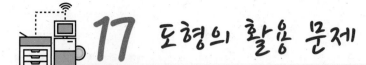

17 도형의 활용 문제

빠른 정답 06쪽 / 친절한 해설 25쪽

1. 선분의 분할 문제

잘린 끈의 길이의 합은 전체 끈의 길이와 같음을 이용하여 연립방정식을 세운다.

2. 직사각형에 대한 문제

① (직사각형의 둘레의 길이)$=2\{($가로의 길이$)+($세로의 길이$)\}$

② (직사각형의 넓이)$=($가로의 길이$)\times($세로의 길이$)$

직사각형의 둘레의 길이의 반

⇨ 가로와 세로의 길이의 합

유형 064 도형의 활용 문제

※ 다음 물음에 답하여라.

01 길이가 260 cm인 끈을 두 개로 나누었더니 긴 끈의 길이가 짧은 끈의 길이의 3배보다 20 cm가 길었다. 이때, 긴 끈의 길이를 구하여라.

해설| 긴 끈의 길이를 x cm, 짧은 끈의 길이를 y cm라고 하면

$$\begin{cases} x+y=260 & \cdots\cdots \text{㉠} \\ x=3y+\boxed{} & \cdots\cdots \text{㉡} \end{cases}$$

㉡을 ㉠에 대입하면 $(3y+\boxed{})+y=260$

$4y=\boxed{}$ ∴ $y=\boxed{}$

이 값을 ㉡에 대입하면 $x=\boxed{}$

따라서 긴 끈의 길이는 $\boxed{}$ cm이다.

02 길이가 320 cm인 끈을 두 개로 나누었더니 긴 끈은 짧은 끈의 3배보다 20 cm가 짧았다. 이때, 긴 끈의 길이를 구하여라.

03 세로의 길이가 가로의 길이보다 3 cm 더 긴 직사각형이 있다. 이 직사각형의 둘레의 길이가 46 cm일 때, 이 직사각형의 넓이를 구하여라.

해설| 가로의 길이를 x cm, 세로의 길이를 y cm라고 하면

$$\begin{cases} y=x+3 \\ 2(x+y)=\boxed{} \end{cases}$$ 에서 $$\begin{cases} y=x+3 & \cdots\cdots \text{㉠} \\ x+y=\boxed{} & \cdots\cdots \text{㉡} \end{cases}$$

㉠을 ㉡에 대입하면 $x+(x+\boxed{})=\boxed{}$

$2x=\boxed{}$ ∴ $x=\boxed{}$

이 값을 ㉠에 대입하면 $y=\boxed{}$

따라서 직사각형의 넓이는 $10\times\boxed{}=\boxed{}$ (cm^2)

04 세로의 길이가 가로의 길이보다 9 cm 더 긴 직사각형이 있다. 이 직사각형의 둘레의 길이가 82 cm일 때, 이 직사각형의 넓이를 구하여라.

18 거리, 속력, 시간의 활용 문제 (1)

빠른 정답 06쪽 / 친절한 해설 25쪽

1. 거리, 속력, 시간에 대한 문제

$$(거리)=(속력)\times(시간),\ (속력)=\frac{(거리)}{(시간)},\ (시간)=\frac{(거리)}{(속력)}$$

2. 중간에 속력이 바뀌는 문제

전체 거리의 방정식과 전체 시간의 방정식을 이용하여 연립방정식을 만든다.

3. 등산, 왕복에 대한 문제

거리의 방정식과 전체 시간의 방정식을 이용하여 연립방정식을 만든다.

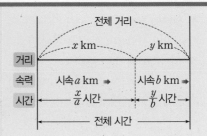

---

065 중간에 속력이 바뀌는 문제

※ 다음 글을 읽고 물음에 답하여라.

> 준수는 시속 4 km로 걷다가 중간에 시속 2 km로
> 걸어 총 2시간 동안 6 km를 걸었다. 시속 4 km로
> 걸은 거리를 구하려고 한다.

01 준수가 시속 4 km로 걸은 거리를 x km, 시속 2 km로 걸은 거리를 y km라고 할 때, 준수가 걸은 거리의 합을 미지수가 2개인 일차방정식으로 나타내어라.

02 준수가 걸은 시간의 합을 미지수가 2개인 일차방정식으로 나타내어라.

해설 | 시속 4 km와 시속 2 km로 걸은 시간은 각각 $\dfrac{x}{\boxed{}}$, $\dfrac{y}{2}$

∴ $\dfrac{x}{\boxed{}}+\dfrac{y}{2}=\boxed{}$

03 위에서 만든 두 일차방정식을 연립하여 x, y의 값을 구하여라.

04 준수가 시속 4 km로 걸은 거리를 구하여라.

※ 다음 물음에 답하여라.

05 병만이는 A지점에서 12 km 떨어진 B지점까지 가는데, 처음에는 버스를 타고 시속 20 km 속도로 가다가, 내려서 시속 4 km로 걸어서 모두 1시간이 걸렸다. 버스를 타고 간 거리를 구하여라.

해설 | 병만이가 버스를 타고간 거리를 x km, 걸어간 거리를 y km라고 하면

$$\begin{cases}x+y=\boxed{}\\[2mm]\dfrac{x}{20}+\dfrac{y}{\boxed{}}=1\end{cases}\text{에서}\begin{cases}x+y=\boxed{} &\cdots\cdots\,\text{㉠}\\[2mm]x+\boxed{}\,y=20 &\cdots\cdots\,\text{㉡}\end{cases}$$

㉠, ㉡을 연립하여 풀면 $x=\boxed{}$, $y=\boxed{}$

따라서 버스를 타고간 거리는 $\boxed{}$ km이다.

06 보라는 5 km의 거리를 처음에는 시속 3 km로 걷다가 나중에는 시속 9 km로 뛰어서 1시간 걸렸다. 뛰어간 거리를 구하여라.

※ 다음 글을 읽고 물음에 답하여라.

> 효린이가 등산을 하는데 올라갈 때는 시속 2 km로 걷고, 내려올 때는 다른 길을 택하여 시속 4 km로 걸어서 모두 4시간이 걸렸다. 총 10 km를 걸었다고 할 때, 올라간 거리를 구하려고 한다.

07 올라간 거리를 x km, 내려온 거리를 y km라고 하여 연립방정식을 세워라.

08 위에서 세운 연립방정식을 풀어라.

09 효린이가 올라간 거리를 구하여라.

※ 다음 물음에 답하여라.

10 혜교는 등산을 하는데 올라갈 때에는 시속 2 km로 걷고, 내려올 때에는 2 km가 더 먼 길을 시속 3 km로 걸었다. 올라갔다가 내려오는 데 모두 4시간이 걸렸다고 한다. 올라갈 때 걸은 거리와 내려올 때 걸은 거리를 각각 구하여라.

11 은결이는 박물관을 다녀오는데, 갈 때는 시속 6 km로, 올 때는 다른 길로 시속 8 km로 달려서 모두 3시간이 걸렸다. 다녀온 총 거리는 21 km일 때, 갈 때의 거리와 올 때의 거리를 각각 구하여라. (박물관에 머문 시간은 무시한다.)

19 거리, 속력, 시간의 활용 문제(2)

빠른 정답 06쪽 / 친절한 해설 25쪽

기차가 철교를 건널 때

1. 이동 거리

   (철교의 길이) + (기차의 길이) = (속력) × (시간)

2. 걸리는 시간

   $$(시간) = \frac{(철교의 길이) + (기차의 길이)}{(속력)}$$

기차가 철교를 건너는 데 걸리는 시간과 이동 거리

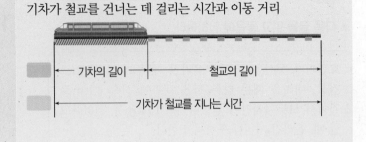

067 기차의 길이, 속력에 대한 문제

※ 다음 글을 읽고 물음에 답하여라.

> 일정한 속력으로 달리는 어떤 기차가 1300 m인 제1대교를 건너는 데 1분, 길이가 2000 m인 제2대교를 건너는 데 1분 30초가 걸린다고 할 때, 기차의 길이를 구하려고 한다.

01 기차의 길이를 x m, 기차의 속력을 분속 y m라고 하여 연립방정식을 세워라.

02 위에서 세운 연립방정식을 풀어라.

03 기차의 길이를 구하여라.

※ 다음 물음에 답하여라.

04 2호선 전철이 2500 m인 한강 다리를 지나는 데 2분이 걸리고, 길이가 1100 m인 지하터널을 지나는 데는 1분이 걸린다고 한다. 전철의 속도가 일정하다고 할 때, 전철의 길이를 구하여라.

05 일정한 속력으로 달리는 기차가 길이가 800 m인 터널을 완전히 통과하는 데 23초가 걸리고, 길이가 400 m인 다리를 완전히 통과하는 데 13초가 걸린다고 한다. 이 기차의 길이를 구하여라.

※ 다음 글을 읽고 물음에 답하여라.

> 일정한 속력으로 달리는 기차가 있다. 이 열차가 길이가 600 m인 다리를 완전히 통과하는 데 20초, 1600 m인 터널을 통과하는 데 기차가 터널 안에 있던 시간은 40초일 때, 이 기차의 속력을 구하려고 한다.

06 기차의 길이를 x m, 기차의 속력을 초속 y m라고 하여 연립방정식을 세워라.

07 위에서 세운 연립방정식을 풀어라.

08 기차의 속력을 구하여라.

09 일정한 속력으로 달리는 기차가 있다. 이 기차는 길이가 400 m인 다리를 지나는 데 15초가 걸리고, 길이가 800 m인 터널을 지나는 데 25초가 걸린다. 기차의 속력을 구하여라.

10 일정한 속력으로 달리는 기차가 있다. 이 기차는 길이가 1700 m인 다리를 지나는 데 120초가 걸리고, 길이가 800 m인 터널을 지나는 데 60초가 걸린다. 기차의 속력을 구하여라.

11 일정한 속력으로 달리는 기차가 있다. 이 기차는 길이가 700 m인 다리를 지나는 데 30초가 걸리고, 길이가 1600 m인 터널을 지나는 데 60초가 걸린다. 기차의 속력을 구하여라.

20 증가와 감소의 활용 문제

빠른 정답 07쪽 / 친절한 해설 26쪽

① x에서 $a\%$ 증가
- 증가량 : $\dfrac{a}{100}x$
- 증가한 후 전체의 양 : $\left(1+\dfrac{a}{100}\right)x$

② x에서 $a\%$ 감소
- 감소량 : $\dfrac{a}{100}x$
- 감소한 후 전체의 양 : $\left(1-\dfrac{a}{100}\right)x$

참고 증가와 감소, 이익과 할인 등 수량이 변화하는 연립방정식은 기준이 되는 시점의 수량을 미지수 x, y로 놓아야 한다.

068 증가와 감소의 문제

※ 다음 글을 읽고 물음에 답하여라.

> 우리 학교 학생 수는 작년에는 450명이었는데, 올해에는 작년에 비해 남학생은 20 % 증가하고, 여학생은 50 % 감소하여 전체적으로 50명이 줄었다.

01 우리 학교의 작년 남학생과 여학생 수를 각각 x, y라고 할 때, 작년 학생 수를 일차방정식으로 나타내어라.

02 학생 수의 변동을 일차방정식으로 나타내어라.

03 위의 두 방정식을 연립하여 x, y의 값을 구하여라.

04 우리 학교의 올해 남학생 수와 여학생 수를 구하여라.

※ 다음 글을 읽고 물음에 답하여라.

> 어느 과수원에서 작년에 사과와 배를 합하여 500상자를 수확하였다. 올해 수확한 양은 작년에 비해 사과는 5 % 감소하였고, 배는 10 % 증가하여 전체로는 4 % 증가하였다고 한다.

05 작년의 사과의 수확량을 x상자, 배의 수확량을 y상자라 할 때, 연립방정식을 세워라.

06 올해의 사과와 배의 수확량을 각각 구하여라.

Ⅳ. 연립방정식

1. 미지수가 2개인 일차방정식

(1) 미지수가 2개이고 차수가 모두 1인 방정식

(2) x, y에 대한 방정식의 우변의 모든 항을 좌변으로 이항하여 정리하였을 때,

　$(x, y$에 대한 ❶　　　　　　)=0의 꼴로 변형된다.

2. 미지수가 2개인 일차방정식의 해

(1) 미지수가 2개인 일차방정식을 ❷　　　　이 되게 하는 x, y의 값 또는 그 순서쌍 (x, y)

(2) 방정식을 푼다 : 일차방정식의 ❸　　　를 모두 구하는 것

3. 연립일차방정식

(1) 연립방정식 : 두 개 이상의 방정식을 한 쌍으로 묶어서 나타낸 것

(2) ❹　　　　　　　 : 각각의 방정식이 일차방정식인 연립방정식

4. 연립방정식의 해

(1) 연립방정식의 해 : 연립방정식에서 각각의 방정식을 동시에 만족하는 x, y의 값 또는 그 순서쌍
　(x, y)

(2) 연립방정식을 푼다 : 연립방정식의 해를 구하는 것

5. 미지수가 2개인 연립일차방정식의 풀이

(1) ❺　　　　 : 미지수가 2개인 연립방정식에서 한 미지수를 없애는 것

(2) 연립방정식의 두 일차방정식을 변끼리 더하거나 빼서 한 미지수를 소거하여 연립방정식을 푸
　는 방법을 ❻　　　　　 이라고 한다.

(3) 연립방정식에서 한 방정식을 다른 방정식에 대입하여 연립방정식을 푸는 방법을 ❼　　　　　
　이라고 한다.

개념 window

예 x, y가 자연수일 때,

연립방정식 $\begin{cases} x+y=4 \\ 2x+y=7 \end{cases}$ 의 해

　　　　　　$x+y=4$의 해
　　　　　　　　(1, 3)
$2x+y=7$의 해 　(2, 2)
(1, 5)　(2, 3)　(3, 1)

예 가감법을 이용한 연립방정식

$\begin{cases} x+y=5 \\ 2x-y=4 \end{cases}$ 의 풀이

$$\begin{array}{r} x+y=5 \\ +)\ 2x-y=4 \\ \hline 3x\ \ \ =9 \end{array}$$

예 대입법을 이용한 연립방정식

$\begin{cases} y=3x+2 \\ 2x+y=17 \end{cases}$ 의 풀이

$$y=3x+2$$
　　│대입
$$2x+y=17$$
　　│ y를 소거
$$2x+(3x+2)=17$$

---

❶ 일차식　❷ 참　❸ 해　❹ 연립일차방정식　❺ 소거　❻ 가감법　❼ 대입법

6. 복잡한 연립일차방정식의 풀이

(1) 괄호가 있는 경우 : 먼저 괄호를 풀어 동류항끼리 모아서 간단히 정리한 후 연립방정식을 푼다.

(2) 계수가 소수인 경우 : 양변에 $10, 100, 1000, \cdots$을 곱하여 계수를 ❽ ____ 로 바꾸어 푼다.

(3) 계수가 분수인 경우 : 양변에 분모의 ❾ ____ 를 곱하여 계수를 ❿ ____ 로 바꾸어 푼다.

개념 Window

예 $\begin{cases} 0.5x - 0.3y = 0.9 \\ \dfrac{1}{9}x - \dfrac{1}{3}y = 1 \end{cases}$

$\Rightarrow \begin{cases} 5x - 3y = 9 \\ x - 3y = 9 \end{cases}$

7. $A = B = C$꼴의 연립방정식의 풀이

$A = B = C$꼴의 연립방정식과 다음 세 연립방정식은 그 해가 모두 같으므로 어느 하나를 선택하여 푼다.

$$\begin{cases} A=B \\ A=C \end{cases} \text{또는} \begin{cases} A=B \\ B=C \end{cases} \text{또는} \begin{cases} A=C \\ B=C \end{cases}$$

예 $-8x + 2y = -7x + y = -6$

$\Rightarrow \begin{cases} -8x + 2y = -6 \\ -7x + y = \boxed{⓫} \end{cases}$

8. 해가 특수한 연립방정식

연립방정식 $\begin{cases} ax + by + c = 0 \\ a'x + b'y + c' = 0 \end{cases}$ 에 대하여

(1) $\dfrac{a}{a'} = \dfrac{b}{b'} = \dfrac{c}{c'}$ 이면 $\Rightarrow$ ⓬ ____

(2) $\dfrac{a}{a'} = \dfrac{b}{b'} \neq \dfrac{c}{c'}$ 이면 $\Rightarrow$ ⓭ ____

9. 연립일차방정식의 활용 문제 풀이 순서

(1) 주어진 문제의 뜻을 파악하고, 구하려는 것을 x, y로 놓는다.

(2) 문제의 뜻에 맞게 x, y에 대한 연립방정식을 세운다.

(3) 이 연립방정식을 푼다.

(4) 구한 해가 문제의 뜻에 맞는지 확인한다.

미지수 정하기

방정식 세우기

방정식 풀기

확인하기

❽ 정수 ❾ 최소공배수 ❿ 정수 ⓫ -6 ⓬ 해가 무수히 많다 ⓭ 해가 없다

10. 연립일차방정식의 활용 문제 유형

(1) 두 자리 자연수

① 두 수를 각각 x, y로 놓고 두 수의 합 또는 차에 대한 연립방정식을 세운다.

② 십의 자리의 숫자를 a, 일의 자리의 숫자를 b로 놓고 ⑭ [   ]로 나타낸다.

두 자리 자연수의 표현
$ab \Rightarrow 10a+b$
└─ 일의 자리
└─── 십의 자리

(2) 나이

두 사람의 나이를 각각 x, y로 놓고 나이의 합 또는 차에 대한 연립방정식을 세운다.

(3) 가격 또는 개수

① 전체의 개수와 금액이 주어진 경우

· 전체 물건의 개수에 관한 방정식을 하나 만든다.

· (물건의 가격)=(⑮ [   ])×(단가)를 이용하여 전체 금액에 관한 방정식을 하나 더 만든다.

② 전체의 금액이 두 번 주어진 경우

· (물건의 가격)=(수량)×(단가)를 이용하여 전체 금액에 관한 방정식을 두 개 만든다.

(4) 도형

① 끈의 길이 : 잘린 끈의 길이의 합은 전체 끈의 길이와 같다.

② 직사각형 : 직사각형의 둘레의 길이는 가로와 세로의 길이의 합의 ⑯ [   ] 배이다.

(5) 거리, 속력, 시간

(거리)=(⑰ [   ])×(시간), (⑱ [   ])=$\dfrac{(거리)}{(시간)}$, (⑲ [   ])=$\dfrac{(거리)}{(속력)}$

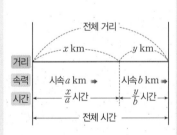

(6) 증가와 감소

x에서 $a\%$ 증가 $\Rightarrow$ 증가량 : $\dfrac{a}{100}x$

증가한 후 전체의 양 : $\left(1+\dfrac{a}{100}\right)x$

x에서 $a\%$ 감소 $\Rightarrow$ 감소량 : $\dfrac{a}{100}x$

감소한 후 전체의 양 : $\left(1-\dfrac{a}{100}\right)x$

⑭ $10a+b$ ⑮ 수량 ⑯ 2 ⑰ 속력 ⑱ 속력 ⑲ 시간

펀드매니저
펀드매니저는 자금사정의 변화 및 주식시장의
변동에 따라 최대한의 이익을 얻도록 투자계획
을 세운다.

번개와 천둥소리
번개가 친 후 천둥소리가 들리기까지 걸리는
시간은 일차함수로 나타내어진다.

비행 계기판
조종사는 속도계, 고도계, GPS 등 계기판을
통해 운항에 필요한 각종 정보를 얻는다.

어떻게?
투자한 돈에 대한 기간별 이익을
예측할 수 있을까?
그 답은 바로

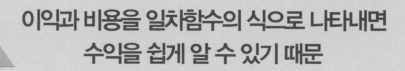

이익과 비용을 일차함수의 식으로 나타내면
수익을 쉽게 알 수 있기 때문

비례관계는 모두 일차함수이기 때문에 우리는 알게 모르게 일차함수를 이용한다고 볼 수 있다. 물건을 살 때, 가격
은 정해져 있는 상태에서 개수를 늘릴 때를 생각해 보면 일차함수가 됨을 알 수 있다. 또, 회사나 상점이 처음 개업할
때는 많은 비용이 드는데 점차 이익을 내어 그때까지의 비용이 상쇄되는 것은 몇 년 후인가 하는 문제도 보통 이익과
비용을 일차함수의 식으로 나타내고 함숫값이 양수가 되는 시점이 이익을 내는 시점이 된다. 또한, 자동차 운행 거리
에 따른 연료의 소비량, 번개가 친 후 천둥소리가 들릴 때까지의 시간, 사용 시간에 따른 전력 소비량, 전파를 이용한
자동차 속도위반 측정 장치, 심해 탐사 등에 일차함수의 성질이 이용된다.

V. 일차함수와 그래프

학습 목표

1. 일차함수의 의미를 이해하고, 그 그래프를 그릴 수 있다.
2. 일차함수의 그래프의 성질을 이해한다.
3. 일차함수를 활용하여 여러 가지 문제를 해결할 수 있다.
4. 일차함수와 미지수가 2개인 일차방정식의 관계를 이해한다.
5. 두 일차함수의 그래프를 통하여 연립일차방정식의 해를 이해한다.

01 함수

1. 변수 : 여러 가지로 변하는 값을 나타내는 문자
2. 함수 : 변수 x의 값이 하나씩 정해짐에 따라 변수 y의 값도 오직 하나씩 정해진다. 이와 같이 두 변수 x, y에 대하여 x의 값이 정해짐에 따라 y의 값이 오직 하나씩 정해지는 관계가 있을 때, y를 x의 함수라고 한다.

(1) 정비례 관계인 함수
  $y = ax \, (a \neq 0)$ ➡ y는 x의 함수
  예 $y = 4x$
(2) 반비례 관계인 함수
  $y = \dfrac{a}{x} \, (a \neq 0)$ ➡ y는 x의 함수
  예 $y = \dfrac{5}{x}$

 069 함수

※ 다음 표를 이용하여 x와 y사이의 관계식을 구하여라.

01

x	1	2	3	4	⋯
y	2	4	6	8	⋯

02

x	1	2	3	4	⋯
y	−3	−6	−9	−12	⋯

03

x	1	2	4	8	⋯
y	8	4	2	1	⋯

※ 시속 3 km의 속력으로 x시간 동안 간 거리를 y km라 할 때, 다음 물음에 답하여라.

04 다음 표를 완성하여라.

x	1	2	3	4	⋯
y	3				⋯

05 y는 x의 함수인지 판단하여라.

※ 자연수 x의 약수는 y라 할 때, 다음 물음에 답하여라.

06 다음 표를 완성하여라.

x	1	2	3	4	⋯
y	1				⋯

07 y는 x의 함수인지 판단하여라.

※ 120쪽인 책을 x일 동안 읽으려 한다. 하루에 읽어야 하는 책의 쪽수를 y쪽이라 할 때, 다음 물음에 답하여라.

08 다음 표를 완성하여라.

x	1	2	3	4	$\cdots$
y	120				$\cdots$

09 x와 y 사이의 관계식을 구하여라.

10 $x=10$일 때, y의 값을 구하여라.

11 $y=15$일 때, x의 값을 구하여라.

※ x와 y 사이에 다음과 같은 관계가 있을 때, y를 x의 함수로 나타내어라.

12 한 개에 500원 하는 지우개 x개의 가격은 y원이다.

13 30개의 초콜릿을 x명에게 똑같이 나누어 줄 때, 한 사람이 받는 초콜릿의 개수는 y개이다.

14 가로의 길이가 x cm이고, 세로의 길이가 10 cm인 직사각형의 넓이는 y cm^{2}이다.

15 농도가 20 %인 소금물 x g에 들어 있는 소금의 양은 y g이다.

16 거리가 12 km인 집과 학교 사이를 시속 x km로 갈 때, 걸리는 시간은 y시간이다.

17 100쪽인 책을 x쪽 읽고 남은 쪽수는 y쪽이다.

※ y가 x에 정비례하고 x의 값에 대응하는 y의 값이 다음과 같을 때, x와 y 사이의 관계식을 구하여라.

18 $x=4$일 때, $y=1$

해설| $y=ax$에 $x=4$, $y=1$을 대입하면

$$\boxed{}=4a, \quad a=\boxed{}$$

$$\therefore y=\boxed{}x$$

19 $x=1$일 때, $y=5$

20 $x=-6$일 때, $y=-6$

21 $x=-3$일 때, $y=-9$

22 $x=5$일 때, $y=-10$

23 $x=-8$일 때, $y=4$

※ y가 x에 반비례하고 x의 값에 대응하는 y의 값이 다음과 같을 때, x와 y 사이의 관계식을 구하여라.

24 $x=4$일 때, $y=1$

해설| $y=\dfrac{a}{x}$에 $x=4$, $y=1$을 대입하면

$$\boxed{}=\frac{a}{4}, \quad a=\boxed{}$$

$$\therefore y=\frac{\boxed{}}{x}$$

25 $x=1$일 때, $y=5$

26 $x=-6$일 때, $y=-6$

27 $x=-3$일 때, $y=-9$

28 $x=5$일 때, $y=-10$

29 $x=-8$일 때, $y=4$

Tip

y는 x에 정비례 $\Leftrightarrow y=ax\,(a\neq0)$

y는 x에 반비례 $\Leftrightarrow y=\dfrac{a}{x}\,(a\neq0)$

02 함숫값

함수 $y=f(x)$에서 x의 값에 따라 하나씩 정해지는 y의 값 $f(x)$를 x에 대한 함숫값이라고 한다.

예 함수 $f(x)=3x$에 대하여 x의 값이 1, 2, 3일 때 x에 대한 함숫값 $f(x)$를 구하면 다음과 같다.

$$x=1일 때, f(1)=3\times1=3$$
$$x=2일 때, f(2)=3\times2=6$$
$$x=3일 때, f(3)=3\times3=9$$

$$f(x)=3x$$

$$f(\text{①})=3\times\text{①}=3$$
$$f(\text{②})=3\times\text{②}=6$$
$$f(\text{③})=3\times\text{③}=9$$

070 함숫값 구하기

※ 함수 $y=12x$에 대하여 다음 함숫값을 구하여라.

01 $f(2)=12\times\square=\square$

02 $f(1)$

03 $f(0)$

04 $f(-1)$

05 $f(-4)$

06 $f\left(\dfrac{1}{3}\right)$

※ 함수 $y=\dfrac{12}{x}$에 대하여 다음 함숫값을 구하여라.

07 $f(2)=\dfrac{12}{\square}=\square$

08 $f(1)$

09 $f(12)$

10 $f(-1)$

11 $f(-4)$

12 $f\left(\dfrac{1}{3}\right)$

※ 함수 $f(x) = -3x$에 대하여 다음 함숫값을 구하여라.

13 $f(2) = -3 \times \boxed{} = \boxed{}$

14 $f(1)$

15 $f(0)$

16 $f(-1)$

17 $f(-4)$

18 $f\left(\dfrac{1}{3}\right)$

※ 함수 $f(x) = 9x - 7$에 대하여 다음 함숫값을 구하여라.

19 $f(2) = 9 \times \boxed{} - \boxed{} = \boxed{}$

20 $f(1)$

21 $f(0)$

22 $f(-1)$

23 $f(-4)$

24 $f\left(\dfrac{1}{3}\right)$

※ 함수 $f(x)=-\dfrac{1}{2}x$에 대하여 다음을 만족하는 a의 값을 구하여라.

25 $f(a)=4$

해설ㅣ $f(a)=-\dfrac{1}{2}a$이므로

$-\dfrac{1}{2}a=4$에서 $a=\boxed{}$

26 $f(a)=3$

27 $f(a)=2$

28 $f(a)=-1$

29 $f(a)=-5$

30 $f(a)=0$

※ 함수 $f(x)=\dfrac{24}{a}+1$에 대하여 다음을 만족하는 a의 값을 구하여라.

31 $f(a)=4$

해설ㅣ $f(a)=\dfrac{24}{a}+1$이므로

$\dfrac{24}{a}+1=4$에서 $\dfrac{24}{a}=\boxed{}$

$\therefore a=\boxed{}$

32 $f(a)=3$

33 $f(a)=2$

34 $f(a)=-1$

35 $f(a)=-5$

36 $f(a)=0$

※ 함수 $f(x) = ax$에 대하여 다음을 구하여라. (단, a는 상수)

37 $f(3) = 12$일 때, $f(-2)$의 값

해설| $f(3) = 12$에서 $3a = 12$이므로 $a = \boxed{}$

$\therefore f(x) = \boxed{}x$

따라서 $f(-2) = \boxed{} \times (-2) = \boxed{}$

38 $f(2) = 6$일 때, $f(-3)$의 값

39 $f(10) = -4$일 때, $f(-5)$의 값

40 $f(3) = -4$일 때, $f(6)$의 값

※ 함수 $f(x) = \dfrac{a}{x}$에 대하여 다음을 구하여라. (단, a는 상수)

41 $f(3) = 12$일 때, $f(-2)$의 값

해설| $f(3) = 12$에서 $\dfrac{a}{3} = 12$이므로 $a = \boxed{}$

$\therefore f(x) = \dfrac{\boxed{}}{x}$

따라서 $f(-2) = \dfrac{\boxed{}}{-2} = \boxed{}$

42 $f(2) = 6$일 때, $f(-3)$의 값

43 $f(10) = 4$일 때, $f(-5)$의 값

44 $f(-3) = -4$일 때, $f(6)$의 값

03 함수의 그래프

함수 $y=f(x)$에서 x의 값을 x좌표로 하고, x의 함숫값 y를 y좌표로 하는 순서
쌍 (x, y)를 좌표평면 위에 모두 나타낸 것을 그 함수의 그래프라고 한다.

참고 함수의 그래프를 좌표평면 위에 나타내는 것을 함수의 그래프를 그린다
고 한다.

예 x의 값이 1, 2, 3, 4, 5일 때, 함수 $y=x$의 그래프

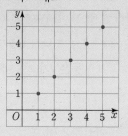

071 함수의 그래프

※ x의 값이 $-2, -1, 0, 1, 2$일 때, 다음 함수에 대하여 표를 완성하고, 그 그래프를 그려라.

01 $y=2x$

x	-2	-1	0	1	2
y	-4	-2	0		
(x, y)					

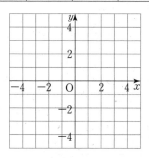

02 $y=-x$

x	-2	-1	0	1	2
y	2	1	0		
(x, y)					

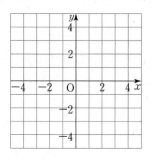

※ x의 값이 $-3, -2, -1, 1, 2, 3$일 때, 다음 함수에 대하여 표를 완성하고, 그 그래프를 그려라.

03 $y=x-2$

x	-3	-2	-1	1	2	3
y	-5	-4				

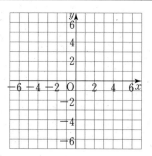

04 $y=\dfrac{6}{x}$

x	-3	-2	-1	1	2	3
y	-2	-3	-6			

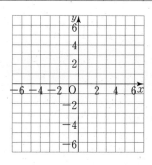

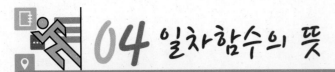

04 일차함수의 뜻

빠른 정답 07쪽 / 친절한 해설 27쪽

함수 $y=f(x)$에서 y가 x에 관한 일차식

$\quad y=ax+b(a\neq0,\ a,\ b$는 상수)

로 나타날 때, 이 함수 $y=f(x)$를 일차함수라고 한다.

예 $y=2x+1$, $y=3x-1$, $y=-4x$는 모두 일차함수이지만 $y=3$, $y=\dfrac{1}{x}$, $y=x^2+1$ 등은 y가 x에 대한 일차식이 아니므로 일차함수가 아니다.

$y=ax+b$에서 반드시 $a\neq0$이어야 y가 x에 대한 일차식이 되어 일차함수가 된다.

유형 072 일차함수의 뜻

※ 다음 중 y가 x에 관한 일차함수인 것에는 ○표, 그렇지 않은 것에는 ×표 하여라.

01 $y=-6$　　　　　　　　　　（　　）

02 $y=3-2x$　　　　　　　　　（　　）

03 $y=\dfrac{1}{3}x$　　　　　　　　（　　）

04 $y=\dfrac{1}{4x}$　　　　　　　　（　　）

05 $y=5(-x+1)$　　　　　　　（　　）

06 $y=x^2-x$　　　　　　　　（　　）

07 $2y+x=y+x-1$　　　　（　　）

08 $2x+y=x+4$　　　　　　（　　）

※ 일차함수 $y=f(x)$에서 $f(x)=2x+3$이라고 할 때, 다음 값을 구하여라.

09 $f(2)$

10 $f(3)$

11 $f(2)+f(3)$

12 $f(1)-f(4)$

05 일차함수의 그래프와 평행이동

빠른 정답 07쪽 / 친절한 해설 27쪽

1. **평행이동** : 한 도형을 일정한 방향으로 일정한 거리만큼 이동하는 것
2. $y=ax+b$의 그래프 : $y=ax$의 그래프를 y축의 방향으로 b만큼 평행이동한 직선

참고 $b>0$이면 y축의 양의 방향으로 b만큼 평행이동
$b<0$이면 y축의 음의 방향으로 b만큼 평행이동

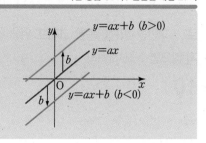

073 일차함수의 그래프와 평행이동

※ 다음 일차함수의 그래프를 y축의 방향으로 [ ] 안의 수만큼 평행이동한 식을 구하여라.

01 $y=x$ $[\,3\,]$

02 $y=-2x$ $[\,7\,]$

03 $y=3x$ $[\,-5\,]$

04 $y=\dfrac{1}{2}x$ $[\,4\,]$

05 $y=-\dfrac{1}{4}x$ $\left[\,-\dfrac{1}{3}\,\right]$

※ 다음 일차함수의 그래프는 일차함수 $y=3x$의 그래프를 y축의 방향으로 얼마만큼 평행이동한 것인지 구하여라.

06 $y=3x+2$

07 $y=3x-5$

※ 다음을 만족하는 상수 a, b의 값을 구하여라.

08 일차함수 $y=-x+4$의 그래프를 y축의 방향으로 -5만큼 평행이동하였더니 일차함수 $y=ax+b$의 그래프가 되었다.

해설| 일차함수 $y=-x+4$의 그래프를 y축의 방향으로 -5만큼 평행이동하면
$y=-x+4-\boxed{}$ ∴ $y=-x-\boxed{}$
$a=\boxed{}$, $b=\boxed{}$

09 일차함수 $y=-\dfrac{3}{2}x+b$의 그래프는 일차함수 $y=ax$의 그래프를 y축의 방향으로 6만큼 평행이동한 것이다.

Tip
y축 방향으로 b만큼 평행이동시킨다.
⇨ 맨 뒤에 $+b$를 붙인다!!

※ 다음 중 일차함수 $y=-\dfrac{1}{4}x$의 그래프를 y축의 방향으로 -7만큼 평행이동한 그래프 위에 있는 점은 ○표, 그렇지 않으면 ×표 하여라.

10 $(-8,\ -5)$ (　　)

해설ㅣ 평행이동한 그래프의 식은 $y=-\dfrac{1}{4}x-\square$

$y=-\dfrac{1}{4}x-\square$ 에서 $x=-8$일 때 y의 값은

$y=-\dfrac{1}{4}\times(-8)-\square=\square$

따라서 $(-8,\ -5)$는 이 그래프 위의 점이다.

11 $(2,\ -8)$ (　　)

12 $(8,\ -9)$ (　　)

※ 다음 물음에 답하여라.

13 일차함수 $y=-2x$의 그래프를 y축의 방향으로 -3만큼 평행이동한 그래프는 점 $(2,\ k)$를 지난다. 이때, k의 값을 구하여라.

해설ㅣ 일차함수 $y=-2x$의 그래프를 y축의 방향으로 -3만큼 평행이동하면

$y=-2x-\square$

이 식에 $x=2$, $y=k$를 대입하면

$k=(-2)\times2-\square=\square$

14 점 $(-2,\ 3)$을 지나는 일차함수 $y=ax+1$의 그래프를 y축의 방향으로 5만큼 평행이동한 그래프는 점 $(2,\ b)$를 지난다. 이때 b의 값을 구하여라. (단, a는 상수)

학교시험 필수예제

15 일차함수 $y=ax+b$의 그래프를 y축의 방향으로 -2만큼 평행이동한 그래프는 두 점 $(3,\ 1)$, $(-6,\ 4)$를 지난다. 이때, 상수 a, b의 값을 구하여라.

지난다, 위에있다, 놓여있다, 교점이다, 만난다.
⇨ 주어진 식에 대입해라!!

06 x절편, y절편

빠른 정답 07쪽 / 친절한 해설 27쪽

1. 일차함수의 그래프의 x절편과 y절편

　① x절편 : $y=0$일 때의 x의 값

　② y절편 : $x=0$일 때의 y의 값

2. x절편과 y절편을 이용하여 일차함수의 그래프 그리기

　x절편, y절편을 구하여 각각을 좌표평면 위에 나타낸 후,
두 점 (x절편, 0), (0, y절편)을 직선으로 연결한다.

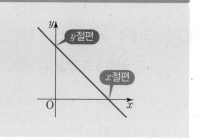

유형 074 　 x절편, y절편

※ 다음 물음에 답하여라.

01 그림과 같은 일차함수의 그래프에 대하여 x절편, y절편을 각각 구하여라.

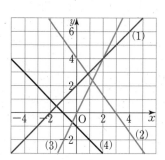

02 x절편이 2, 절편이 3인 일차함수의 그래프를 그려라.

※ 다음 일차함수의 그래프의 x절편과 y절편을 각각 구하여라.

03 $y=2x+5$

해설│ x절편 : $\boxed{}=2\times\boxed{}+5$이므로 $x=\boxed{}$

　　y절편 : $y=2\times\boxed{}+\boxed{}$이므로 $y=\boxed{}$

　　따라서 이 그래프의 x절편은 $\boxed{}$이고 y절편은 $\boxed{}$

　　이다.

04 $y=-x+3$

05 $y=2x-1$

06 $y=-\dfrac{1}{2}x-2$

07 $y=\dfrac{2}{3}x+6$

※ 다음 물음에 답하여라.

08 일차함수 $y=-2x+k$의 그래프의 x절편이 $\dfrac{5}{2}$ 일 때, 상수 k의 값을 구하여라.

해설ㅣ 일차함수 $y=-2x+k$의 그래프가 점 $\left(\boxed{},\ \boxed{}\right)$

을 지나므로

$\boxed{}=-2\times\boxed{}+k$ $\therefore k=\boxed{}$

09 x절편이 -3인 일차함수 $y=2x+b$의 그래프에서 의 y절편을 구하여라.

10 일차함수 $y=\dfrac{1}{2}x+b$의 그래프에서 x절편이 4일 때, 이 그래프의 y축과의 교점의 좌표를 구하여라.

※ 다음 일차함수의 그래프와 x축, y축으로 둘러싸인 도형의 넓이를 구하여라.

11 $y=\dfrac{5}{4}x+20$

해설ㅣ x절편 : $\boxed{}=\dfrac{5}{4}\times\boxed{}+20$이므로 $x=\boxed{}$

y절편 : $\boxed{}$

그래프는 오른쪽 그림과 같으므로
구하는 넓이는

$\dfrac{1}{2}\times\boxed{}\times20=\boxed{}$

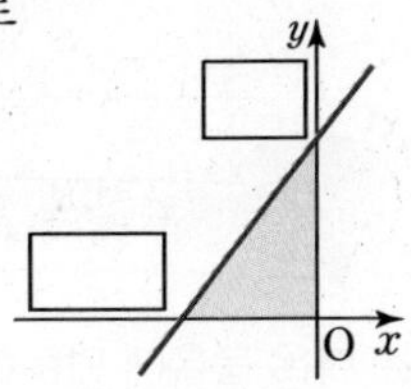

12 $y=x+4$

13 $y=-5x+20$

1. 기울기 : 일차함수의 그래프가 x축에 대하여 기울어진 정도, 즉 x값의 증가량
  에 대한 y값의 증가량의 비율

$$(\text{기울기}) = \frac{(y\text{의 값의 증가량})}{(x\text{의 값의 증가량})} = a$$

2. 기울기를 구하는 방법

(1) 그림에서 구하는 방법

  ① 먼저부호를정한다. 즉, 오른쪽 위로 향하면 (+), 아래로 향하면 (−)

  ② $\dfrac{\text{높이의 길이}}{\text{밑면의 길이}}$

(2) 두 점에서 구하는 방법

  두 점을 (x_1, y_1), (x_2, y_2)라고 하면 $\dfrac{y_2 - y_1}{x_2 - x_1}$ 또는 $\dfrac{y_1 - y_2}{x_1 - x_2}$

$$y = a\,x + b$$
→ y 절편
→ 기울기

일차함수 $y = ax + b$에서 기울기는
a와 같다.

---

075 일차함수의 그래프의 기울기

※ 다음 일차함수의 그래프의 기울기와 절편을 구하여라.

01 $y = -4x + 5$

02 $y = 7x + 3$

03 $y = \dfrac{1}{2}x - 4$

04 $y = -\dfrac{2}{3}x + 2$

※ 다음 일차함수의 그래프에서 x의 값의 증가량에 대한 의
y값의 증가량의 비율을 구하여라.

05 $y = x - 2$

해설ㅣ x의 값의 증가량에 대한 y의 값의 증가량의 비율은
　□　이고, 이것은 □의 계수와 같으므로 □
이다.

06 $y = -4x + 1$

07 $y = -\dfrac{1}{2}x + 3$

08 $y = -\dfrac{5}{3}x + 6$

※ 다음 물음에 답하여라.

09 일차함수 $y = \dfrac{2}{3}x - 2$에서 x의 값이 2에서 5까지 증가할 때, y의 값의 증가량을 구하여라.

해설 | $(기울기) = \dfrac{(y의\ 값의\ 증가량)}{(x의\ 값의\ 증가량)}$

$= \dfrac{(y의\ 값의\ 증가량)}{5 - \boxed{}} = \boxed{}$

$\therefore (y의\ 값의\ 증가량) = \boxed{}$

10 일차함수 $y = ax - 4$의 그래프에서 x의 값이 3만큼 증가할 때, y의 값은 15만큼 감소한다. 이때 상수 a의 값을 구하여라.

학교시험 필수예제

11 다음 일차함수의 그래프 중 x의 값이 2만큼 증가할 때, y의 값은 8만큼 감소하는 것은?

① $y = -8x - 2$ ② $y = -4x - 8$

③ $y = -\dfrac{1}{4}x - 4$ ④ $y = 4x - 2$

⑤ $y = 8x - 4$

076 두 점에서 기울기 구하기

※ 다음 각 일차함수의 그래프에서 기울기를 구하여라.

12
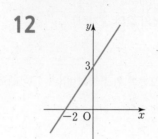

13
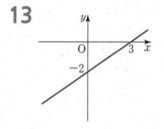

14
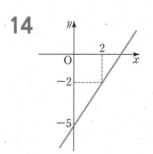

※ 다음 두 점을 지나는 직선의 기울기를 구하여라.

15 $(-1, 2), (1, 4)$

해설 | $(기울기) = \dfrac{\boxed{} - 2}{\boxed{} - (-1)} = \boxed{}$

16 $(4, 2), (-2, 4)$

17 $(-3, 4), (5, 2)$

077 기울기의 응용문제

※ 다음 세 점이 한 직선 위에 있을 때, k의 값을 구하여라.

18 $(-5, k), (-3, 7), (1, 1)$

해설 | 세 점이 한 직선 위에 있으므로 어느 두 점을 택해도 기울기가 같아야 한다.
두 점 $(-5, k), (-3, 7)$을 지나는 직선의 기울기는
$$\dfrac{7-k}{\boxed{} - (\boxed{})} = \dfrac{7-k}{\boxed{}}$$
두 점 $(-3, 7), (1, 1)$을 지나는 직선의 기울기는
$$\dfrac{1-7}{1 - (\boxed{})} = \boxed{}$$
두 직선의 기울기가 같으므로 $\dfrac{7-k}{\boxed{}} = \boxed{}$
$7-k = \boxed{}$ $\therefore k = \boxed{}$

19 $(-1, 1), (-2, 3), (k, k-1)$

20 $(-2, -3), (1, -5), (-8, k)$

08 기울기와 y절편으로 그래프 그리기

기울기와 y절편으로 그래프를 그리는 방법
① 먼저, y축 위에 x절편을 나타낸다.
② 기울기를 이용하여 다른 한 점을 찾아 두 점을 직선으로 잇는다.

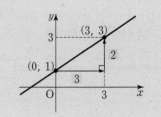

---

078 기울기와 y절편으로 그래프 그리기

※ 일차함수 $y=3x-5$에 대하여 다음 물음에 답하여라.

01 x의 값이 1에서 4까지 3만큼 증가할 때, y의 값은 얼마나 증가하는지 구하여라.

02 이 일차함수의 기울기와 y절편을 각각 구하여라.

03 기울기와 y절편을 이용하여 그래프를 그려라.

Tip
x가 a만큼 증가할 때, y는 b만큼 증가
⇨ 기울기!

※ 다음 일차함수를 기울기와 y절편을 이용하여 그래프를 그려라.

04 $y=-\dfrac{3}{2}x+3$

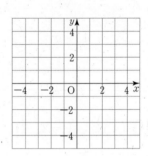

05 $y=3x-2$

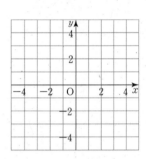

※ 일차함수 $y=-2x-2$의 그래프를 다음을 이용하여 좌표평면 위에 그려라.

06 x절편, y절편

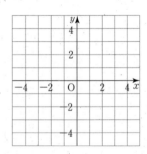

07 y절편, 기울기

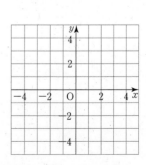

09 일차함수의 그래프의 성질

일차함수 $y=ax+b$의 그래프는 y절편 b를 지나고
① $a>0$이면 오른쪽 위로 향하는 직선이다.
② $a<0$이면 오른쪽 아래로(또는 왼쪽 위로) 향하는 직선이다.

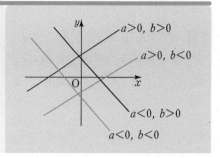

---

079 일차함수의 그래프의 성질

※ 다음 일차함수에서 x값이 증가할 때, y값도 증가하는 함수에는 (╱),값이 감소하는 함수에는 (╲)를 써넣어라.

01 $y=2x-7$ ( )

02 $y=-2x-7$ ( )

03 $y=\dfrac{1}{3}x-5$ ( )

04 $y=-\dfrac{3}{2}x+6$ ( )

05 $y=1-2x$ ( )

06 $y=-\dfrac{2}{3}(1-x)$ ( )

07 $y=\dfrac{3-2x}{-4}$ ( )

※ 다음 중 아래의 조건을 만족시키는 직선을 그래프로 하는 일차함수의 식을 모두 골라라.

> ㉠ $y=3x-4$　　㉡ $y=-3x+4$
> ㉢ $y=3x+5$　　㉣ $y=-\dfrac{3}{2}x-3$
> ㉤ $y=\dfrac{1}{5}x$　　㉥ $y=-2x+4$

08 오른쪽 위로 향하는 직선

09 오른쪽 아래로 향하는 직선

10 y축과 양의 부분에서 만나는 직선

11 y축과 음의 부분에서 만나는 직선

12 원점을 지나는 직선

13 x의 값이 증가할 때 y의 값이 증가하는 직선

14 x의 값이 증가할 때 y의 값이 감소하는 직선

※ 다음 물음에 답하여라.

15 일차함수 $y=ax+b$의 그래프가 오른쪽 그림과 같을 때, 상수 a, b의 부호를 정하여라.

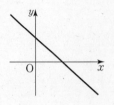

※ 다음 물음에 답하여라.

18 일차함수 $y=-ax-b$의 그래프가 오른쪽 그림과 같을 때, 일차함수 $y=ax+b$의 그래프가 지나는 사분면을 모두 구하여라.

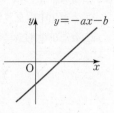

해설ㅣ $y=-ax-b$의 그래프가 오른쪽 위로 향하므로

$-a\ \boxed{}\ 0$ ∴ $a\ \boxed{}\ 0$

y축과 음의 부분에서 만나므로

$-b\ \boxed{}\ 0$ ∴ $b\ \boxed{}\ 0$

따라서 $y=ax+b$의 그래프는 오른쪽 그림과 같으므로 제 $\boxed{}$, $\boxed{}$, $\boxed{}$ 사분면을 지난다.

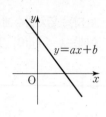

16 일차함수 $y=ax+b$의 그래프가 오른쪽 그림과 같을 때, 상수 a, b의 부호를 정하여라.

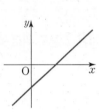

19 $y=ax+b$의 그래프가 오른쪽 그림과 같을 때, $y=bx-a$의 그래프가 지나지 않는 사분면을 구하여라.

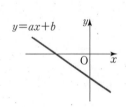

17 일차함수 $y=-ax-b$의 그래프가 오른쪽 그림과 같을 때, 상수 a, b의 부호를 정하여라.

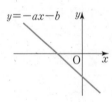

10 일차함수의 그래프의 평행과 일치

빠른 정답 08쪽 / 친절한 해설 28쪽

기울기가 같은 두 일차함수의 그래프는 서로 평행하거나 일치한다.
1. 기울기가 같고 y절편이 같은 두 직선은 일치한다.
2. 기울기가 같고 y절편이 다른 두 직선은 평행하다.
3. $y=ax+b$, $y=ax'+b'$의 그래프에서
　① $a=a'$, $b\neq b'$이면 두 그래프는 서로 평행하다.
　② $a=a'$, $b=b'$이면 두 그래프는 서로 일치한다.

참고 $a\neq a'$이면 한 점에서 만난다.

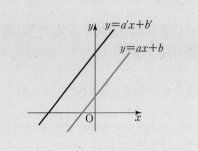

---

080 일차함수의 그래프의 평행 조건

※ 주어진 일차함수의 그래프와 평행한 것을 보기에서 골라라.

01 $y=5x+1$

┌ 보기 ┐
ㄱ $y=\dfrac{1}{5}x+1$　　　ㄴ $y=5x-5$
ㄷ $y=5x-1$　　　ㄹ $y=-5x+1$

02 $y=-2x+6$

┌ 보기 ┐
ㄱ $y=-2x+6$　　　ㄴ $y=2x-6$
ㄷ $y=2x-3$　　　ㄹ $y=-2x+3$

03 $y=\dfrac{1}{3}x+1$

┌ 보기 ┐
ㄱ $y=\dfrac{1}{3}x-1$　　　ㄴ $y=-3x-1$
ㄷ $y=3x-1$　　　ㄹ $y=\dfrac{1}{3}x+1$

※ 다음 물음에 답하여라.

04 두 일차함수 $y=-ax+3$과 $y=\dfrac{1}{2}x+6b$의 그래프가 서로 평행하기 위한 상수 a, b의 조건을 각각 구하여라.

해설 기울기가 같고, y절편은 달라야 하므로

$-a=\boxed{}$, $3\neq 6b$

$\therefore a=\boxed{}$, $b\neq\boxed{}$

05 두 일차함수 $y=kx+1$과 $y=4x-7$이 서로 평행하기 위한 k의 값을 구하여라.

학교시험 필수예제

06 다음 일차함수 중 그 그래프가 $y=2x+3$의 그래프와 서로 만나지 않는 것은?

① $y=\dfrac{1}{2}(x+3)$　　　② $y=2(3-x)$

③ $y=-\dfrac{1}{2}(3-4x)$　　　④ $y=-(2x-3)$

⑤ $y=\dfrac{1}{4}(2x+3)$

081 일차함수의 그래프의 일치 조건

※ 다음 두 일차함수의 그래프가 일치할 때, 상수 a, b 의 값을 각각 구하여라.

07 $y=\dfrac{2}{3}x-2b, \ y=ax+6$

해설 | 기울기와 y절편이 모두 같아야 한다.

$\dfrac{2}{3}=\boxed{}, \ -2b=\boxed{}$ 에서

$a=\boxed{}, \ b=\boxed{}$

08 $y=2ax-4, \ y=-x+3b$

09 $y=-ax-2, \ y=\dfrac{1}{3}x+2b$

10 다음 중 그 그래프가 서로 일치하는 것끼리 짝지어라.

> ㉠ $y=\dfrac{1}{5}x+1$ ㉡ $y=\dfrac{3}{4}x-2$
>
> ㉢ $y=2x-5$ ㉣ $y=\dfrac{4}{3}x-2$
>
> ㉤ $y=2(x-2)-1$ ㉥ $y=\dfrac{3}{4}x+2$

11 일차함수 $y=2ax-1$의 그래프를 y축의 방향으로 k만큼 평행이동하면 일차함수 $y=-4x-5$의 그래프와 일치한다. 이때, 상수 a, k의 값을 각각 구하여라.

12 오른쪽 그림은 일차함수 $y=ax+b$의 그래프이다. 그래프가 아래와 같은 일차함수의 식을 보기에서 골라라.

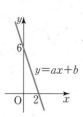

> ┤ 보기 ├
>
> ㉠ $y=-3x+6$ ㉡ $y=-\dfrac{1}{3}x+6$
>
> ㉢ $y=-3(x+1)$ ㉣ $y=-\dfrac{1}{3}(x-3)$

(1) $y=ax+b$의 그래프와 평행한 직선

(2) $y=ax+b$의 그래프와 일치하는 직선

11 기울기와 한 점을 알 때 일차함수의 식 구하기

빠른 정답 08쪽 / 친절한 해설 28쪽

기울기와 한 점의 좌표를 알 때, 일차함수의 식 구하기

1. 기울기와 y절편을 알 때

　　기울기가 a이고, y절편이 b인 직선을 그래프로 하는 일차함수의 식은 $y=ax+b$이다.

2. 기울기와 그래프 위의 한 점의 좌표를 알 때

　　기울기가 a이고, 한 점 $(x_1,\ y_1)$을 지나는 직선을 그래프로 하는 일차함수의 식을 구하는 방법은 다음과 같다.

　　① 일차함수를 $y=ax+b$로 놓는다.

　　② $y=ax+b$에 $x=x_1$, $y=y_1$을 대입하여 y절편 b를 구한다.

> 1. 기울기 a와 y절편을 알 때
> 　$\Rightarrow y=ax+b$
> 2. 기울기 a와 한 점 $(p,\ q)$를 알 때
> 　(2가지 방법)
> (방법 1) $y=ax+b$ 에 한 점 $(p,\ q)$을 대입한다.
> (방법 2) 공식 $y-q=a(x-p)$를 이용한다.

---

082 기울기와 한 점을 알 때 일차함수의 식 구하기

※ 다음과 같은 직선을 그래프로 하는 일차함수의 식을 구하여라.

01 기울기가 -10이고 y절편이 $\dfrac{1}{3}$인 직선

02 기울기가 $\dfrac{2}{5}$이고 y절편이 -1인 직선

03 기울기가 20이고 점 $(0,\ 3)$를 지나는 직선

04 기울기가 30이고 점 $(0,\ -5)$를 지나는 직선

※ 다음 물음에 답하여라.

05 오른쪽 그림의 직선과 평행하고 y절편이 -1인 직선을 그래프로 하는 일차함수의 식을 구하여라.

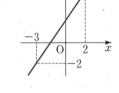

해설ㅣ 주어진 직선이 두 점 $(-3,\ -2)$, $(2,\ 5)$를 지나므로

기울기는 $\dfrac{5-(\boxed{})}{2-(\boxed{})}=\boxed{}$

따라서 그래프의 기울기가 $\boxed{}$이고 y절편이 $\boxed{}$이므로 구하는 일차함수의 식은

$y=\boxed{}$

06 일차함수 $y=2x+5$의 그래프와 평행하고 점 $(0,\ -8)$을 지나는 직선을 그래프로 하는 일차함수의 식을 구하여라.

※ 다음과 같은 직선을 그래프로 하는 일차함수의 식을 구하여라.

07 기울기가 -1이고 점 $(2, 3)$을 지나는 직선

해설| $y=-x+b$로 놓으면 점 $(\boxed{}, \boxed{})$을 지나므로

$\boxed{}=\boxed{}+b$ ∴ $b=\boxed{}$

∴ $y=-x+\boxed{}$

08 기울기가 $\dfrac{1}{2}$이고 점 $(-4, 5)$를 지나는 직선

09 기울기가 3이고 점 $(1, -2)$를 지나는 직선

※ 다음과 같은 직선을 그래프로 하는 일차함수의 식을 구하여라.

10 일차함수 $y=\dfrac{3}{4}x-1$의 그래프와 평행하고 점 $(4, -1)$을 지나는 직선

11 기울기가 -2이고, 일차함수 $y=\dfrac{1}{3}x-1$의 그래프와 x축 위에서 만나는 직선

12 두 점을 알 때 일차함수의 식 구하기

빠른 정답 08쪽 / 친절한 해설 28쪽

두 점 (x_1, y_1), (x_2, y_2)을 알 때, 일차함수의 식 구하기

1. 기울기와 점을 이용하여 구하는 방법

　① 두 점을 이용하여 기울기를 구한다.

$$(기울기) = \frac{y_1 - y_2}{x_1 - x_2} = \frac{y_2 - y_1}{x_2 - x_1}$$

　② 한 점을 대입하여 y절편을 구한다.

2. 연립방정식을 이용하여 구하는 방법

　① 일차함수의 식 $y = ax + b$에 두 점을 대입하여 연립방정식을 세운다.

　② 연립방정식을 풀어 a와 b의 값을 구한다.

3. 공식 $y - y_1 = \dfrac{y_2 - y_1}{x_2 - x_1}(x - x_1)$을 이용하는 방법

참고 두 점을 알 때 주로 첫 번째 방법이나 공식을 이용하는 방법을 써서 구한다.

---

 083 **두 점을 알 때 일차함수의 식 구하기**

※ 다음 두 점을 지나는 직선을 그래프로 하는 일차함수의 식을 구하여라.

01 $(1, \ 1)$, $(2. \ 3)$

해설 $(기울기) = \dfrac{3 - \boxed{2}}{\boxed{} - 1} = \boxed{}$

$y = 2x + b$로 놓으면 점 $(1, \ 1)$을 지나므로

$1 = 2 \times 1 + \boxed{}$　∴ $b = \boxed{}$

∴ $y = \boxed{}$

02 $(2, \ -2)$, $(-1, \ -1)$

※ 다음 두 점을 지나는 직선을 지나는 직선을 y축의 방향으로 2만큼 평행이동한 직선을 그래프로 하는 일차함수의 식을 구하여라.

03 $(2, -1)$, $(-2, 1)$

04 $(-1, \ 10)$, $(2, \ -2)$

※ 다음 두 점을 지나는 직선을 그래프로 하는 일차함수의 식을 구하여라.

05 $(-2,\ 5), (1,\ -4)$

해설ㅣ 구하는 식을 $y=ax+b$라고 하면
$y=ax+b$의 그래프는 점 $(-2,\ 5)$를 지나므로
$\boxed{}a+b=\boxed{}$ ……㉠
또, $y=ax+b$의 그래프는 점 $(1,\ -4)$를 지나므로
$a+b=-4$ ……㉡
㉠, ㉡을 연립하여 풀면 $a=\boxed{},\ b=\boxed{}$
따라서 구하는 일차함수의 식은 $y=\boxed{}$

06 $(-2,\ 1), (3,\ 11)$

07 $(1,\ 2), (3,\ -2)$

08 $(-1,\ 1), (1,\ 5)$

09 $(2,\ 1), (3,\ -1)$

학교시험 필수예제

10 두 점 $(-1,\ 4), (2,\ 1)$을 지나는 직선을 그래프로 하는 일차함수의 식이 $y=ax+b$일 때, $a+b$의 값은?

① -2 ② -1 ③ 0
④ 4 ⑤ 2

13 x절편, y절편을 알 때 일차함수의 식 구하기

빠른 정답 08쪽 / 친절한 해설 29쪽

x절편 a와 y절편 b를 알 때, 일차함수의 식 구하기

(1) $y = \square x + b$에 $(a, 0)$을 대입하는 방법

(2) 공식 $\dfrac{x}{a} + \dfrac{y}{b} = 1$

(3) 그래프를 그려서 구하는 방법

$\left[\text{공식 } \dfrac{x}{a} + \dfrac{y}{b} = 1 \text{ 이용} \right]$

x절편이 2, y절편이 1이면

$\Rightarrow \dfrac{x}{2} + \dfrac{y}{1} = 1$

이것을 정리하면 $y = -\dfrac{1}{2}x + 1$

---

 084 x절편, y절편을 알 때 일차함수의 식 구하기

※ 다음과 같은 직선을 그래프로 하는 일차함수의 식을 구하여라.

01 두 점 $(6, 0), (0, -3)$을 지나는 직선

02 x절편이 3, y절편이 2인 직선

03 x절편이 1, y절편이 -2인 직선

※ 다음과 같은 직선을 그래프로 하는 일차함수의 식을 구하여라.

04 x절편이 2, y절편이 4인 직선

05 x절편이 5, y절편이 -3인 직선

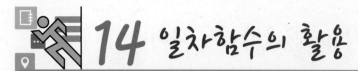 **14 일차함수의 활용**

빠른 정답 08쪽 / 친절한 해설 29쪽

1. 변화하는 두 양을 변수 x, y로 정한다.
2. 변화하는 두 양 사이의 관계를 함수 $y=f(x)$로 나타낸다.
3. 그래프를 그리거나 관계식 $y=f(x)$로부터 필요한 값을 구한다.
4. 구한 값이 문제의 조건에 맞는지 확인한다.

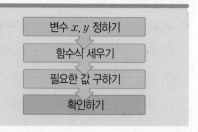

 085 함수 $y=ax$의 활용

※ 다음을 읽고 물음에 답하여라.

> 1분에 4 km를 가는 기차가 있다. 이 기차를 타고 x분 동안 y km를 이동한다고 한다.

01 x와 y 사이의 관계식을 구하여라.

02 15분 동안 기차를 타고 갈 수 있는 거리를 구하여라.

03 100 km의 거리를 가는 데 걸리는 시간을 구하여라.

※ 다음을 읽고 물음에 답하여라.

> 연필 5자루의 가격이 3500원인 연필 x자루의 가격을 y원이라고 한다.

04 x와 y 사이의 관계식을 구하여라.

05 연필 12자루를 사고 지불해야 할 금액을 구하여라.

06 14000원으로 살 수 있는 연필의 개수를 구하여라.

※ 다음을 읽고 물음에 답하여라.

> 톱니의 수가 각각 32개, 48개인 톱니바퀴 A, B가
> 서로 맞물려 돌고 있다. 톱니바퀴 A가 x번 회전하면
> 톱니바퀴 B는 y번 회전한다고 한다.

07 x와 y 사이의 관계식을 구하여라.

해설ㅣ 톱니바퀴 A가 x번 회전할 때, 회전한 톱니의 수는
　　 ▢ 개이고, 톱니바퀴 B가 y번 회전할 때, 회전한
　　 톱니의 수는 ▢ 개이다.
　　 이때 맞물린 톱니의 수가 같으므로
　　 ▢ = ▢ 　 ∴ $y=$ ▢

08 톱니바퀴 A가 6번 회전할 때, 톱니바퀴 B가 회전하는 수를 구하여라.

09 톱니바퀴 B가 10번 회전할 때, 톱니바퀴 A가 회전하는 수를 구하여라.

※ 다음을 읽고 물음에 답하여라.

> 용량이 120 L인 물탱크에 1분에 4 L씩 물을 채우려고
> 할 때, x분 동안 채운 물의 양을 y L라고 한다.

10 x와 y 사이의 관계식을 구하여라.

11 8분 동안 채운 물의 양을 구하여라.

12 물탱크를 가득 채우는 데 걸리는 시간을 구하여라.

※ 다음을 읽고 물음에 답하여라.

> 용수철에 1 g짜리 추를 매달았더니 용수철의 길이가 2.5 cm 늘어났다고 한다. x g짜리 추를 매달았을 때, 늘어난 용수철의 길이를 y cm라고 한다.

13 x와 y 사이의 관계식을 구하여라.

14 10 g짜리 추를 매달았을 때, 늘어난 용수철의 길이를 구하여라.

15 용수철의 길이가 10 cm 늘어나는 데 필요한 추의 무게를 구하여라.

※ 다음을 읽고 물음에 답하여라.

> 1 L의 휘발유로 12 km를 가는 자동차가 있다. x L의 휘발유로 y km를 간다고 한다.

16 x와 y 사이의 관계식을 구하여라.

17 이 자동차가 25 L의 휘발유로 갈 수 있는 거리를 구하여라.

18 이 자동차로 60 km를 가는 데 필요한 휘발유의 양을 구하여라.

※ 다음 물음에 답하여라.

19 다음 표는 길이가 30 cm인 양초에 불을 붙인 후 1분마다 양초의 길이를 재어 나타낸 것이다. x분 후의 남은 양초의 길이를 y cm라고 한다.

시간(분)	0	1	2	3	4
남은 양초의 길이(cm)	30	28	26	24	22

(1) x와 y 사이의 관계식을 구하여라.

(2) 불을 붙인 지 12분 후의 남은 양초의 길이를 구하여라.

(3) 남은 양초의 길이가 14 cm가 되는 것은 불을 붙인 지 몇 분 후인지 구하여라.

20 어떤 양초에 불을 붙인 지 x분 후의 양초의 길이를 y cm라고 하면 y는 x의 일차함수가 된다. 이 양초에 불을 붙인 지 6분 후 양초의 길이는 17 cm가 되고, 10분 후에는 15 cm가 된다. 이 양초가 다 타는 데 걸리는 시간을 구하여라.

해설 | 양초의 길이가 $10-6=4$(분) 동안
$17-15=2$(cm)줄어들었으므로 1분에 $\frac{1}{2}$ cm씩 줄어든다.
처음 양초의 길이를 b cm라고 하면 x, y사이의 관계식은 $y=$ ☐
$x=6$, $y=17$을 대입하면 $17=$ ☐ $\therefore b=$ ☐
따라서 x와 y사이의 관계식은 $y=$ ☐
$y=0$을 대입하여 정리하면 $x=$ ☐
즉, 양초가 다 타는 데 걸리는 시간은 ☐ 분이다.

21 비커에 100 ℃의 물이 들어 있다. 이 비커를 실온에 놓은 지 2분 후의 물의 온도가 96 ℃이었다. 물의 온도가 50 ℃가 되는 것은 비커를 실온에 놓은 지 몇 분 후인지 구하여라. (단, 물의 온도는 일정하게 내려간다.)

22 다음 표는 기온에 따라 일정하게 증가하는 소리의 속력을 나타낸 것이다.

기온(℃)	0	5	10	15
소리의 속력(m/초)	331	334	337	340

(1) x와 y 사이의 관계식을 구하여라.

(2) 기온이 30 ℃인 날의 소리의 속력을 구하여라.

(3) 기온이 35 ℃인 날의 소리의 속력을 구하여라.

23 어떤 용수철에 x g의 추를 달았을 때, 용수철의 길이를 y cm라고 하면 y는 x의 일차함수가 된다. 이 용수철에 10 g의 추를 달면 용수철의 길이는 27 cm가 되고, 20 g의 추를 달면 29 cm가 된다. 30 g의 추를 달았을 때, 용수철 길이를 구하여라.

24 높이가 1 m인 원기둥 모양의 물통에 물이 들어 있다. 이 물통에 일정한 속도로 물을 채우기 시작하여 10분 후와 15분 후에 물의 높이를 재었더니 각각 30 cm, 33 cm이었다. 처음에 들어 있던 물의 높이를 구하여라.

※ 다음 물음에 답하여라.

25 이어도는 제주도 남쪽의 마라도에서 149 km 떨어져 있는 섬이다. 마라도에서 배를 타고 시속 40 km의 속력으로 이어도까지 가려고 한다. 출발한 지 x시간 후의 이어도까지 남은 거리를 y km라고 한다.

(1) x와 y 사이의 관계식을 구하여라.

(2) 이어도까지 남은 거리가 29 km라면 마라도에서 배로 몇 시간 동안 간 것인지 구하여라.

26 보라는 둘레의 길이가 2000 m인 호수의 둘레를 분속 50 m로 한 바퀴 걸으려고 한다. 보라가 출발한지 x분 후의 남은 거리를 y m라고 할 때, 출발한 지 25분 후의 남은 거리를 구하여라.

27 어느 친환경 자동차는 1 L의 휘발유로 25 km를 갈 수 있다고 한다. 이 자동차가 70 L의 휘발유를 넣고 출발하였다. 휘발유가 20 L 남았을 때, 이 자동차가 달린 거리를 구하여라.

28 형철이는 4 km 오래달리기 시합에 참가하여 분속 200 m로 달린다고 한다. 출발한 지 x분 후에 결승점까지 남은 거리를 y m라고 할 때, 결승점까지 1800 m 남은 지점을 통과하는 것은 형철이가 출발한 지 몇 분 후인지 구하여라.

088 도형에 관한 문제

※ 다음 물음에 답하여라.

29 오른쪽 그림과 같은 직사각형 ABCD에서 점 P가 점 B를 출발하여 점 C까지 변 BC 위를 초속 0.5 cm로 움직이고 있다. x초 후의 △ABP의 넓이를 y cm^{2}라고 한다.

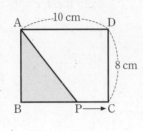

(1) x와 y 사이의 관계식을 구하여라.

(2) △ABP의 넓이가 30 cm^{2}가 되는 것은 출발한 지 몇 초 후인지 구하여라.

30 오른쪽 그림과 같은 직사각형 ABCD에서 점 P가 점 B를 출발하여 점 C까지 변 BC 위를 초속 2 cm로 움직이고 있다. 점 P가 출발한 지 x초 후 사다리꼴 APCD의 넓

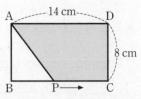

이를 y cm^{2}라고 할 때, 사다리꼴 APCD의 넓이가 48 cm^{2}가 되는 것은 출발한 지 몇 초 후인지 구하여라.

31 다음 그림과 같이 길이가 18 cm인 선분 BC 위를 점 P가 움직이고 있다. $\overline{\text{BP}}=x$ cm

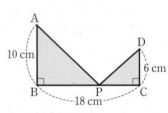

일 때의 △ABP와 △DPC의 넓이의 합을 y cm^{2}라고 하자. 두 삼각형의 넓이의 합이 80 cm^{2}일 때의 $\overline{\text{BP}}$의 길이를 구하여라.

15 일차방정식과 일차함수의 관계

빠른 정답 08쪽 / 친절한 해설 30쪽

1. **직선의 방정식** : x, y값의 범위가 수 전체일 때, 일차방정식

   $$ax+by+c=0 \ (a \neq 0 \ 또는 \ b \neq 0) \quad \cdots\cdots ①$$

   의 해는 무수히 많고, 그 해를 좌표평면 위에 나타내면 직선이 된다. 이때, 방정식 ①을 직선의 방정식이라고 한다.

2. 일차방정식 $ax+by+c=0 \ (a \neq 0, \ b \neq 0)$의 그래프는 일차함수

   $$y=-\frac{a}{b}x-\frac{c}{b}$$의 그래프와 같다.

일차방정식을 y에 관해 풀면 일차함수가 된다.

참고 미지수가 2개인 일차방정식의 그래프를 그릴 때에는 해를 구하여 직접 그릴 수도 있지만 일차방정식을 변형하여 얻은 일차함수의 그래프를 그리는 것이 편리하다.

| $ax+by=c$ (단, $a \neq 0$, $b \neq 0$) | 그래프 →, ← 일차방정식 | 직선 | 그래프 →, ← 일차함수 | $y=mx+n$ (단, $m \neq 0$) |

---

 089 일차방정식과 일차함수의 관계

※ 다음 일차방정식을 y에 관하여 풀어라.

01 $x+2y-2=0$

02 $x-3y+6=0$

03 다음 보기 중 그래프가 일차방정식
$-2x+4y-12=0$의 그래프와 서로 일치하는 것을 골라라.

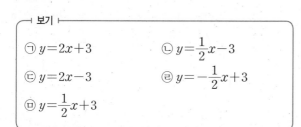
┌─ 보기 ─┐
ㄱ $y=2x+3$ ㄴ $y=\frac{1}{2}x-3$
ㄷ $y=2x-3$ ㄹ $y=-\frac{1}{2}x+3$
ㅁ $y=\frac{1}{2}x+3$

해설 | 주어진 식을 y에 관하여 풀면

$$4y=2x+\boxed{} \quad \therefore y=\frac{1}{2}x+\boxed{}$$

따라서 주어진 일차방정식의 그래프와 일치하는 것은 $\boxed{}$ 이다.

※ 다음 물음에 답하여라.

04 일차방정식 $x-2y=2$의 그래프를 그려라.

해설 | 일차방정식 $x-2y=2$를 변형하여 y를 x의 식으로 나타내면

$$y=\boxed{}$$

따라서 일차방정식 $x-2y=2$의 그래프는 오른쪽 그림과 같이 일차함수

$$y=\boxed{}$$의 그래프와 같다.

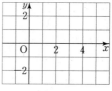

05 다음 일차방정식의 그래프를 그려라.

(1) $x-y+1=0$

(2) $2x+y-3=0$

(3) $2x-3y-6=0$

(4) $x+2y=4$

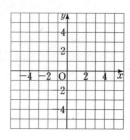

06 일차방정식 $2x-3y-6=0$의 그래프에서 기울기와 y절편을 구하여라.

07 일차방정식 $7x-4y=8$의 그래프에서 x절편과 y절편을 구하여라.

 학교시험 필수예제

08 다음은 일차방정식 $5x-2y-20=0$의 그래프에 대한 설명이다. 옳지 않은 것은?

① 직선이다.
② x절편은 4이다.
③ y절편은 20이다.
④ 점 $(2,\ -5)$를 지난다.
⑤ $y=\dfrac{5}{2}x$의 그래프와 평행하다.

 090 일차방정식과 일차함수의 관계 응용

※ 다음 물음에 답하여라.

09 일차방정식 $ax+2y-12=0$의 그래프에서 기울기가 $\dfrac{3}{2}$일 때, a의 값을 구하여라.

10 일차방정식 $ax+by+6=0$의 그래프의 기울기가 -2, y절편이 3이다. 이때, $a-b$의 값을 구하여라.

11 일차방정식 $x-2y+6=0$의 그래프에서 기울기, y절편, x절편을 각각 a, b, c라 할 때, abc의 값을 구하여라.

12 일차방정식 $3x-y-4=0$의 그래프가 점 $(a, -1)$을 지날 때, a의 값을 구하여라.

13 일차방정식 $10x-ay+b=0$의 그래프를 y축의 방향으로 -2만큼 평행이동하였더니 일차함수 $y=\dfrac{5}{4}x-\dfrac{7}{4}$의 그래프와 일치하였다. 이때, 상수 a, b에 대하여 $a+b$의 값을 구하여라.

14 일차방정식 $x-2y+8=0$의 그래프가 두 점 $(2a, 1), (-4, b)$를 지날 때, $a+b$의 값을 구하여라.

15 일차방정식 $x+by+6=0$의 그래프가 오른쪽 그림과 같을 때, 상수 a, b에 대하여 $a+b$의 값을 구하여라.

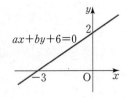

16 일차방정식 $ax+by-2=0$의 그래프가 오른쪽 그림과 같을 때, 상수 a, b에 대하여 $a+b$의 값을 구하여라.

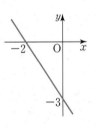

091 일차방정식의 그래프의 모양

※ 다음 물음에 답하여라.

17 일차방정식 $ax+by+c=0$의 그래프가 오른쪽 그림과 같을 때, 일차방정식 $cx+by+a=0$의 그래프가 지나지 않는 사분면을 말하여라.

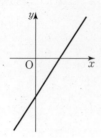

18 일차방정식 $ax+by-c=0$에서 $ab>0$, $bc>0$일 때, 이 방정식의 그래프가 지나지 않는 사분면을 말하여라. (단, a, b, c는 상수)

19 일차방정식 $ax-y+c=0$의 그래프가 오른쪽 그림과 같을 때, 다음 중 이 일차방정식의 해가 아닌 것을 골라라. (단 a, c는 상수)

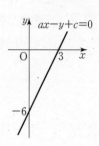

┌ 보기 ┐

㉠ $(-1, -8)$ ㉡ $(0, -6)$

㉢ $(1, -4)$ ㉣ $(2, 2)$

㉤ $(4, 2)$

20 일차방정식 $ax+by+c=0\,(b \neq 0)$의 그래프가 오른쪽 그림과 같을 때, 다음 중 옳은 것을 골라라. (정답 2개)

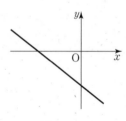

┌ 보기 ┐

㉠ $a>0$, $b>0$, $c>0$

㉡ $a>0$, $b<0$, $c>0$

㉢ $a>0$, $b>0$, $c<0$

㉣ $a<0$, $b<0$, $c>0$

㉤ $a<0$, $b<0$, $c<0$

16 일차방정식 $x=p$, $y=q$의 그래프

빠른 정답 09쪽 / 친절한 해설 31쪽

1. $x=p$의 그래프는 점 $(p, 0)$을 지나고, y축에 평행한 직선이다.
2. $y=q$의 그래프는 점 $(0, q)$를 지나고, x축에 평행한 직선이다.

$x=p$와 $y=q$의 그래프는 일차방정식 $ax+by+c=0$에서 $a\neq0$, $b=0$과 $a=0$, $b\neq0$ 인 경우이다.

---

092 일차방정식 $x=p, y=q$의 그래프 $(p, q$는 상수$)$

※ 다음 일차방정식의 그래프를 그려라.

01 (1) $x=-1$

(2) $y=2$

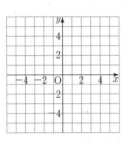

02 (1) $\dfrac{1}{2}x+1=0$

(2) $2y-8=0$

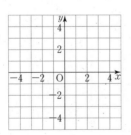

※ 다음을 만족하는 직선의 방정식을 구하여라.

03 점 $(3, -1)$을 지나고 x축에 평행한 직선

04 점 $\left(3, -\dfrac{7}{2}\right)$을 지나고 y축에 평행한 직선

05 두 점 $(-3, 7)$, $(2, 7)$을 지나는 직선

06 두 점 $(0, -4)$, $(0, 7)$을 지나고 직선

※ 다음을 만족하는 상수 a의 값을 구하여라.

07 두 점 $(-3,\ a)$, $(5,\ -3a+8)$을 지나는 직선이 x축에 평행하다.

08 두 점 $(5-a,\ -4)$, $\left(2a-1,\ \dfrac{9}{2}\right)$을 지나는 직선이 y축에 평행하다.

09 두 점 $(-1,\ a-4)$, $(1,\ -2a+8)$을 지나는 직선이 x축에 평행하다.

※ 다음 직선을 그래프로 하는 직선의 방정식을 구하여라.

10

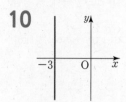

해설। 주어진 그래프는 □축에 평행하고 점 $(-3,\ 0)$을 지나므로 일차방정식 $x=$ □ 의 그래프이다.

11

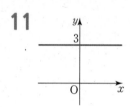

12

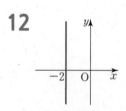

※ 다음 네 직선으로 둘러싸인 도형의 넓이를 구하여라.

13 $x=-2, y=4, x$축, y축

해설 | $x=-2$, $y=4$, x축, y축으로 둘러싸인 도형은 오른쪽 그림과 같이 가로, 세로의 길이가 각각 2, $\square$인 직사각형이다. 따라서 구하는 넓이는

$2\times\square=\square$

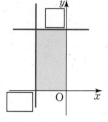

14 $x=-2, x=4, y=-3, y=1$

15 $-x=0, x-3=0, y+1=0, 3y-9=0$

학교시험 필수예제

16 다음 네 직선으로 둘러싸인 도형의 넓이가 42일 때, 양수 k의 값을 구하여라.

$$x-4=0, \ 2x+6=0, \ y+k=0, \ y-2k=0$$

17 일차함수의 그래프와 연립일차방정식의 해

빠른 정답 **09**쪽 / 친절한 해설 **31**쪽

x, y에 관한 연립일차방정식의 해는 두 방정식의 그래프의 교점의 x좌표, y좌표와 같다.

| 연립방정식의 해 $x=a$, $y=b$ | $\Longleftrightarrow$ | 두 그래프의 교점의 좌표 (a, b) |

두 일차방정식의 그래프가 그림과 같을 때 연립방정식 $\begin{cases} -x+y=3 \\ x+y=1 \end{cases}$ 의 해는 $(-1, 2)$이다.

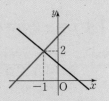

093 **연립방정식의 해와 그래프의 교점**

※ 다음 물음에 답하여라.

01 두 일차방정식
$x-3y=3$, $2x+y=-1$의
그래프가 오른쪽 그림과 같을
때, 연립방정식
$\begin{cases} x-3y=3 \\ 2x+y=-1 \end{cases}$ 의 해를
구하여라.

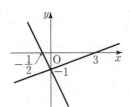

02 두 일차 방정식이 오른쪽 그림과
같을 때 이 연립방정식의 해를
구하여라.

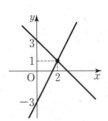

※ 다음 두 일차방정식의 그래프의 교점의 좌표를 구하여라.

03 $y=\dfrac{1}{2}x+\dfrac{3}{2}$, $y=-x+6$

04 $x-y-4=0$, $2x+y-2=0$

05 $5x+y+3=0$, $2x-y-10=0$

06 오른쪽 그림은 연립방정식

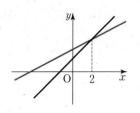

$$\begin{cases} -x+2y=4 \\ ax+y=1 \end{cases}$$ 을 풀기

위하여 두 일차방정식의 그래프를 그린 것이다.

해설 | 두 일차방정식의 그래프의 교점의 x좌표가 2이므로

$-x+2y=4$에 $x=\boxed{}$를 대입하면

$-2+2y=4$

$\therefore y=\boxed{}$

즉, 교점의 좌표는 $(2, \boxed{})$이다.

$ax+y=1$에 $x=2$, $y=\boxed{}$을 대입하면

$2a+\boxed{}=1$

$\therefore a=\boxed{}$

08 오른쪽 그림은 연립방정식

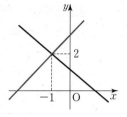

$$\begin{cases} x-ay=-4 \\ x+ay=b \end{cases}$$ 의 해를

구하기 위해 두 일차방정식 의 그래프를 그린 것이다.

07 오른쪽 그림은 연립방정식

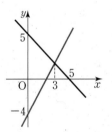

$$\begin{cases} x+y=5 \\ ax-y=4 \end{cases}$$ 를 풀기 위하여

두 일차방정식의 그래프를 그린 것이다.

09 오른쪽 그림은 연립방정식

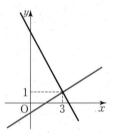

$$\begin{cases} ax+y=7 \\ 2x-by=3 \end{cases}$$ 의 해를

구하기 위해 두 일차방정식 의 그래프를 그린 것이다.

두 직선의 교점을 지나는 직선

※ 다음을 만족하는 직선의 방정식을 구하여라.

10 두 일차방정식 $3x-y=6$, $2x+y=-1$의 그래프의 교점을 지나고, x축에 수직인 직선

해설| 연립방정식 $\begin{cases} 3x-y=6 \\ 2x+y=-1 \end{cases}$ 을 풀면

$x=\boxed{}$, $y=\boxed{}$

구하는 직선은 점 $(\boxed{}, \boxed{})$을 지나고 x축에 수직이므로 직선의 방정식은

$x=\boxed{}$

11 두 일차방정식 $x+y+3=0$, $2x-y+4=0$의 그래프의 교점을 지나고 y축에 평행한 직선

12 두 일차방정식 $y=1-3x$, $y=x+3$의 그래프의 교점을 지나고 y축에 수직인 직선

 한 점에서 만나는 세 직선

※ 다음 세 직선이 한 점에서 만날 때, 상수 a의 값을 구하여라.

13 $x+y=-5$, $2x-7y=8$, $3x+ay=13$

해설| 연립방정식 $\begin{cases} x+y=-5 \\ 2x-7y=8 \end{cases}$ 을 풀면

$x=\boxed{}$, $y=\boxed{}$

즉, 세 직선은 한 점 $(\boxed{}, \boxed{})$에서 만난다.

$3x+ay=13$에 $x=\boxed{}$, $y=\boxed{}$를 대입하면

$\boxed{}-2a=13$, $-2a=\boxed{}$

$\therefore a=\boxed{}$

14 $2x+y=9$, $-x+3y=-1$, $ax-y=11$

15 $y=ax+5$, $y=4x+1$, $y=3x-1$

18 연립방정식의 해와 그래프의 위치 관계

빠른 정답 09쪽 / 친절한 해설 32쪽

연립일차방정식의 각 방정식을 그래프로 나타내었을 때
1. 두 직선이 한 점에서 만나면 연립일차방정식의 해가 하나뿐이다.
2. 두 직선이 일치하면 연립일차방정식의 해가 무수히 많다.
3. 두 직선이 평행하면 연립일차방정식의 해가 없다.

참고 평행하다는 것은 일치하는 경우를 제외하고 생각한다.

$$\begin{cases} ax+by+c=0 \\ a'x+b'y+c'=0 \end{cases}$$

① 해가 하나뿐이다. $\Leftrightarrow \dfrac{a}{a'} \neq \dfrac{b}{b'}$

② 해가 무수히 많다. $\Leftrightarrow \dfrac{a}{a'} = \dfrac{b}{b'} = \dfrac{c}{c'}$

③ 해가 없다. $\Leftrightarrow \dfrac{a}{a'} = \dfrac{b}{b'} \neq \dfrac{c}{c'}$

 096 연립방정식의 해와 그래프

※ 다음 각 연립방정식을 일차함수의 그래프를 이용하여 풀어라.

01 $\begin{cases} 2x-y=2 \\ 4x-2y=-2 \end{cases}$

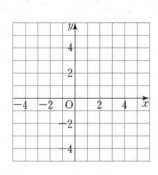

02 $\begin{cases} 2x+y=4 \\ 4x+2y=4 \end{cases}$

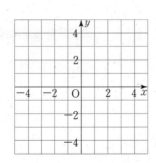

03 $\begin{cases} x+2y=2 \\ 2x+4y=4 \end{cases}$

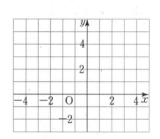

04 $\begin{cases} x-y=2 \\ 2x-2y=4 \end{cases}$

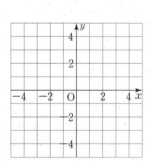

097 해가 무수히 많을 조건

※ 다음 연립방정식의 해가 무수히 많을 때, 상수 a, b에 대하여 $a+b$의 값을 구하여라.

05 $\begin{cases} ax+8y=1 \\ 3x-4y=b \end{cases}$

해설। 해가 무수히 많으려면 두 일차방정식의 그래프가 일치해야 한다.

$\dfrac{a}{3}=\dfrac{8}{-4}=\dfrac{1}{b}$ 에서

$\dfrac{a}{3}=\dfrac{\square}{-4}$ 에서 $-4a=\square$ ∴ $a=\boxed{}$

$\dfrac{\square}{-4}=\dfrac{1}{b}$ 에서 $8b=\square$ ∴ $b=\boxed{}$

∴ $a+b=\boxed{}$

06 $\begin{cases} 3x+ay=2 \\ 6x+2y=b \end{cases}$

07 $2x-ay+b=0,\ 4x-3y+1=0$

098 해가 없을 조건

※ 다음 연립방정식의 해가 없을 때, 상수 a의 값을 구하여라.

08 $\begin{cases} ax-y+1=0 \\ 3x+y-5=0 \end{cases}$

09 $\begin{cases} y=-x+2 \\ ax+2y=8 \end{cases}$

학교시험 필수예제

10 다음 연립방정식 중에서 해가 <u>없는</u> 것은?

① $\begin{cases} x+y=2 \\ x-y=2 \end{cases}$ ② $\begin{cases} 2x-y=-1 \\ 4x-2y=2 \end{cases}$

③ $\begin{cases} -2x+y=-1 \\ 4x-2y=2 \end{cases}$ ④ $\begin{cases} -2x+4y=3 \\ 4x-2y=-6 \end{cases}$

⑤ $\begin{cases} 3x-2y=1 \\ -2x+3y=1 \end{cases}$

V. 일차함수와 그래프

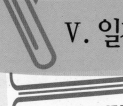

1. 함수와 표현

(1) x, y와 같이 여러 가지 값을 가질 수 있는 문자를 변수라고 한다.

(2) 두 변수 x, y에 대하여 x의 값이 정해짐에 따라 y의 값이 오직 하나로 정해질 때, y를 x의 **❶** 라고 하며 기호로 **❷** 와 같이 나타낸다.

(3) 함수 $y=f(x)$에서 x의 값에 따라 하나씩 정해지는 y의 값, 즉 $f(x)$를 x에 대한 **❸** 이라고 한다.

2. 일차함수의 뜻

함수 $y=f(x)$에서 y가 x에 관한 일차식

$$y=ax+b \ (a \neq 0, a, b는 상수)$$

로 나타날 때, 이 함수 $y=f(x)$를 **❹** 라고 한다.

3. 평행이동과 일차함수의 그래프

(1) **❺** : 한 도형을 일정한 방향으로 일정한 거리만큼 옮기는 것

(2) 일차함수 $y=ax+b$의 그래프는 일차함수 $y=ax$의 그래프를 y축의 방향으로 **❻** 만큼 평행이동한 직선이다.

4. x절편, y절편

(1) x절편 : 일차함수의 그래프가 x축과 만나는 점의 **❼** 좌표

(2) y절편 : 일차함수의 그래프가 y축과 만나는 점의 **❽** 좌표

(3) 일차함수의 그래프의 x절편과 y절편
- ① x절편 : **❾** 일 때의 x의 값
- ② y절편 : **❿** 일 때의 y의 값

(4) x절편과 y절편을 이용하여 일차함수의 그래프 그리기

x절편, y절편을 구하여 각각을 좌표평면 위에 나타낸 후, 두 점 $(x$절편, $0)$, $(0, y$절편$)$을 직선으로 연결한다.

개념 window

• $f(x)=3x$의 함숫값

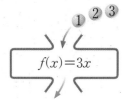

$f(①)=3 \times ①=3$
$f(②)=3 \times ②=6$
$f(③)=3 \times ③=9$

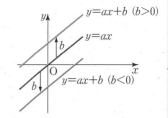

❶ 함수 ❷ $y=f(x)$ ❸ 함숫값 ❹ 일차함수 ❺ 평행이동 ❻ b ❼ x ❽ y ❾ $y=0$ ❿ $x=0$

5. 일차함수의 그래프의 기울기

(1) 기울기 : 일차함수의 그래프가 x축에 대하여 기울어진 정도, 즉 ⑪ [   ] 값의 증가량에 대한 ⑫ [   ] 값의 증가량의 비율

(2) 일차함수의 기울기를 구하는 방법

두 점을 (x_1, y_1), (x_2, y_2)라고 하면 $\dfrac{y_2-y_1}{x_2-x_1}$ 또는 $\dfrac{y_1-y_2}{x_1-x_2}$

6. 일차함수의 그래프의 성질

일차함수 $y=ax+b$의 그래프는 y절편 b를 지나고
　① $a>0$이면 오른쪽 ⑬ [   ] 로 향하는 직선이다.
　② $a<0$이면 오른쪽 ⑭ [   ] 로 향하는 직선이다.

7. 일차함수의 그래프의 평행과 일치

(1) 기울기가 같고 y절편이 같은 두 직선은 일치한다.

(2) 기울기가 같고 y절편이 다른 두 직선은 평행하다.

(3) $y=ax+b$, $y=ax'+b'$의 그래프에서
　① $a=a'$, $b \neq b'$이면 두 그래프는 서로 ⑮ [   ] 하다.
　② $a=a'$, $b=b'$이면 두 그래프는 서로 ⑯ [   ] 한다.

8. 기울기와 한 점을 알 때 일차함수의 식 구하기

(1) 기울기와 y절편을 알 때 : 기울기가 a이고, y절편이 b인 직선을 그래프로 하는 일차함수의 식은 $y=ax+b$이다.

(2) 기울기와 그래프 위의 한 점의 좌표를 알 때 : 기울기가 a이고, 한 점 (x_1, y_1)을 지나는 직선을 그래프로 하는 일차함수의 식을 구하는 방법은 다음과 같다.
　① 일차함수를 ⑰ [   ] 로 놓는다.
　② $y=ax+b$에 $x=x_1$, $y=y_1$을 대입하여 y절편 b를 구한다. .

9. 두 점을 알 때 일차함수의 식 구하기

(1) 기울기와 점을 이용하여 구하는 방법
　① 두 점을 이용하여 기울기를 구한다.
　② 한 점을 대입하여 ⑱ [   ] 을 구한다.

(2) 연립방정식을 이용하여 구하는 방법
　① 일차함수의 식 $y=ax+b$에 두 점을 대입하여 연립방정식을 세운다.
　② 연립방정식을 풀어 a와 b의 값을 구한다.

(3) 공식 $y-y_1 = \dfrac{y_2-y_1}{x_2-x_1}(x-x_1)$을 이용하는 방법

⑪ x　⑫ y　⑬ 위　⑭ 아래　⑮ 평행　⑯ 일치　⑰ $y=ax+b$　⑱ y절편

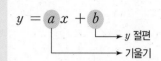

개념 Window

일차함수 $y=ax+b$에서 기울기는 a와 같다.

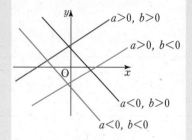

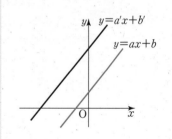

10. x절편, y절편을 알 때 일차함수의 식 구하기

(1) $y=\square x+b$에 $(a,\ 0)$을 대입하는 방법

(2) 공식 $\dfrac{x}{a}+\dfrac{y}{b}=1$

(3) 그래프를 그려서 구하는 방법

개념 window

$\left[\,\text{공식 } \dfrac{x}{a}+\dfrac{y}{b}=1\text{이용}\,\right]$

x절편이 2, y절편이 1이면

$\Rightarrow \dfrac{x}{2}+\dfrac{y}{1}=1$

이것을 정리하면 $y=-\dfrac{1}{2}x+1$

x, y 정하기

x, y의 관계식 구하기

x 또는 y의 값 구하기

확인하기

11. 일차함수를 활용하여 문제를 푸는 순서

① 변하는 두 양을 변수 x, y로 정한다.

② 변하는 두 양 사이의 관계를 함수 $y=f(x)$로 나타낸다.

③ 관계식을 이용하여 x의 값 또는 y의 값을 구한다.

④ 구한 값이 문제의 조건에 맞는지 확인한다.

12. 일차방정식과 일차함수의 관계

(1) 직선의 방정식: x, y값의 범위가 수 전체일 때, 일차방정식

$ax+by+c=0\ (a\neq 0$ 또는 $b\neq 0)$ ......①

의 해는 무수히 많고, 그 해를 좌표평면 위에 나타내면 직선이 된다. 이때, 방정식 ①을

⑲ [　　　　　] 이라고 한다.

(2) 일차방정식 $ax+by+c=0\ (a\neq 0, b\neq 0)$의 그래프는 일차함수 ⑳ [　　　　　] 의 그래프와 같다.

13. 일차방정식 $x=p$, $y=q$의 그래프(p, q는 상수)

(1) $x=p$의 그래프는 점 $(p,\ 0)$을 지나고, ㉑ [　　　] 에 평행한 직선이다.

(2) $y=q$의 그래프는 점 $(0,\ q)$를 지나고, ㉒ [　　　] 에 평행한 직선이다.

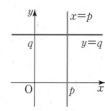

두 일차방정식의 그래프가 그림과 같을 때 연립방정식 $\begin{cases} -x+y=3 \\ x+y=1 \end{cases}$

의 해는 $(-1,\ 2)$이다.

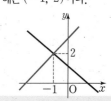

14. 일차함수의 그래프와 연립일차방정식의 해

(1) x, y에 관한 연립일차방정식의 해는 두 방정식의 그래프의 교점의 x좌표, y좌표와 같다.

(2) 연립일차방정식의 각 방정식을 그래프로 나타내었을 때

① 두 직선이 한 점에서 만나면 연립일차방정식의 해는 ㉓ [　　　　] 이다.

② 두 직선이 일치하면 연립일차방정식의 해는 무수히 많다.

③ 두 직선이 평행하면 연립일차방정식의 해는 없다.

⑲ 직선의 방정식 　⑳ $y=-\dfrac{a}{b}x-\dfrac{c}{b}$　 ㉑ y축　 ㉒ x축　 ㉓ 하나

MEMO

MEMO

MEMO

유형 익힘 분석

틀린 문항이 20% 이하이면 ○표, 20%~50% 범위이면 △표, 50% 이상이면 ×표를 하여 결과를 기준으로 나에게 취약한 유형을 파악한 후 관련 개념과 문제를 반드시 복습하고 개념을 완벽히 이해하도록 하세요.

유형No.	유형	총 문항수	틀린 문항수	채점결과
001	유리수	5		○△×
002	소수의 분류	6		○△×
003	순환소수의 표현	14		○△×
004	소수점 아래 n번째 자리의 숫자	8		○△×
005	10의 거듭제곱을 이용하여 소수로 나타내기	14		○△×
006	유한소수로 나타낼 수 있는 분수	12		○△×
007	순환소수로 나타낼 수 있는 분수	13		○△×
008	유한소수가 되게 하는 미지수의 값	7		○△×
009	순환소수를 분수로 나타내는 방법 (1)	5		○△×
010	순환소수를 분수로 나타내는 방법 (2)	13		○△×
011	순환마디를 이용하여 분수로 나타내는 방법	20		○△×
012	유리수와 소수의 관계	16		○△×
013	일차식의 덧셈	5		○△×
014	일차식의 뺄셈	4		○△×
015	이차식의 뜻	6		○△×
016	이차식의 덧셈	5		○△×
017	이차식의 뺄셈	5		○△×
018	이차식의 덧셈과 뺄셈 응용	5		○△×
019	여러 가지 괄호가 있는 덧셈과 뺄셈	7		○△×
020	다항식의 덧셈과 뺄셈 응용	10		○△×

유형No.	유형	총 문항수	틀린 문항수	채점결과
021	잘못 뺀 식에서 바른 답 구하기	6		○△×
022	잘못 더한 식에서 바른 답 구하기	6		○△×
023	지수법칙 (1) ― 거듭제곱의 곱셈	17		○△×
024	지수법칙 (2) ― 거듭제곱의 거듭제곱	14		○△×
025	지수법칙 (3) ― 거듭제곱의 나눗셈	15		○△×
026	지수법칙 (4) ― 곱의 거듭제곱	14		○△×
027	지수법칙 (4) ― 몫의 거듭제곱	14		○△×
028	단항식끼리의 곱셈	13		○△×
029	단항식끼리의 나눗셈 ― 분수 꼴로 계산	8		○△×
030	단항식끼리의 나눗셈 ― 곱셈으로 계산	4		○△×
031	단항식의 곱셈과 나눗셈의 혼합 계산	8		○△×
032	단항식과 다항식의 곱셈	11		○△×
033	다항식과 단항식의 나눗셈	8		○△×
034	다항식과 단항식의 혼합 계산	8		○△×
035	식의 전개	9		○△×
036	부등식과 그 해	20		○△×
037	부등식의 기본 성질	33		○△×
038	일차부등식의 뜻	10		○△×
039	일차부등식의 풀이	15		○△×
040	부등식의 해와 수직선	9		○△×
041	괄호가 있는 일차부등식의 풀이	8		○△×
042	계수가 소수 또는 분수인 일차부등식의 풀이	15		○△×
043	일차부등식의 활용 문제 풀이 순서	12		○△×
044	일차부등식의 활용 (1) ― 수	12		○△×
045	일차부등식의 활용 (2) ― 거리, 속력, 시간	10		○△×
046	미지수가 2개인 일차방정식	13		○△×
047	미지수가 2개인 일차방정식의 해	18		○△×

연산으로 마스터하는 중학 수학 2(상)

정답 및 해설

연산으로 마스터하는 중학 수학 2 (상)

빠른정답

I. 유리수와 순환소수

O1. 유한소수와 무한소수 (본문 8쪽)

01 1, 3

02 $-\dfrac{9}{3}$, -2

03 1, $-\dfrac{9}{3}$, 0, -2, 3

04 3.2525, $\dfrac{3}{4}$, -2.4

05 π

06 0.6, 유한

07 무한소수

08 유한소수

09 유한소수

10 유한소수

11 무한소수

O2. 순환소수 (본문 9쪽)

01 523, 523

02 631

03 60

04 34

05 3

06 354

07 90

08 714285

09 6, $\dot{6}$

10 0.7$\dot{3}$

11 4.26$\dot{3}$

12 2.0$\dot{4}\dot{2}$

13 1.8$\dot{7}\dot{1}$

14 ②, ④

O3. 소수점 아래 n번째 자리의 숫자 (본문 10쪽)

01 035, 3, 3, 2, 2, 3

02 6

03 3

04 4

05 0.181818…, 2, 2, 8

06 6

07 2

08 ④

O4. 유한소수로 나타낼 수 있는 분수 (본문 11쪽)

01 $\dfrac{3}{10}$

02 $\dfrac{23}{100}$

03 $\dfrac{123}{1000}$

04 2, 2, 8, 0.8

05 1.5

06 5, 5, 5^2, 15, 0.15

07 0.225

08 $\dfrac{3}{10}$

09 $\dfrac{1}{5}$

10 $\dfrac{3}{14}$

11 ○

12 ×

13 ×

14 ○

15 ○

16 ○

17 ×

18 ○

19 ○

20 ×

21 ○

22 ×

23 ×

24 ○

25 ○

26 ⑤

O5. 순환소수로 나타낼 수 있는 분수 (본문 13쪽)

01 유

02 순

03 유

04 유

05 순

06 유

07 순

08 순

09 순

10 유

11 유

12 유

13 ②, ⑤

O6. 유한소수가 되게 하는 미지수의 값 (본문 14쪽)

01 11, 3, 3

02 9

03 21

04 11

05 21

06 63

07 21

O7. 순환소수를 분수로 나타내는 방법 (1) (본문 15쪽)

01 100, 99, 12, $\dfrac{4}{33}$

02 1000, 999, 456, $\dfrac{152}{333}$

03 $\dfrac{14}{9}$

04 $\dfrac{67}{33}$

05 $\dfrac{536}{999}$

O8. 순환소수를 분수로 나타내는 방법 (2) (본문 16쪽)

01 10, 100, 100, 10, 90, $\dfrac{67}{90}$

02 100, 10, 90, 90, $\dfrac{5}{18}$

03 $\dfrac{1}{30}$

04 $\dfrac{11}{30}$

05 $\dfrac{8}{45}$

06 $\dfrac{611}{495}$

07 $\dfrac{13}{55}$

08 $\dfrac{71}{110}$

09 $\dfrac{431}{990}$

10 $\dfrac{389}{165}$

11 $\dfrac{613}{495}$

12 (1) ㉃
(2) ㉣
(3) ㉠
(4) ㉢

13 ④

O9. 순환마디를 이용하여 분수로 나타내는 방법 (본문 18쪽)

01 99, 99, 33

02 2, 255, 85

03 990, 990, 495

04 3, 345, 23

05 $\dfrac{64}{3}$

06 $\dfrac{82}{33}$

07 $\dfrac{62}{33}$

08 $\dfrac{35}{99}$

09 $\dfrac{137}{111}$

10 $\dfrac{19}{45}$

11 $\dfrac{26}{45}$

12 $\dfrac{23}{90}$

13 $\dfrac{206}{495}$

14 $\dfrac{73}{300}$

15 $\dfrac{431}{990}$

16 $\dfrac{1354}{495}$

17 $\dfrac{172}{165}$

18 $\dfrac{7}{12}$

19 $\dfrac{1}{330}$

20 $\dfrac{137}{110}$

1O. 유리수와 소수의 관계 (본문 20쪽)

01 ×

02 ×

03 ×

04 ○

05 ×

06 ○

07 ×

08 ×

09 ×

10 ×

11 ○

12 ×

13 ×

14 ㉢

15 ㉠

16 3개

Ⅱ. 식의 계산

01. 문자가 2개인 일차식의 덧셈과 뺄셈 (본문 26쪽)

01 $3a$, $3a$, 4

02 $3a+2b$

03 $3x-4y$

04 $7a+b-2$

05 $x+y+2$

06 $-$, $+$, $6a$, $4b$, -3, 2

07 $2a+4b$

08 $-3x+4y+5$

09 ②

02. 이차식의 덧셈과 뺄셈 (본문 27쪽)

01 ×

02 ○

03 ○

04 ×

05 ○

06 ○

07 x^2, x^2, 1, $3x^2+9x+1$

08 $4x^2-x+2$

09 x^2+x-2

10 $-x^2-3x+5$

11 $-3x^2-3x-1$

12 $+$, $-$, $2x$, 1, x^2-2

13 $-x^2+x-5$

14 $3x^2-2x-4$

15 $3x^2+3x-7$

16 $-3x^2+8x+3$

17 $+$, $-$, $+$, $2x^2+x+4$, 2, 4, 7

18 -16

19 -4

20 -13

21 4

03. 여러 가지 괄호가 있는 다항식의 덧셈과 뺄셈 (본문 29쪽)

01 $-$, $+$, 7, $-$, $7y$, x, 3, 8

02 $7x-11y$

03 1

04 $-7x+2y-3$

05 $2x$, x, x, x, 3, 2, 3, -2

06 $a=-4$, $b=5$

07 $a=6$, $b=-3$

04. 다항식의 덧셈과 뺄셈 응용 (본문 30쪽)

01 $3x-y$, -4, 4

02 $-4x^2+6x-6$

03 $5x+5y+1$

04 $4x^2+x-2$

05 $5x-3y+3$

06 $7x^2-3x+4$

07 x^2+2x-3, x^2+2x-3, x^2-3x+4

08 $3x^2+x-2$

09 $-x^2+3x-4$

10 $2x^2+13x-12$

05. 덧셈, 뺄셈을 거꾸로 한 식에서 바른 답 구하기 (본문 31쪽)

01 $x-2y+3-A$
$=4x-3y+7$

02 $-3x+y-4$

03 $-2x-y-1$

04 $5x-3y+1-A$
$=x-5y+3$

05 $4x+2y-2$

06 $9x-y-1$

07 $A+(-x^2-4x+1)$
$=3x^2+6x-2$

08 $4x^2+10x-3$

09 $5x^2+14x-4$

10 $A+(3x^2+6x-1)$
$=-x^2-3x+1$

11 $-4x^2-9x+2$

12 $-7x^2-15x+3$

06. 지수법칙 (1) ― 거듭제곱의 곱셈 (본문 32쪽)

01 a^8

02 x^8

03 5^8

04 a^6

05 x^{12}

06 a^2, b^3, 2, 3, a^3b^7

07 $2^8\times3^8$

08 $2^9\times5^7$

09 a^6b^{10}

10 x^7y^7

11 3

12 5

13 4

14 6

15 9

16 4

17 ⑤

07. 지수법칙 (2) ― 거듭제곱의 거듭제곱 (본문 33쪽)

01 a^{21}

02 x^{10}

03 7^{15}

04 a^{11}

05 x^3y^{18}

06 5

07 4

08 2

09 2^4, 2, 2^2, 2, $2x$, 8

10 4

11 10

12 3

13 5

14 ③

08. 지수법칙 (3) ― 거듭제곱의 나눗셈 (본문 34쪽)

01 a^2

02 x^4

03 5^9

04 1

05 1

06 $\dfrac{1}{a^4}$

07 $\dfrac{1}{x^3}$

08 $\dfrac{1}{3^9}$

09 a^9

10 x^7

11 a^3

12 $\dfrac{1}{x^2}$

13 a^4

14 x^9

15 ⑤

09. 지수법칙 (4) ― 곱 또는 몫의 거듭제곱 (본문 35쪽)

01 a^4b^{12}

02 $x^{28}y^{21}$

03 $a^4b^8c^{12}$

04 $x^{15}y^5z^{10}$

05 $16x^4$

06 $-27x^3$

07 $4x^2y^6$

08 $-8x^6y^3$

09 $3a$, b, 15, 5, 6

10 $a=3$, $b=15$

11 $a=5$, $b=3$

12 $a=1$, $b=5$

13 $a=3$, $b=27$

14 ①

15 $\dfrac{b^5}{a^{15}}$

16 $\dfrac{x^{40}}{y^{25}}$

17 $-\dfrac{b^9}{a^6}$

18 $\dfrac{x^8}{y^{20}}$

19 $\dfrac{4a^{10}}{b^6}$

20 $\dfrac{8x^6}{27y^{12}}$

21 $\dfrac{9a^2}{4b^4}$

22 $-\dfrac{8x^6}{27y^9}$

23 $\dfrac{x^{5a}}{y^{10}}$, $5a$, 10, 4, 10

24 $a=6$, $b=6$

25 $a=1$, $b=5$

26 $a=3$, $b=27$

27 $a=5$, $b=4$

28 ③

10. 단항식끼리의 곱셈 (본문 37쪽)

01 $6ab$

02 $20x^3$

03 $-10a^5b^2$

04 $-6xy^7$

05 $40a^3b^3$

06 $-30x^3y^4$

07 $-12a^4b^9$

08 $2x^7y^5$

09 $4ax^3$, $4a$, 3, 3, 3

10 $a=2$, $b=7$

11 $a=5$, $b=6$

12 $a=3$, $b=7$

13 $a=8$, $b=4$

11. 단항식끼리의 나눗셈
(본문 38쪽)

01 $12a^8$, $3a^2$, $4a^6$

02 $-2x^3$

03 $-\dfrac{3b}{4a^7}$

04 $-\dfrac{3}{4}xy$

05 $\dfrac{3a}{b}$

06 $-3x^3y^3$

07 $\dfrac{a^2b}{2}$

08 $-\dfrac{2}{3}x^4y^4$

09 $3a^3b^7$, $\dfrac{2a^2}{b^2}$

10 $-16xy^3$

11 $-5a^3b^9$

12 ⑤

12. 단항식의 곱셈과 나눗셈의 혼합 계산 (본문 39쪽)

01 $8ab^3$

02 $9xy^4$

03 $4b^7$

04 $-6x^2y^5$

05 $\dfrac{15x}{y^2}$

06 $\dfrac{y^3}{9x^2}$

07 $\dfrac{4}{3}x^3y^5$

08 $\dfrac{9}{16}x^7y$

13. 단항식과 다항식의 곱셈
(본문 40쪽)

01 $6a^2+12ab$

02 $10x^2+15xy$

03 $-10a^2+6ab$

04 $-15x^2+20xy$

05 $-6a^2-2ab+10a$

06 $-2xy-6y^2+8y$

07 $3a^2+6ab$

---

08 $5x^2+5xy$

09 $ab+8a$

10 $-10x^2+10xy+x$

11 ⑤

14. 다항식과 단항식의 나눗셈
(본문 41쪽)

01 $2a-4b$

02 $3x-2y$

03 $a-2b-\dfrac{1}{5}$

04 $-3x+2y-5$

05 $4a-3b$

06 $3x-2y$

07 $\dfrac{1}{5}a+2b-1$

08 $-2x+y+5$

09 $2a^2-2a$

10 $-3xy+2$

11 $11x-15y$

12 x^2y-xy

13 $2x$, $2x$, 3, 2, 3

14 $a=-4$, $b=2$, $c=3$

15 $a=3$, $b=6$, $c=-9$

16 $a=-8$, $b=18$, $c=-6$

15. 다항식과 다항식의 곱셈
(본문 43쪽)

01 b, -2, 1, 1, ab, 2

02 $xy+2x-y-2$

03 $2a^2+5a-12$

04 $2x^2-5x-12$

05 $-3a^2-23ab-14b^2$

06 17

07 1

08 -1

09 -11

Ⅲ. 일차부등식

01. 부등식과 그 해 (본문 48쪽)

01 $x-2>3$

02 $2x\geq36$

03 $\dfrac{x}{100}\leq2$

04 $0.8x+0.6<7$

05 $400x\leq6000$

06 $200y+500\leq3000$

07 $4x-7<13$

08 $2x+3\leq5x$

---

09 $5+9x\geq20$

10 $0.4+10x>7$

11 $<$, 참, $>$, 거짓, -2

12 -2

13 -1, 0, 1, 2

14 $\times$, -1, -2

15 $\times$

16 $\times$

17 ◯

18 ◡

19 ◯

20 ②

02. 부등식의 기본 성질
(본문 50쪽)

01 $<$

02 $<$

03 $<$

04 $>$

05 $<$

06 $>$

07 $<$

08 $<$

09 $>$

10 $<$

11 $>$

12 $<$

13 $<$

14 $<$

15 $>$

16 $<$

17 $\geq$

18 $a<b$

19 $a\leq b$

20 $a\leq b$

21 $a<b$

22 ④

23 $x+1\leq7$

24 $x-3\leq3$

25 $2x\leq12$

26 $\dfrac{x}{3}\leq2$

27 $-3x\geq-18$

28 $2x-1\leq11$

29 $-2x+1\geq-11$

30 -3, 9, 2, -5, 2, 7

31 $-5\leq2x-3<3$

32 $-3<-2x+3\leq5$

33 ④

---

03. 일차부등식 (본문 53쪽)

01 ◯

02 ◯

03 ◯

04 $\times$

05 $\times$

06 ◯

07 $\times$

08 $\times$

09 ◯

10 ⑤

04. 일차부등식의 풀이 (본문 54쪽)

01 $4x>1+3$

02 $4x>4$

03 $4x\div4>4\div4$

04 $x>1$

05 20, 21, 7

06 $x<3$

07 $x<2$

08 ①

09 1개

10 2개

11 1개

12 $x=1, 2, 3, 4$

13 $x=1$

14 $x=1, 2, 3, 4$

15 ③

05. 부등식의 해와 수직선
(본문 56쪽)

01 $x>-2$

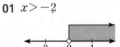

02 $x>4$

03 $x<-3$

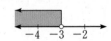

04 $x\geq-3$

05 $x\geq8$

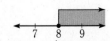

06 $x>3$

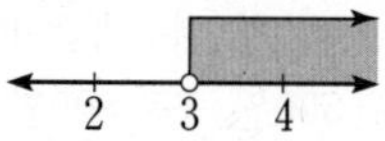

07 $x<9$

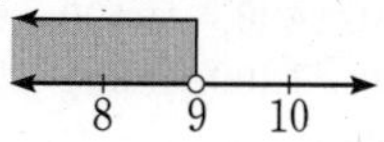

08 $x\geq 5$

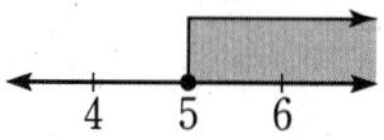

09 ②

06. 괄호가 있는 일차부등식의 풀이 (본문 57쪽)

01 5, 5, -2, $\frac{1}{2}$
02 $x<1$
03 $x<5$
04 $x<3$
05 $x\geq -\frac{1}{2}$
06 $x\geq \frac{1}{3}$
07 $x\geq 0$
08 ③

07. 계수가 소수 또는 분수인 일차부등식의 풀이 (본문 58쪽)

01 10, $2x$, 15, 3
02 $x\geq -1$
03 $x>2$
04 $x\geq 3$
05 3, 5, 8, -2
06 $x\leq -2$
07 $x<1$
08 $x>12$
09 4, 4, 12, 42, 6
10 $x<-4$
11 $x\leq \frac{4}{5}$
12 $x\leq 1$
13 2, 6, $\frac{11}{5}$, 2
14 0
15 -3

08. 일차부등식의 활용 문제 풀이 순서 (본문 60쪽)

01 $900x+2000$(원)
02 $900x+2000\leq 10000$
03 $x\leq \frac{80}{9}$
04 8송이
05 $20x+60$(kg)
06 $20x+60\leq 450$
07 $x\leq 19.5$
08 19개
09 $700x$, $500x$, 35, 36
10 7개월 후
11 $5000x$, $3000x$, 7.5, 8
12 31개월 후

09. 일차부등식의 활용 (1) — 수 (본문 62쪽)

01 4
02 1, 2, 3
03 3, 4
04 7, 8, 9
05 8, 9, 10
06 10, 11, 12
07 $20-x$, $20-x$
08 5개
09 3자루
10 10개
11 5송이
12 11권

10. 일차부등식의 활용 (2) — 거리, 속력, 시간 (본문 64쪽)

01 $\frac{x}{2}$, $\frac{x}{3}$
02 $\frac{x}{2}+\frac{x}{3}\leq 2$
03 $x\leq 2.4$
04 2.4 km
05 6 km
06 3.75 km
07 20, $\frac{1}{3}$, $\frac{5}{6}$, $\frac{5}{6}$
08 $\frac{5}{3}$ km 이내
09 5 km
10 시속 18 km

Ⅳ. 연립방정식

01. 미지수가 2개인 일차방정식 (본문 70쪽)

01 $500x+600y=3300$
02 $5x+7y=81$
03 $4x+5y=6500$
04 $200x+90y=580$
05 $400x+900y=5000$
06 ×
07 ○
08 ×
09 ×
10 ○
11 ○
12 ×
13 ×

02. 미지수가 2개인 일차방정식의 해 (본문 71쪽)

01 ×, 1, 2, 2, 3, 해가 아니다
02 ○
03 ×
04 ○
05 ×
06 7, 4, 1, -2, 4, 1
07 3, 2, 1, 0, (1, 3), (2, 2), (3, 1)
08 6, 4, 2, 0, (1, 6), (2, 4), (3, 2)
09 2, 3, 2, 3, 2
10 4
11 2
12 5
13 -1
14 3, a, 3, a, 2
15 5
16 4
17 6
18 7

03. 미지수가 2개인 연립일차방정식 (본문 73쪽)

01 15, 500, 300, 6500
02 $\begin{cases} x+y=12 \\ 300x+500y=4000 \end{cases}$
03 $\begin{cases} x+y=8 \\ 100x+50y=600 \end{cases}$
04 $\begin{cases} x+y=6 \\ 4x+2y=20 \end{cases}$
05 $\begin{cases} x+y=7 \\ 2x+3y=16 \end{cases}$
06 ×
07 ×
08 ○
09 ○
10 ○
11 (1) 6, 5, 4, 3, 2, 1
(2) 6, 4, 2
(3) (1, 6)
12 (1) 5, 4, 3, 2, 1
(2) 8, 6, 4, 2
(3) (4, 2)
13 1, 1, 5, 3, 3, 4, 9
14 18
15 12
16 14

04. 연립일차방정식의 풀이 (1) — 가감법 (본문 75쪽)

01 4, 2, 2, 2, 4, 2, 4
02 $x=3$, $y=7$
03 $x=2$, $y=-4$
04 2, 4, 4, 4, 2, 2, 4
05 $x=-1$, $y=2$
06 $x=2$, $y=-1$
07 2, 2, 3, 3, 3, 12, -1, 3, -1
08 $x=10$, $y=3$
09 $x=2$, $y=1$
10 $x=3$, $y=2$
11 2, 6, 9, 6, 14, -5, -1, -1, -1, 3, 3, -1
12 $x=2$, $y=-3$
13 $x=-1$, $y=-1$

05. 연립일차방정식의 풀이 (2) — 대입법 (본문 77쪽)

01 $-x+7$, 2, 2, 5, 2, 5
02 $x=1$, $y=-3$
03 $x=1$, $y=7$
04 $x=-3$, $y=-7$
05 $x=2$, $y=1$
06 $x=-3$, $y=-7$
07 $x=2$, $y=2$
08 $x=4$, $y=-1$
09 $x=1$, $y=0$
10 $x=17$, $y=-13$
11 $x=9$, $y=6$
12 $x=7$, $y=2$
13 $x=6$, $y=5$
14 $x=-1$, $y=-\frac{1}{2}$

06. 괄호가 있는 연립방정식의 풀이 (본문 79쪽)

01 7, 13, 1, 1, 3, -3, 1, -3

02 $x=3, y=5$

03 $x=3, y=-1$

04 $x=0, y=5$

05 $x=-3, y=2$

06 $x=-2, y=4$

07 2, 4, -5, -1, -1, 1, 1, 1, -1, 0

08 1

09 2

10 3

11 -4

12 2

07. 계수가 분수인 연립방정식의 풀이 (본문 81쪽)

01 3, 5, 14, 2, 5, 1, 2, 1

02 $x=5, y=-3$

03 $x=2, y=3$

04 $x=2, y=-3$

05 36, 31, 5, 5, 20, 11, 5, 11, 16

06 7

07 13

08 7

09 5

10 3

08. 계수가 소수인 연립방정식의 풀이 (본문 83쪽)

01 5, 15, 19, 28, 2, 2, 10, 5, 5, 2

02 $x=4, y=2$

03 $x=-1, y=1$

04 $x=4, y=2$

05 17, 12, 3, 3, 4, 3, 4, 7

06 6

07 2

08 0

09 5

10 2

09. 계수가 소수, 분수인 연립방정식의 풀이 (본문 85쪽)

01 3, 18, 13, 2, 2, 20, -6, -6, 2

02 $x=3, y=-2$

03 $x=2, y=-2$

04 $x=-2, y=2$

05 3, 3, 2, -2, -2, 2, 2, 2, -2, 0

---

06 3

07 10

08 9

09 -1

10 2

10. 해가 같은 두 연립방정식 (본문 87쪽)

01 -1, 7, 3, -3, -3, -3, 1, -3, 1, 2, 10

02 $a=4, b=-5$

03 $a=-2, b=-1$

04 $a=3, b=3$

05 -15, -3, -3, 2, 2, 2, 2, 3, 2, 3, 5

06 1

07 12

08 1

09 9

10 ⑤

11. $A=B=C$꼴의 연립방정식의 풀이 (본문 89쪽)

01 2, 2, 6, -2, -2, 4, -2, -2, -2

02 $x=8, y=10$

03 $x=0, y=-2$

04 $x=1, y=-6$

05 $x=2, y=2$

06 $x=3, y=\dfrac{12}{5}$

07 3, 4, -6, 2, 2, 2, 2, 2, 2, 4

08 3

09 3

10 0

11 3

12 1

13 6

14 $-\dfrac{5}{2}$

12. 해가 특수한 연립방정식 (본문 91쪽)

01 $=$, $=$, 0

02 해가 무수히 많다.

03 해가 무수히 많다.

04 해가 무수히 많다.

05 4, 3, 4, 4, 2, 3, 6

06 $a=4, b=-9$

---

07 $a=3, b=-6$

08 $=$, $\neq$, 5

09 해가 없다.

10 해가 없다.

11 해가 없다.

12 해가 없다.

13 해가 없다.

14 $a\neq2, b=-12$

15 $a=-2, b\neq12$

16 $a\neq-10, b=-2$

17 ③

13. 연립방정식의 활용 문제 풀이 (본문 93쪽)

01 64, x, y

02 $4y+4$, 12, 12, 52

03 큰 수 52, 작은 수 12

04 52, 12, 52, 12, 52, 12

05 8, 8, -24

06 $x=24, y=12$

07 삼촌 24살, 준수 12살

08 24, 12, 24, 16, 12, 4

14. 자연수의 활용 문제 (본문 94쪽)

01 12, 4, $y+4$, 4, 4, 8, 8, 4

02 큰 수 42, 작은 수 8

03 큰 수 55, 작은 수 9

04 y, x, x, y, -2, 6, 8, 68

05 75

06 59

15. 나이의 활용 문제 (본문 95쪽)

01 7, 21, 28, 14, 14, 7, 14, 7

02 경수 16살, 여동생 11살

03 이모 26살, 준수 15살

04 50, $2y+2$, $2y+2$, 16, 16, 34, 34, 16

05 아버지 38살, 딸 8살

06 규태 19살, 보라 12살

16. 가격, 개수의 활용 문제 (본문 96쪽)

01 15, 1000, 15, 20, 5, 10, 10, 5

02 50원짜리 2개, 100원짜리 8개

03 14개

04 사과 6개, 귤 5개

05 $3y$, 850, $9y$, 100, 300,

150, 150, 100

06 연필 300원, 지우개 250원

07 볼펜 500원, 공책 800원

08 사과 480원, 귤 160원

09 400, 400, 10400, 800, 800, 1200, 800, 1200, 8400

10 5100원

11 7, 800, 7, 2, 4, 3, 4, 3

12 어른 150명, 청소년 100명

13 6000원

17. 도형의 활용 문제 (본문 99쪽)

01 20, 20, 240, 60, 200, 200

02 235 cm

03 46, 23, 3, 23, 20, 10, 13, 13, 130

04 400 cm^2

18. 거리, 속력, 시간의 활용 문제 (1) (본문 100쪽)

01 $x+y=6$

02 4, 4, 2

03 $x=4, y=2$

04 4 km

05 12, 4, 12, 5, 10, 2, 10

06 3 km

07 $\begin{cases} x+y=10 \\ \dfrac{x}{2}+\dfrac{y}{4}=4 \end{cases}$

08 $x=6, y=4$

09 6km

10 올라간 거리 4 km, 내려온 거리 6 km

11 갈 때의 거리 9 km, 올 때의 거리 12 km

19. 거리, 속력, 시간의 활용 문제 (2) (본문 102쪽)

01 $\begin{cases} 1300+x=y \\ 2000+x=\dfrac{3}{2}y \end{cases}$

02 $x=100, y=1400$

03 100 m

04 300 m

05 120 m

06 $\begin{cases} 600+x=20y \\ 1600+x=40y \end{cases}$

07 $x=400, y=50$

08 초속 50 m

09 초속 40 m

10 초속 15 m

11 초속 30 m

20. 증가와 감소의 활용 문제
(본문 104쪽)

01 $x+y=450$

02 $\dfrac{20}{100}x-\dfrac{50}{100}y=-50$

03 $x=250,\ y=200$

04 남학생 수 300명, 여학생 수 100명

05 $\begin{cases} x+y=500 \\ -\dfrac{5}{100}x+\dfrac{10}{100}y=20 \end{cases}$

06 사과 190상자, 배 330상자

V. 일차함수와 그래프

01. 함수 (본문 110쪽)

01 $y=2x$

02 $y=-3x$

03 $y=\dfrac{8}{x}$

04 6, 9, 12

05 함수이다.

06 1, 2, 1, 3, 1, 2, 4

07 함수가 아니다.

08 60, 40, 30

09 $y=\dfrac{120}{x}$

10 12

11 8

12 $y=500x$

13 $y=\dfrac{30}{x}$

14 $y=10x$

15 $y=\dfrac{1}{5}x$

16 $y=\dfrac{12}{x}$

17 $y=100-x$

18 $1,\ \dfrac{1}{4},\ \dfrac{1}{4}$

19 $y=5x$

20 $y=x$

21 $y=3x$

22 $y=-2x$

23 $y=-\dfrac{1}{2}x$

24 1, 4, 4

25 $y=\dfrac{5}{x}$

---

26 $y=\dfrac{36}{x}$

27 $y=\dfrac{27}{x}$

28 $y=-\dfrac{50}{x}$

29 $y=-\dfrac{32}{x}$

02. 함숫값 (본문 113쪽)

01 2, 24

02 12

03 0

04 −12

05 −48

06 4

07 2, 6

08 12

09 1

10 −12

11 −3

12 36

13 2, −6

14 −3

15 0

16 3

17 12

18 −1

19 2, 7, 11

20 2

21 −7

22 −16

23 −43

24 −4

25 −8

26 −6

27 −4

28 2

29 10

30 0

31 3, 8

32 12

33 24

34 −12

35 −4

36 −24

37 4, 4, 4, −8

38 −9

39 2

40 −8

---

41 36, 36, 36, −18

42 −4

43 −8

44 2

03. 함수의 그래프 (본문 117쪽)

01 2, 4
$(2,-4)\ (-1,-2)\ (0,0)$
$(1,2)\ (2,4)$

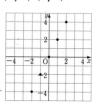

02 −1, −2
$(-2,2)\ (-1,1)\ (0,0)$
$(1,-1)\ (2,-2)$

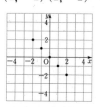

03 −3, −1, 0, 1

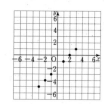

04 6, 3, 2

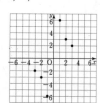

04. 일차함수의 뜻 (본문 118쪽)

01 ×

02 ○

03 ○

04 ×

05 ○

06 ×

07 ×

08 ○

09 7

10 9

11 16

12 −6

---

05. 일차함수의 그래프와 평행이동 (본문 119쪽)

01 $y=x+3$

02 $y=-2x+7$

03 $y=3x-5$

04 $y=\dfrac{1}{2}x+4$

05 $y=-\dfrac{1}{4}x-\dfrac{1}{3}$

06 2

07 −5

08 5, 1, −1, −1

09 $a=-\dfrac{3}{2},\ b=6$

10 ○, 7, 7, 7, −5

11 ×

12 ○

13 3, 3, −7

14 4

15 $a=-\dfrac{1}{3},\ b=4$

06. x절편, y절편 (본문 121쪽)

01 (1) x절편 −2, y절편 2
(2) x절편 3, y절편 4
(3) x절편 0, y절편 0
(4) x절편 −1, y절편 −1

02

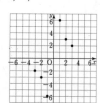

03 $0,\ x,\ -\dfrac{5}{2},\ 0,\ 5,\ 5,\ -\dfrac{5}{2},\ 5$

04 x절편 3, y절편 3

05 x절편 $\dfrac{1}{2}$, y절편 −1

06 x절편 −4, y절편 −2

07 x절편 −9, y절편 6

08 $\dfrac{5}{2},\ 0,\ 0,\ \dfrac{5}{2},\ 5$

09 6

10 $(0,\ -2)$

11 $0,\ x,\ -16,\ 20,\ 16,\ 160,$
$20,\ -16$

12 8

13 40

07. 일차함수의 그래프의 기울기
(본문 123쪽)

01 기울기 −4, 절편 5

02 기울기 7, 절편 3

03 기울기 $\frac{1}{2}$, 절편 -4

04 기울기 $-\frac{2}{3}$, 절편 2

05 기울기, x, 1

06 -4

07 $-\frac{1}{2}$

08 $-\frac{5}{3}$

09 2, $\frac{2}{3}$, 2

10 -5

11 ②

12 $\frac{3}{2}$

13 $\frac{2}{3}$

14 $\frac{3}{2}$

15 4, 1, 1

16 $-\frac{1}{3}$

17 $-\frac{1}{4}$

18 -3, -5, 2, -3, $-\frac{3}{2}$, 2, $-\frac{3}{2}$, -3, 10

19 $k=0$

20 $k=1$

08. 기울기 y절편으로 그래프 그리기 (본문 126쪽)

01 9

02 기울기 3, y절편 -5

03
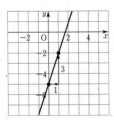

04
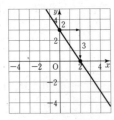

05
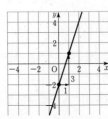

06
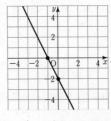

07
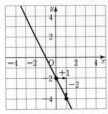

09. 일차함수의 그래프의 성질 (본문 127쪽)

01 ↗

02 ↘

03 ↗

04 ↘

05 ↘

06 ↗

07 ↗

08 ㉠, ㉢, ㉤

09 ㉡, ㉣, ㉥

10 ㉡, ㉢, ㉥

11 ㉠, ㉣

12 ㉤

13 ㉠, ㉢, ㉤

14 ㉡, ㉣, ㉥

15 $a<0, b>0$

16 $a>0, b<0$

17 $a>0, b>0$

18 $>$, $<$, $<$, $>$, 1, 2, 4

19 제3사분면

10. 일차함수의 그래프의 평행과 일치 (본문 129쪽)

01 ㉡, ㉢

02 ㉣

03 ㉠

04 $\frac{1}{2}$, $-\frac{1}{2}$, $\frac{1}{2}$

05 $k=4$

06 ③

07 a, 6, $\frac{2}{3}$, -3

08 $a=-\frac{1}{2}, b=-\frac{4}{3}$

09 $a=-\frac{1}{3}, b=-1$

10 ㉢과 ㉤

11 $a=-2, k=-4$

12 (1) ㉢

(2) ㉠

11. 기울기와 한 점을 알 때 일차함수의 식 구하기 (본문 131쪽)

01 $y=-x+\frac{1}{3}$

02 $y=\frac{2}{5}x-1$

03 $y=2x+3$

04 $y=3x-5$

05 -2, -3, $\frac{7}{5}$, $\frac{7}{5}$, -1, $\frac{7}{5}x-1$

06 $y=2x-8$

07 2, 3, 3, -2, 5, 5

08 $y=\frac{1}{2}x+7$

09 $y=3x-5$

10 $y=\frac{3}{4}x-4$

11 $y=-2x+6$

12. 두 점을 알 때 일차함수의 식 구하기 (본문 133쪽)

01 1, 2, 2, b, -1, $2x-1$

02 $y=-\frac{1}{3}x-\frac{4}{3}$

03 $y=-\frac{1}{2}x+2$

04 $y=-4x+8$

05 -2, 5, -3, -1, $-3x-1$

06 $y=2x+5$

07 $y=-2x+4$

08 $y=2x+3$

09 $y=-2x+5$

10 ⑤

13. x절편, y절편을 알 때 일차함수의 식 구하기 (본문 135쪽)

01 $y=\frac{1}{2}x-3$

02 $y=-\frac{2}{3}x+2$

03 $y=2x-2$

04 $y=-2x+4$

05 $y=\frac{3}{5}x-3$

14. 일차함수의 활용 (본문 136쪽)

01 $y=4x$

02 60 km

03 25분

04 $y=700x$

05 8400원

06 20자루

07 $32x$, $48y$, $32x$, $48y$, $\frac{2}{3}x$

08 4번

09 15번

10 $y=4x$

11 32 L

12 30분

13 $y=2.5x$

14 25 cm

15 4 g

16 $y=12x$

17 300 km

18 5 L

19 (1) $y=30-2x$

(2) 6 cm

(3) 8분 후

20 $b-\frac{1}{2}x$, $b-3$, 20, $20-\frac{1}{2}x$, 40, 40

21 25분 후

22 (1) $y=\frac{3}{5}x+331$

(2) 초속 349 m

(3) 초속 352 m

23 31 cm

24 24 cm

25 (1) $y=149-40x$

(2) 3시간

26 750 m

27 1250 km

28 11분 후

29 (1) $y=2x$

(2) 15초 후

30 8초 후

31 13 cm

15. 일차방정식과 일차함수의 관계 (본문 143쪽)

01 $y=-\frac{1}{2}x+1$

02 $y=\frac{1}{3}x+2$

03 12, 3, ㉥

04 $\frac{1}{2}x-1$, $\frac{1}{2}x-1$

05 (1)~(4) 그래프 참조

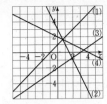

06 기울기 $\frac{2}{3}$, y절편 -2

07 x절편 $\frac{8}{7}$, y절편 -2

08 ③

09 -3

10 -2

11 -9

12 1

13 10

14 -1

15 -1

16 $-\frac{5}{3}$

17 제 3사분면

18 제 3사분면

19 ㄹ

20 ㄱ, ㅁ

16. 일차방정식 $x=p$, $y=q$의 그래프 (본문 147쪽)

01

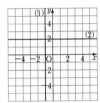

02

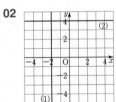

03 $y=-1$

04 $x=3$

05 $y=7$

06 $x=0$

07 2

08 2

09 4

10 y, -3

11 $y=3$

12 $x=-2$

13 4, 4, 8, 4, -2

14 24

15 12

16 2

17. 일차함수의 그래프와 연립일 차방정식의 해 (본문 150쪽)

01 $x=0$, $y=-1$

02 $x=2$, $y=1$

03 $(3, 3)$

04 $(2, -2)$

05 $(1, -8)$

06 2, 3, 3, 3, 3, -1

07 2

08 $a=\frac{3}{2}$, $b=2$

09 $a=2$, $b=3$

10 1, -3, 1, -3, 1

11 $x=-\frac{7}{3}$

12 $y=\frac{5}{2}$

13 -3, -2, -3, -2, -3, -2, -9, 22, -11

14 3

15 6

18. 연립방정식의 해와 그래프의 위치 관계 (본문 153쪽)

01 해가 없다.

02 해가 없다.

03 해가 무수히 많다.

04 해가 무수히 많다.

05 8, 24, -6, 8, -4, $-\frac{1}{2}$, $-\frac{13}{2}$

06 5

07 2

08 -3

09 2

10 ②

친절한 해설

Ⅰ. 유리수와 순환소수

01. 유한소수와 무한소수 (본문 8쪽)

02 $-\dfrac{9}{3}=-3$이므로 음의 정수이다.

07 $-\dfrac{5}{3}=-1.666\cdots$: 무한소수

08 $\dfrac{7}{4}=1.75$: 유한소수

09 $-\dfrac{3}{12}=-\dfrac{1}{4}=-0.25$: 유한소수

10 $\dfrac{5}{16}=0.3125$: 유한소수

11 $\dfrac{7}{12}=0.58333\cdots$: 무한소수

02. 순환소수 (본문 9쪽)

10 순환마디는 3이므로 $0.7333\cdots=0.7\dot{3}$

11 순환마디는 63이므로
$4.263636\cdots=4.2\dot{6}\dot{3}$

12 순환마디는 042이므로
$2.042042042\cdots=2.\dot{0}4\dot{2}$

13 순환마디는 871이므로
$1.871871\cdots=1.\dot{8}7\dot{1}$

14 ② $1.313131\cdots=1.\dot{3}\dot{1}$
④ $4.162162162\cdots=4.\dot{1}6\dot{2}$

03. 소수점 아래 n번째 자리의 숫자 (본문 10쪽)

02 순환마디는 36으로 2개의 숫자가 반복된다.
$40=2\times20$이므로 소수점 아래 40번째 자리의 숫자는 소수점 아래 2번째 자리의 숫자와 같은 6이다.

03 순환마디는 135로 3개의 숫자가 반복된다.
$50=3\times16+2$이므로 소수점 아래 50번째 자리의 숫자는 소수점 아래 2번째 자리의 숫자와 같은 3이다.

04 순환마디는 538461로 6개의 숫자가 반복된다.
$70=6\times11+4$이므로 소수점 아래 70번째 자리의 숫자는 소수점 아래 4번째 자리의 숫자와 같은 4이다.

06 $\dfrac{11}{12}=0.91666\cdots$이므로 소수점 아래 45번째 자리의 숫자는 6이다.

07 $\dfrac{10}{37}=0.270270\cdots$, $100=3\times33+1$

이므로 소수점 아래 100번째 자리의 숫자는 2이다.

08 $0.120120\cdots$에서 $29=3\times9+2$이므로
$a=2$
$0.\dot{6}20\dot{5}$에서 $100=4\times25$이므로 $b=5$
$\therefore a\times b=2\times5=10$

04. 유한소수로 나타낼 수 있는 분수 (본문 11쪽)

05 $\dfrac{3}{2}=\dfrac{3\times5}{2\times5}=\dfrac{15}{10}=1.5$

07 $\dfrac{9}{40}=\dfrac{9}{2^3\times5}=\dfrac{9\times5^2}{2^3\times5^3}$
$=\dfrac{225}{1000}=0.225$

11 분모의 소인수가 2와 5뿐이므로 10의 거듭제곱으로 나타낼 수 있다.

12 분모의 소인수에 3이 있어 10의 거듭제곱으로 나타낼 수 없다.

13 $\dfrac{4}{60}=\dfrac{1}{15}=\dfrac{1}{3\times5}$, 분모의 소인수에 3이 있어 10의 거듭제곱으로 나타낼 수 없다.

14 $\dfrac{6}{75}=\dfrac{2}{25}=\dfrac{2}{5^2}$, 분모의 소인수가 5뿐이므로 10의 거듭제곱으로 나타낼 수 있다.

15 분모의 소인수가 2와 5뿐이므로 유한소수로 나타낼 수 있다.

16 $\dfrac{26}{2^3\times5\times13}=\dfrac{1}{2^2\times5}$, 분모의 소인수가 2와 5뿐이므로 유한소수로 나타낼 수 있다.

17 분모의 소인수에 7이 있어 유한소수로 나타낼 수 없다.

18 $\dfrac{21}{3\times5\times7}=\dfrac{1}{5}$, 분모의 소인수가 5뿐이므로 유한소수로 나타낼 수 있다.

19 $\dfrac{49}{2\times5\times7}=\dfrac{7}{2\times5}$, 분모의 소인수가 2와 5뿐이므로 유한소수로 나타낼 수 있다.

20 $\dfrac{12}{2^2\times3\times11}=\dfrac{1}{11}$, 분모의 소인수에 11이 있어 유한소수로 나타낼 수 없다.

21 $\dfrac{11}{20}=\dfrac{11}{2^2\times5}$, 분모의 소인수가 2와 5뿐이므로 유한소수로 나타낼 수 있다.

22 $\dfrac{5}{24}=\dfrac{5}{2^3\times3}$, 분모의 소인수에 3이 있어 유한소수로 나타낼 수 없다.

23 $\dfrac{8}{60}=\dfrac{2}{15}=\dfrac{2}{3\times5}$, 분모의 소인수에 3이 있어 유한소수로 나타낼 수 없다.

24 $\dfrac{21}{70}=\dfrac{3}{10}=\dfrac{3}{2\times5}$, 분모의 소인수가 2와 5뿐이므로 유한소수로 나타낼 수 있다.

25 $\dfrac{9}{75}=\dfrac{3}{25}=\dfrac{3}{5^2}$, 분모의 소인수가 5뿐이므로 유한소수로 나타낼 수 있다.

26 ① $\dfrac{4}{15}=\dfrac{2^2}{3\times5}$ ② $\dfrac{7}{12}=\dfrac{7}{2^2\times3}$
③ $\dfrac{13}{9}=\dfrac{13}{3^2}$ ④ $\dfrac{5}{3^2\times7}$
⑤ $\dfrac{9}{2^2\times3\times5}=\dfrac{3}{2^2\times5}$: 유한소수

05. 순환소수로 나타낼 수 있는 분수 (본문 13쪽)

01 $\dfrac{27}{2\times3^2}=\dfrac{3}{2}$: 유한소수

02 $\dfrac{25}{5\times7}=\dfrac{5}{7}$: 순환소수

03 $\dfrac{22}{5\times11}=\dfrac{2}{5}$: 유한소수

04 $\dfrac{18}{2\times3^2\times5}=\dfrac{1}{5}$: 유한소수

05 $\dfrac{52}{2^2\times3\times13}=\dfrac{1}{3}$: 순환소수

06 $\dfrac{22}{2^2\times5\times11}=\dfrac{1}{2\times5}$: 유한소수

07 $\dfrac{12}{2^2\times3^2\times5}=\dfrac{1}{3\times5}$: 순환소수

08 $\dfrac{7}{12}=\dfrac{7}{2^2\times3}$: 순환소수

09 $\dfrac{5}{18}=\dfrac{5}{2\times3^2}$: 순환소수

10 $\dfrac{45}{40}=\dfrac{9}{2^3}$: 유한소수

11 $\dfrac{15}{50}=\dfrac{3}{10}=\dfrac{3}{2\times5}$: 유한소수

12 $\dfrac{21}{60}=\dfrac{7}{2^2\times5}$: 유한소수

13 ① $\dfrac{25}{40}=\dfrac{5}{2^3}$
② $\dfrac{7}{15}=\dfrac{7}{3\times5}$: 순환소수
③ $\dfrac{6}{24}=\dfrac{1}{2^2}$

④ $\dfrac{45}{2\times3\times5^2}=\dfrac{3}{2\times5}$

⑤ $\dfrac{3\times7}{2\times3\times7^2}=\dfrac{1}{2\times7}$: 순환소수

06. 유한소수가 되게 하는 미지수의 값 (본문 14쪽)

02 $\dfrac{7}{36}=\dfrac{7}{2^2\times3^2}$ 이므로 곱해야 할 가장 작은 자연수 a는 $3^2=9$이다.

03 $\dfrac{15}{126}=\dfrac{5}{42}=\dfrac{5}{2\times3\times7}$

따라서 구하는 수는 21의 배수 중 가장 작은 자연수인 21이다.

04 $\dfrac{9}{330}=\dfrac{3}{110}=\dfrac{3}{2\times5\times11}$

따라서 구하는 수는 11의 배수 중 가장 작은 자연수인 11이다.

05 분모의 3과 7이 분자 a와 약분되어야 유한소수로 나타낼 수 있다.

따라서 가장 작은 자연수 a는 3과 7의 최소공배수인 21이다.

06 $\dfrac{5}{36}=\dfrac{5}{2^2\times3^2}$, $\dfrac{13}{14}=\dfrac{13}{2\times7}$

따라서 가장 작은 자연수 a는 3^2과 7의 최소공배수인 63이다.

07 $\dfrac{6}{90}=\dfrac{1}{15}=\dfrac{1}{3\times5}$, $\dfrac{11}{280}=\dfrac{11}{2^3\times5\times7}$

따라서 가장 작은 자연수 a는 3과 7의 최소공배수인 21이다.

07. 순환소수를 분수로 나타내는 방법 (1)
(본문 15쪽)

03 $x=1.\dot5=1.555\cdots$라고 하면

$10x=15.555\cdots$

$-)\ \ \ x=\ 1.555\cdots$

$9x=14$ ∴ $x=\dfrac{14}{9}$

04 $x=2.\dot0\dot3=2.030303\cdots$이라고 하면

$100x=203.030303\cdots$

$-)\ \ \ \ x=\ \ 2.030303\cdots$

$99x=201$

∴ $x=\dfrac{201}{99}=\dfrac{67}{33}$

05 $x=0.\dot5\dot3\dot6=0.536536536\cdots$이라고 하면

$1000x=536.536536536\cdots$

$-)\ \ \ \ \ x=\ \ \ \ 0.536536536\cdots$

$999x=536$

∴ $x=\dfrac{536}{999}$

08. 순환소수를 분수로 나타내는 방법 (2)
(본문 16쪽)

03 $x=0.0333\cdots$이라고 하면

$100x=3.333\cdots$

$-)\ \ \ 10x=0.333\cdots$

$90x=3$

∴ $x=\dfrac{3}{90}=\dfrac{1}{30}$

04 $x=0.3666\cdots$이라고 하면

$100x=36.666\cdots$

$-)\ \ \ 10x=\ \ 3.666\cdots$

$90x=33$

∴ $x=\dfrac{33}{90}=\dfrac{11}{30}$

05 $x=0.1777\cdots$이라고 하면

$100x=17.777\cdots$

$-)\ \ \ 10x=\ \ 1.777\cdots$

$90x=16$

∴ $x=\dfrac{16}{90}=\dfrac{8}{45}$

06 $x=1.2343434\cdots$라고 하면

$1000x=1234.343434\cdots$

$-)\ \ \ 10x=\ \ \ 12.343434\cdots$

$990x=1222$

∴ $x=\dfrac{1222}{990}=\dfrac{611}{495}$

07 $x=0.2363636\cdots$이라고 하면

$1000x=236.363636\cdots$

$-)\ \ \ 10x=\ \ \ 2.363636\cdots$

$990x=234$

∴ $x=\dfrac{234}{990}=\dfrac{13}{55}$

08 $x=0.6454545\cdots$라고 하면

$1000x=645.454545\cdots$

$-)\ \ \ 10x=\ \ \ 6.454545\cdots$

$990x=639$

∴ $x=\dfrac{639}{990}=\dfrac{71}{110}$

09 $x=0.4353535\cdots$라고 하면

$1000x=435.353535\cdots$

$-)\ \ \ 10x=\ \ \ 4.353535\cdots$

$990x=431$

∴ $x=\dfrac{431}{990}$

10 $x=2.3\dot5\dot7=2.3575757\cdots$라고 하면

$1000x=2357.5757\cdots$

$-)\ \ \ 10x=\ \ \ 23.5757\cdots$

$990x=2334$

∴ $x=\dfrac{2334}{990}=\dfrac{389}{165}$

11 $x=1.2383838\cdots$이라고 하면

$1000x=1238.383838\cdots$

$-)\ \ \ 10x=\ \ \ 12.383838\cdots$

$990x=1226$

∴ $x=\dfrac{1226}{990}=\dfrac{613}{495}$

13 $x=1.3575757\cdots$이라고 하면

$1000x=1357.575757\cdots$ ……㉠

$10x=\ \ \ 13.575757\cdots$ ……㉡

㉠-㉡을 하면

$1000x-10x=1344$

따라서 필요한 식은 $1000x-10x$이다.

09. 순환마디를 이용하여 분수로 나타내는 방법 (본문 18쪽)

05 $21.\dot3=\dfrac{213-21}{9}=\dfrac{192}{9}=\dfrac{64}{3}$

06 $2.\dot4\dot8=\dfrac{248-2}{99}=\dfrac{246}{99}=\dfrac{82}{33}$

07 $1.\dot8\dot7=\dfrac{187-1}{99}=\dfrac{186}{99}=\dfrac{62}{33}$

08 $0.\dot3\dot5=\dfrac{35}{99}$

09 $1.\dot2\dot3\dot4=\dfrac{1234-1}{999}=\dfrac{1233}{999}=\dfrac{137}{111}$

10 $0.4\dot2=\dfrac{42-4}{90}=\dfrac{38}{90}=\dfrac{19}{45}$

11 $0.5\dot7=\dfrac{57-5}{90}=\dfrac{52}{90}=\dfrac{26}{45}$

12 $0.2\dot5=\dfrac{25-2}{90}=\dfrac{23}{90}$

13 $0.41\dot6=\dfrac{416-4}{990}=\dfrac{412}{990}=\dfrac{206}{495}$

14 $0.24\dot3=\dfrac{243-24}{900}=\dfrac{219}{900}=\dfrac{73}{300}$

15 $0.4\dot3\dot5=\dfrac{435-4}{990}=\dfrac{431}{990}$

16 $2.7\dot3\dot5=\dfrac{2735-27}{990}=\dfrac{2708}{990}=\dfrac{1354}{495}$

17 $1.0\dot4\dot2=\dfrac{1042-10}{990}=\dfrac{1032}{990}=\dfrac{172}{165}$

18 $0.58\dot3=\dfrac{583-58}{900}=\dfrac{525}{900}=\dfrac{7}{12}$

19 $0.00\dot3=\dfrac{3}{990}=\dfrac{1}{330}$

20 $1.2\dot4\dot5=\dfrac{1245-12}{990}=\dfrac{1233}{990}=\dfrac{137}{110}$

10. 유리수와 소수의 관계 (본문 20쪽)

01 0 이외의 유리수를 소수로 나타내면 유한소수나 순환소수가 된다.

02 순환하지 않는 무한소수는 유리수가 아니다.

05 유리수를 소수로 나타내면 유한소수나 순환소수가 된다.

07 무한소수 중에는 순환하지 않는 무한소
수도 있다.

08 순환소수는 분수로 나타낼 수 있다.

09 순환소수는 모두 분수로 나타낼 수 있다.

10 순환소수는 분수로 나타낼 수 있으므로
유리수이다.

11 무한소수 중 순환하지 않는 무한소수를
분수로 나타낼 수 없으므로 유리수가 아
니다.

12 순환하지 않는 무한소수는 분수로 나타
낼 수 없으므로 유리수가 아니다.

13 무한소수 중 순환소수는 분수로 나타낼
수 있으므로 유리수이다.

14 분수 $\dfrac{b}{a}$ 의 꼴로 나타낼 수 있는 수는 유
리수이다. 따라서 유리수가 아닌 수는 순
환하지 않는 무한소수이다.

15 순환하지 않는 무한소수는 유리수가 아
니다.

16 ▢ 는 정수가 아닌 유리수이므로, 유
한소수와 순환하는 무한소수가 모두 해
당된다.
따라서 $\dfrac{11}{5}$, $0.\dot{1}\dot{2}$, $\dfrac{1}{2}$ 로 3개이다.

Ⅱ. 식의 계산

01. 문자가 2개인 일차식의 덧셈과 뺄셈
(본문 26쪽)

02 $(2a-b)+(a+3b)$
$=2a-b+a+3b=2a+a-b+3b$
$=3a+2b$

03 $(2x+4y)+(x-8y)$
$=2x+4y+x-8y$
$=2x+x+4y-8y$
$=3x-4y$

04 $(4a+3b-3)+(3a-2b+1)$
$=4a+3b-3+3a-2b+1$
$=4a+3a+3b-2b-3+1$
$=7a+b-2$

05 $(-x+2y+3)+(2x-y-1)$
$=-x+2y+3+2x-y-1$
$=-x+2x+2y-y+3-1$
$=x+y+2$

07 $(3a+2b)-(a-2b)$
$=3a+2b-a+2b$
$=3a-a+2b+2b=2a+4b$

08 $(-x+3y+4)-(2x-y-1)$

$=-x+3y+4-2x+y+1$
$=-x-2x+3y+y+4+1$
$=-3x+4y+5$

09 $(3a-2b+1)-(2a+4b-3)$
$=3a-2b+1-2a-4b+3$
$=3a-2a-2b-4b+1+3$
$=a-6b+4$
따라서 a의 계수는 1, b의 계수는 -6이
므로 a와 b의 계수의 합은
$1+(-6)=-5$이다.

---

02. 이차식의 덧셈과 뺄셈
(본문 27쪽)

01 차수가 가장 높은 항 $2x$의 차수가 1이므
로 일차식이다.

02 차수가 가장 높은 항 x^2의 차수가 2이므
로 이차식이다.

03 차수가 가장 높은 항 $\dfrac{x^2}{3}$ 의 차수가 2이
므로 이차식이다.

04 다항식이 아니다.

05 차수가 가장 높은 항 $3x^2$의 차수가 2이
므로 이차식이다.

06 차수가 가장 높은 항 $-\dfrac{1}{5}x^2$의 차수가
2이므로 이차식이다.

08 $(3x^2+2x+1)+(x^2-3x+1)$
$=3x^2+2x+1+x^2-3x+1$
$=3x^2+x^2+2x-3x+1+1$
$=4x^2-x+2$

09 $(-x^2+2x+1)+(2x^2-x-3)$
$=-x^2+2x+1+2x^2-x-3$
$=-x^2+2x^2+2x-x+1-3$
$=x^2+x-2$

10 $(2x^2-4x+6)+(-3x^2+x-1)$
$=2x^2-4x+6-3x^2+x-1$
$=2x^2-3x^2-4x+x+6-1$
$=-x^2-3x+5$

11 $(2x^2-6x+3)+(-5x^2+3x-4)$
$=2x^2-6x+3-5x^2+3x-4$
$=2x^2-5x^2-6x+3x+3-4$
$=-3x^2-3x-1$

13 $(4x^2-2x-3)-(5x^2-3x+2)$
$=4x^2-2x-3-5x^2+3x-2$
$=4x^2-5x^2-2x+3x-3-2$
$=-x^2+x-5$

14 $(6x^2-5x-2)-(3x^2-3x+2)$
$=6x^2-5x-2-3x^2+3x-2$
$=6x^2-3x^2-5x+3x-2-2$

$=3x^2-2x-4$

15 $(5x^2-3x-4)-(2x^2-6x+3)$
$=5x^2-3x-4-2x^2+6x-3$
$=5x^2-2x^2-3x+6x-4-3$
$=3x^2+3x-7$

16 $(-4x^2-x+8)-(-x^2-9x+5)$
$=-4x^2-x+8+x^2+9x-5$
$=-4x^2+x^2-x+9x+8-5$
$=-3x^2+8x+3$

18 $(-7x^2-5x+1)+(x^2-6x)$
$=-7x^2-5x+1+x^2-6x$
$=-6x^2-11x+1$
따라서 각 항의 계수와 상수항의 합은
$-6-11+1=-16$

19 $(5x^2-6x)-(-3x^2+8x-2)$
$=5x^2-6x+3x^2-8x+2$
$=8x^2-14x+2$
따라서 각 항의 계수와 상수항의 합은
$8-14+2=-4$

20 $(3x^2-2x-1)+(-9x^2-7x+3)$
$=3x^2-2x-1-9x^2-7x+3$
$=-6x^2-9x+2$
따라서 각 항의 계수와 상수항의 합은
$-6-9+2=-13$

21 $(2x^2-5x+4)-(x^2-3x-1)$
$=2x^2-5x+4-x^2+3x+1$
$=x^2-2x+5$
따라서 각 항의 계수와 상수항의 합은
$1-2+5=4$

---

03. 여러 가지 괄호가 있는 다항식의 덧셈
과 뺄셈 (본문 29쪽)

02 $4x-\{6y-(3x-5y)\}$
$=4x-(-3x+11y)$
$=4x+3x-11y$
$=7x-11y$

03 $x-[x-\{x-(x-1)\}]$
$=x-\{x-(x-x+1)\}$
$=x-(x-1)=x-x+1$
$=1$

04 $2x-\{3x-2y-(5-6x)+8\}$
$=2x-(3x-2y-5+6x+8)$
$=2x-(9x-2y+3)$
$=2x-9x+2y-3$
$=-7x+2y-3$

06 $3x+2y-\{(x-2y)+(6x-y)\}$
$=ax+by$
(좌변)$=3x+2y-(x-2y+6x-y)$
$=3x+2y-(7x-3y)$

$$=3x+2y-7x+3y$$
$$=-4x+5y$$
$$\therefore a=-4,\ b=5$$

07 $5x^2-\{2x-\{3x+(x^2-4x)\}\}$
$$=ax^2+bx$$
(좌변)$=5x^2-\{2x-(3x+x^2-4x)\}$
$$=5x^2-(2x-3x-x^2+4x)$$
$$=5x^2-(3x-x^2)$$
$$=5x^2-3x+x^2=6x^2-3x$$
$$\therefore a=6,\ b=-3$$

04. 다항식의 덧셈과 뺄셈 응용 (본문 30쪽)

02 $\square=-3x^2+4x-5-(x^2-2x+1)$
$$=-4x^2+6x-6$$

03 $\square=3x+y-2-(-2x-4y-3)$
$$=5x+5y+1$$

04 $\square=3x^2-x+1-(-x^2-2x+3)$
$$=4x^2+x-2$$

05 $\square=x-y+2-(-4x+2y-1)$
$$=5x-3y+3$$

06 $\square=2x^2-x+3-(-5x^2+2x-1)$
$$=7x^2-3x+4$$

08 $A-(x^2+2x-3)=2x^2-x+1$
$A=2x^2-x+1+(x^2+2x-3)$
$$=3x^2+x-2$$

09 $(x^2+2x-3)-A=2x^2-x+1$
$A=x^2+2x-3-(2x^2-x+1)$
$$=-x^2+3x-4$$

10 $3x^2-5x+2+A=2x^2+4x-5$이므로
$A=(2x^2+4x-5)-(3x^2-5x+2)$
$$=-x^2+9x-7$$
$5x^2-x-8-B=2x^2-5x-3$이므로
$B=(5x^2-x-8)-(2x^2-5x-3)$
$$=3x^2+4x-5$$
$\therefore A+B$
$$=(-x^2+9x-7)+(3x^2+4x-5)$$
$$=2x^2+13x-12$$

05. 덧셈, 뺄셈을 거꾸로 한 식에서 바른 답 구하기 (본문 31쪽)

02 $A=x-2y+3-(4x-3y+7)$
$$=-3x+y-4$$

03 $(x-2y+3)+(-3x+y-4)$
$$=-2x-y-1$$

05 $A=5x-3y+1-(x-5y+3)$
$$=4x+2y-2$$

06 $5x-3y+1+(4x+2y-2)$
$$=9x-y-1$$

08 $A=3x^2+6x-2-(-x^2-4x+1)$
$$=4x^2+10x-3$$

09 $4x^2+10x-3-(-x^2-4x+1)$
$$=5x^2+14x-4$$

11 $A=-x^2-3x+1-(3x^2+6x-1)$
$$=-4x^2-9x+2$$

12 $-4x^2-9x+2-(3x^2+6x-1)$
$$=-7x^2-15x+3$$

06. 지수법칙 (1) ― 거듭제곱의 곱셈 (본문 32쪽)

14 $3^2\times81=3^2\times3^4=3^{2+4}=3^{\boxed{6}}$

15 $2^4\times32=2^4\times2^5=2^{4+5}=2^{\boxed{9}}$

16 $2\times3\times4\times5\times6$
$$=2\times3\times2^2\times5\times2\times3$$
$$=2^{1+2+1}\times3^{1+1}\times5$$
$$=2^{\boxed{4}}\times3^2\times5$$

17 $2^{x+4}=2^x\times2^4=\boxed{16}\times2^x$

07. 지수법칙 (2) ― 거듭제곱의 거듭제곱 (본문 33쪽)

04 $(a^3)^3\times a^2=a^9\times a^2=a^{11}$

05 $x^3\times(y^3)^2\times(y^4)^3=x^3\times y^6\times y^{12}=x^3y^{18}$

06 $(a^4)^{\square}=a^{20}$
$a^{4\times\square}=a^{20}$이므로
$4\times\square=20$ $\therefore \square=5$

07 $x^5\times(x^2)^{\square}=x^{13}$
$x^{5+2\times\square}=x^{13}$이므로
$5+2\times\square=13$ $\therefore \square=4$

08 $(2^3)^4\times(2^{\square})^3=2^{18}$
$2^{3\times4+\square\times3}=2^{18}$이므로
$12+\square\times3=18$ $\therefore \square=2$

10 $4^8=16^x$
$4^8=(2^2)^8=2^{16}$,
$16^x=(2^4)^x=2^{4x}$이므로
$2^{16}=2^{4x}$ $\therefore x=4$

11 $32^6=8^x$
$32^6=(2^5)^6=2^{30}$,
$8^x=(2^3)^x=2^{3x}$이므로
$2^{30}=2^{3x}$ $\therefore x=10$

12 $8^5=32^x$
$8^5=(2^3)^5=2^{15}$,
$32^x=(2^5)^x=2^{5x}$이므로
$2^{15}=2^{5x}$ $\therefore x=3$

13 $32^4=16^x$
$32^4=(2^5)^4=2^{20}$,

$16^x=(2^4)^x=2^{4x}$이므로
$2^{20}=2^{4x}$ $\therefore x=5$

14 $27=3^3$이므로
$27^x=(3^3)^x=(3^x)^3=A^3$

08. 지수법칙 (3) ― 거듭제곱의 나눗셈 (본문 34쪽)

06 $a^4\div a^8=\dfrac{1}{a^{8-4}}=\dfrac{1}{a^4}$

07 $x^5\div x^8=\dfrac{1}{x^{8-5}}=\dfrac{1}{x^3}$

08 $3^3\div3^{12}=\dfrac{1}{3^{12-3}}=\dfrac{1}{3^9}$

09 $(a^2)^6\div a^3=a^{12}\div a^3=a^9$

10 $(x^3)^5\div(x^4)^2=x^{15}\div x^8=x^7$

11 $(a^3)^3\div a^4\div a^2$
$$=(a^9\div a^4)\div a^2$$
$$=a^5\div a^2=a^3$$

12 $(x^7)^3\div(x^3)^5\div x^8$
$$=x^{21}\div x^{15}\div x^8$$
$$=x^6\div x^8$$
$$=\dfrac{1}{x^{8-6}}=\dfrac{1}{x^2}$$

13 $a^5\times a^3\div a^4$
$$=a^{5+3}\div a^4$$
$$=a^8\div a^4$$
$$=a^{8-4}=a^4$$

14 $(x^3)^2\times(x^4)^3\div x^9$
$$=x^{6+12}\div x^9$$
$$=x^{18}\div x^9$$
$$=x^{18-9}=x^9$$

15 $x^4\div x^{\square}=\dfrac{1}{x^5}$이므로

$\square-4=5$ $\therefore \square=9$

09. 지수법칙 (4) ― 곱 또는 몫의 거듭제곱 (본문 35쪽)

05 $(2x)^4=2^4\times x^4=16x^4$

06 $(-3x)^3=(-3)^3\times x^3=-27x^3$

07 $(2xy^3)^2=2^2\times x^2\times y^6=4x^2y^6$

08 $(-2x^2y)^3=(-2)^3\times(x^2)^3\times y^3$
$$=(-8)\times x^6\times y^3=-8x^6y^3$$

10 $x^{5a}y^{15}=x^{15}y^b$이므로
$5a=15,\ 15=b$
$$\therefore a=3,\ b=15$$

11 $x^{ab}y^{3b}=x^{15}y^9$이므로
$ab=15,\ 3b=9$ $\therefore b=3$

Column 1

$b=3$을 $ab=15$에 대입하면 $a=5$

12 $x^{2b}y^{ab}=x^{10}y^5$이므로

$2b=10,\ ab=5$ $\therefore b=5$

$b=5$를 $ab=5$에 대입하면 $a=1$

13 $27x^{3a}y^6=bx^9y^6$이므로

$27=b,\ 3a=9$

$\therefore a=3,\ b=27$

14 ② $(x^2)^3=x^6$

③ $(2a^2b^4)^2=4a^4b^8$

④ $2x^2\times3x^3=6x^5$

⑤ $(-x^3y^2)^2=x^6y^4$

27 $\dfrac{x^{ab}}{y^{3b}}=\dfrac{x^{20}}{y^{12}}$이므로

$ab=20,\ 3b=12$ $\therefore b=4$

$b=4$를 $ab=20$에 대입하면 $a=5$

28 ① $a^4\times a^6=a^{4+6}=a^{10}$

② $(a^5)^4=a^{5\times4}=a^{20}$

④ $a^3+a^2\neq a^5$

⑤ $\left(\dfrac{b^4}{a}\right)^3=\dfrac{b^{12}}{a^3}$

10. 단항식끼리의 곱셈 (본문 37쪽)

10 $(xy^3)^2\times2x^2y=2x^4y^7$

$2x^4y^7=ax^4y^b$ $\therefore a=2,\ b=7$

11 $ax^4\times(-2xy^2)^2=4ax^6y^4$

$4ax^6y^4=20x^by^4$ $\therefore a=5,\ b=6$

12 $x^a y\times(x^3y^2)^3=x^{a+9}y^7$

$x^{a+9}y^7=x^{12}y^b$ $\therefore a=3,\ b=7$

13 $ax^2y^3\times(-xy^2)^2=ax^4y^7$

$ax^4y^7=8x^by^7$ $\therefore a=8,\ b=4$

11. 단항식끼리의 나눗셈 (본문 38쪽)

03 $6a^3b\div(-8a^{10})$

$=\dfrac{6a^3b}{-8a^{10}}=-\dfrac{3b}{4a^7}$

04 $-9xy^3\div12y^2=\dfrac{-9xy^3}{12y^2}=-\dfrac{3}{4}xy$

05 $9a^4b^5\div3a^3b^6=\dfrac{9a^4b^5}{3a^3b^6}=\dfrac{3a}{b}$

06 $-18x^5y^8\div6x^2y^5$

$=\dfrac{-18x^5y^8}{6x^2y^5}=-3x^3y^3$

07 $4a^8b^4\div(2a^2b)^3=\dfrac{4a^8b^4}{8a^6b^3}=\dfrac{a^2b}{2}$

08 $(-2x^2y^3)^3\div2x^2y^5$

$=\dfrac{-8x^6y^9}{12x^2y^5}=-\dfrac{2}{3}x^4y^4$

10 $12x^2y^4\div\left(-\dfrac{3}{4}xy\right)$

Column 2

$=12x^2y^4\times\left(-\dfrac{4}{3xy}\right)=-16xy^3$

11 $(-5a^2b^5)^2\div\left(-\dfrac{5}{a^2b^6}\right)\div a^3b^7$

$=25a^4b^{10}\times\left(-\dfrac{a^2b^6}{5}\right)\times\dfrac{1}{a^3b^7}$

$=-5a^3b^9$

12 $(5ab^x)^2\div a^{12}b^6$

$=25a^2b^{2x}\times\dfrac{1}{a^{12}b^6}=\dfrac{25b^{2x-6}}{a^{10}}$

$\dfrac{25b^{2x-6}}{a^{10}}=\dfrac{25b^2}{a^y}$이므로

$2x-6=2,\ y=10$

즉, $x=4,\ y=10$이므로

$x+y=4+10=14$

12. 단항식의 곱셈과 나눗셈의 혼합 계산
(본문 39쪽)

01 $12a^3b^2\times2b\div3a^2$

$=12a^3b^2\times2b\times\dfrac{1}{3a^2}=8ab^3$

02 $6xy^2\div2x^2y\times3x^2y^3$

$=6xy^2\times\dfrac{1}{2x^2y}\times3x^2y^3$

$=\dfrac{18x^3y^5}{2x^2y}=9xy^4$

03 $8ab^4\div4a^2b\times2ab^4$

$=8ab^4\times\dfrac{1}{4a^2b}\times2ab^4$

$=\dfrac{8ab^4\times2ab^4}{4a^2b}=\dfrac{16a^2b^8}{4a^2b}=4b^7$

04 $x^2y^5\div3x^2y\times(-18x^2y)$

$=x^2y^5\times\dfrac{1}{3x^2y}\times(-18x^2y)$

$=-6x^2y^5$

05 $5xy\times(3xy)^2\div3x^2y^5$

$=5xy\times9x^2y^2\times\dfrac{1}{3x^2y^5}=\dfrac{15x}{y^2}$

06 $(xy)^3\times xy^2\div(-3x^3y)^2$

$=x^3y^3\times xy^2\div9x^6y^2$

$=\dfrac{x^3y^3\times xy^2}{9x^6y^2}=\dfrac{y^3}{9x^2}$

07 $(-2xy)^3\div(-4x)\times\dfrac{2}{3}xy^2$

$=(-8x^3y^3)\times\left(\dfrac{1}{-4x}\right)\times\dfrac{2xy^2}{3}$

$=\dfrac{4}{3}x^3y^5$

08 $\left(-\dfrac{3}{2}xy^2\right)^3\times\left(\dfrac{x^2}{y}\right)^4\div(-6x^4y)$

Column 3

$=\left(-\dfrac{27}{8}x^3y^6\right)\times\dfrac{x^8}{y^4}\times\left(\dfrac{1}{-6x^4y}\right)$

$=\dfrac{9}{16}x^7y$

13. 단항식과 다항식의 곱셈 (본문 40쪽)

01 $3a(2a+4b)$

$=3a\times2a+3a\times4b$

$=6a^2+12ab$

02 $5x(2x+3y)$

$=5x\times2x+5x\times3y$

$=10x^2+15xy$

03 $-2a(5a-3b)$

$=(-2a)\times5a+(-2a)\times(-3b)$

$=-10a^2+6ab$

04 $-5x(3x-4y)$

$=(-5x)\times3x+(-5x)\times(-4y)$

$=-15x^2+20xy$

05 $-2a(3a+b-5)$

$=(-2a)\times3a+(-2a)\times b$
$\qquad\qquad+(-2a)\times(-5)$

$=-6a^2-2ab+10a$

06 $(x+3y-4)\times(-2y)$

$=x\times(-2y)+3y\times(-2y)$
$\qquad\qquad+(-4)\times(-2y)$

$=-2xy-6y^2+8y$

07 $2a(a+4b)+a(a-2b)$

$=2a^2+8ab+a^2-2ab$

$=3a^2+6ab$

08 $x(2x-y)+3x(x+2y)$

$=2x^2-xy+3x^2+6xy$

$=5x^2+5xy$

09 $2a(3a+5b+1)-3a(2a+3b-2)$

$=6a^2+10ab+2a-6a^2-9ab+6a$

$=ab+8a$

10 $4x(-x+y+1)-3x(2x-2y+1)$

$=-4x^2+4xy+4x-6x^2+6xy-3x$

$=-10x^2+10xy+x$

11 $-2x(x^2+3x-1)$

$=-2x^3-6x^2+2x$이므로

$a=-2,\ b=-6,\ c=2$

$\therefore abc=24$

14. 다항식과 단항식의 나눗셈 (본문 41쪽)

01 $(4a^2-8ab)\div2a$

$=(4a^2-8ab)\times\dfrac{1}{2a}$

$=4a^2\times\dfrac{1}{2a}-8ab\times\dfrac{1}{2a}$

$=2a-4b$

02 $(9x^2-6xy)\div 3x$

$=(9x^2-6xy)\times \dfrac{1}{3x}$

$=9x^2\times \dfrac{1}{3x}-6xy\times \dfrac{1}{3x}$

$=3x-2y$

03 $(5a^2-10ab-a)\div 5a$

$=(5a^2-10ab-a)\times \dfrac{1}{5a}$

$=5a^2\times \dfrac{1}{5a}-10ab\times \dfrac{1}{5a}-a\times \dfrac{1}{5a}$

$=a-2b-\dfrac{1}{5}$

04 $(9x^2-6xy+15x)\div(-3x)$

$=(9x^2-6xy+15x)\times\left(-\dfrac{1}{3x}\right)$

$=9x^2\times\left(-\dfrac{1}{3x}\right)-6xy$

$\quad\quad\times\left(-\dfrac{1}{3x}\right)+15x\times\left(-\dfrac{1}{3x}\right)$

$=-3x+2y-5$

05 $(8a^2-6ab)\div 2a$

$=\dfrac{8a^2-6ab}{2a}$

$=\dfrac{8a^2}{2a}-\dfrac{6ab}{2a}$

$=4a-3b$

06 $(6x^2-4xy)\div 2x$

$=\dfrac{6x^2-4xy}{2x}$

$=\dfrac{6x^2}{2x}-\dfrac{4xy}{2x}$

$=3x-2y$

07 $(a^2+10ab-5a)\div 5a$

$=\dfrac{a^2+10ab-5a}{5a}$

$=\dfrac{a^2}{5a}+\dfrac{10ab}{5a}-\dfrac{5a}{5a}$

$=\dfrac{1}{5}a+2b-1$

08 $(4x^2-2xy-10x)\div(-2x)$

$=\dfrac{4x^2-2xy-10x}{-2x}$

$=-\dfrac{4x^2}{2x}+\dfrac{2xy}{2x}+\dfrac{10x}{2x}$

$=-2x+y+5$

09 $2a(a+b+1)+(-6a^2b-12a^2)\div 3a$

$=2a^2+2ab+2a$

$\quad\quad+(-6a^2b-12a^2)\times\dfrac{1}{3a}$

$=2a^2+2ab+2a-2ab-4a$

$=2a^2-2a$

10 $(12xy-9xy^2)\div 3y-\dfrac{16x^2-8x}{4x}$

$=\dfrac{12xy-9xy^2}{3y}-\dfrac{16x^2-8x}{4x}$

$=4x-3xy-4x+2$

$=-3xy+2$

11 $(10x^2-6xy)\div 2x$

$\quad\quad\quad\quad+(4xy-8y^2)\div\dfrac{2}{3}y$

$=\dfrac{10x^2-6xy}{2x}+(4xy-8y^2)\times\dfrac{3}{2y}$

$=5x-3y+6x-12y$

$=11x-15y$

12 $(x^3y^2-3x^2y^2)\div(-xy)+2xy(x-2)$

$=\dfrac{x^3y^2-3x^2y^2}{-xy}+2x^2y-4xy$

$=-x^2y+3xy+2x^2y-4xy$

$=x^2y-xy$

14 $(\text{좌변})=\dfrac{12x^2-6xy-9x}{-3x}$

$(\text{좌변})=-4x+2y+3$

$\therefore a=-4,\ b=2,\ c=3$

15 $(\text{좌변})=(7x^2+14xy-21x)\times\dfrac{3}{7x}$

$(\text{좌변})=3x+6y-9$

$\therefore a=3,\ b=6,\ c=-9$

16 $(\text{좌변})=(4x^2-9xy+3x)\times\left(-\dfrac{2}{x}\right)$

$(\text{좌변})=-8x+18y-6$

$\therefore a=-8,\ b=18,\ c=-6$

15. 다항식과 다항식의 곱셈 (본문 43쪽)

02 $(x-1)(y+2)$

$x\times y+x\times 2+(-1)\times y+(-1)\times 2$

$=xy+2x-y-2$

03 $(2a-3)(a+4)$

$=2a\times a+2a\times 4-3\times a-3\times 4$

$=2a^2+8a-3a-12$

$=2a^2+5a-12$

04 $(2x+3)(x-4)$

$=2x\times x+2x\times(-4)$

$\quad\quad\quad\quad+3\times x+3\times(-4)$

$=2x^2-8x+3x-12$

$=2x^2-5x-12$

05 $(a+7b)(-3a-2b)$

$=a\times(-3a)+a\times(-2b)$

$\quad\quad\quad\quad+7b\times(-3a)+7b\times(-2b)$

$=-3a^2-2ab-21ab-14b^2$

$=-3a^2-23ab-14b^2$

06 $(-x+4y)(3x-5y)$

$=-3x^2+5xy+12xy-20y^2$

$=-3x^2+17xy-20y^2$

따라서 xy의 계수는 17이다.

07 $(x+2y)(2x-3y)$

$=2x^2-3xy+4xy-6y^2$

$=2x^2+xy-6y^2$

따라서 xy의 계수는 1이다.

08 $(x+2y)(-x+y)$

$=-x^2+xy-2xy+2y^2$

$=-x^2-xy+2y^2$

따라서 xy의 계수는 -1이다.

09 $(3x-2y)(4x-y)$

$=12x^2-3xy-8xy+2y^2$

$=12x^2-11xy+2y^2$

따라서 xy의 계수는 -11이다.

Ⅲ. 일차부등식

01. 부등식과 그 해 (본문 48쪽)

12

x의 값	부등식 $3x-2<-5$			참/거짓
	좌변의 값	부등호	우변의 값	
-2	$3\times(-2)-2=-8$	$<$	-5	참
-1	$3\times(-1)-2=-5$	$=$	-5	거짓
0	$3\times(-0)-2=-2$	$>$	-5	거짓
1	$3\times 1-2=1$	$>$	-5	거짓
2	$3\times 2-2=4$	$>$	-5	거짓

따라서 구하는 해는 -2이다.

13

x의 값	부등식 $x-3\leq 4x$			참/거짓
	좌변의 값	부등호	우변의 값	
-2	$(-2)-3=-5$	$>$	-8	거짓
-1	$(-1)-3=-4$	$=$	-4	참
0	$0-3=-3$	$<$	0	참
1	$1-3=-2$	$<$	4	참
2	$2-3=-1$	$<$	8	참

따라서 구하는 해는 $-1,\ 0,\ 1,\ 2$이다.

15 $x=-1$일 때, $1-2\times(-1)=3>0$

16 $x=-1$일 때, $2\times(-1)-2=-4<0$

17 $x=-1$일 때, $3-(-1)=4<5$

18 $x=-1$일 때,

$-(-1)-2=-1>-2$

19 $x=-1$일 때, $\dfrac{(-1)-1}{4}<0$

20 ② $x=1$일 때, $2\times 1-3=-1<3$

02. 부등식의 기본 성질 (본문 50쪽)

22 ④ $a-1>b-1$

$\Rightarrow a>b$

$\Rightarrow -2a<-2b$

$\Rightarrow 1-2a<1-2b$

28 $x\leq 6,\ 2x\leq 12,\ 2x-1\leq 11$

29 $x \leq 6$, $-2x \geq -12$, $-2x+1 \geq -11$

31 $-1 \leq x < 3$의 각 변에 2를 곱하면
$-2 \leq 2x < 6$
각 변에서 3을 빼면
$-5 \leq 2x-3 < 3$

32 $2 \geq -2x > -6$, $5 \geq -2x+3 > -3$
$\therefore -3 < -2x+3 \leq 5$

33 $-3 < x < 2$에서
$-2 < -x < 3$, $5 < -x+7 < 10$
따라서 $a=5$, $b=10$이므로
$a+b=15$

03. 일차부등식 (본문 53쪽)

01 $2x-13 \geq 0$ (일차부등식)

02 $5x+3 < 0$ (일차부등식)

03 $4(x-1) > x+3$, $4x-4 > x+3$
$3x-7 > 0$ (일차부등식)

04 $x^2-x+1 \leq 0$의 좌변이 이차식이다.

05 $2 > 0$이므로 일차부등식이 아니다.

06 $-3x < 0$ (일차부등식)

07 $2-\dfrac{1}{x}-3x \leq 0$에서 좌변의 분모에 x
가 있으므로 일차식이 아니다.

08 $-x^2+2x > 0$의 좌변이 이차식이다.

09 $2-x \geq 0$

10 ① $4x+3 < 0$ (일차부등식)
② $-5x+25 < 0$ (일차부등식)
③ $5x-3 < 0$ (일차부등식)
④ $-6x+7 \geq 0$ (일차부등식)
⑤ $19 \leq 0$ (일차부등식이 아니다)

04. 일차부등식의 풀이 (본문 54쪽)

06 $3x-x < 8-2$, $2x < 6$ $\therefore x < 3$

07 $-2x-6x > -4-12$, $-8x > -16$
$\therefore x < 2$

08 $-3x-2 \geq 7$에서 $-3x \geq 9$
$\therefore x \leq -3$

09 ㉠ $x < -3$ ㉡ $x > 3$ ㉢ $x < -3$
㉣ $x < -3$ ㉤ $x > -3$

10 ㉠ $x \leq 3$ ㉡ $x \geq -3$ ㉢ $x \leq 4$
㉣ $x \leq 3$ ㉤ $x < 3$

11 ㉠ $x > -2$ ㉡ $x > -2$ ㉢ $x > -2$
㉣ $x > -2$ ㉤ $x > 2$

12 $-3x+1 \geq -11$, $-3x \geq -12$
$\therefore x \leq 4$
x는 자연수이므로 $x=1, 2, 3, 4$

13 $1+4x \leq 7-2x$, $6x \leq 6$
$\therefore x \leq 1$
x는 자연수이므로 $x=1$

14 $x+8 > 3x-1$, $-2x > -9$
$\therefore x < \dfrac{9}{2}$
x는 자연수이므로 $x=1, 2, 3, 4$

15 양변에 4를 곱하면
$2(x-5) < x+2$, $2x-10 < x+2$
$\therefore x < 12$
따라서 자연수 x는 $1, 2, 3, \cdots, 11$의 11
개이다.

05. 부등식의 해와 수직선 (본문 56쪽)

09 $-3x+2 \leq -1$, $-3x \leq -3$
$\therefore x \geq 1$

06. 괄호가 있는 일차부등식의 풀이
(본문 57쪽)

02 $5x-7 < 2(x-2)$, $5x-7 < 2x-4$
$3x < 3$ $\therefore x < 1$

03 $5x-9 < 2(x+3)$, $5x-9 < 2x+6$
$3x < 15$ $\therefore x < 5$

04 $-(x-6) > 3(x-2)$
$-x+6 > 3x-6$,
$-4x > -12$ $\therefore x < 3$

05 $8-2(5x+7) \leq 2x$
$8-10x-14 \leq 2x$
$-12x \leq 6$ $\therefore x \geq -\dfrac{1}{2}$

06 $1-(x+2) \leq 4(2x-1)$
$1-x-2 \leq 8x-4$
$-9x \leq -3$ $\therefore x \geq \dfrac{1}{3}$

07 $x-(3-x) \geq 1-4(x+1)$
$x-3+x \geq 1-4x-4$
$6x \geq 0$ $\therefore x \geq 0$

08 $-3(x-1) > -x+7$에서
$-3x+3 > -x+7$, $-2x > 4$
$\therefore x < -2$

07. 계수가 소수 또는 분수인 일차부등식의
풀이 (본문 58쪽)

02 $0.5x-1 \leq 1.5x$, $5x-10 \leq 15x$
$-10x \leq 10$ $\therefore x \geq -1$

03 $0.5x+0.6 > 0.3x+1$
$5x+6 > 3x+10$
$2x > 4$ $\therefore x > 2$

04 $1-0.7x \leq 0.3x-2$
$10-7x \leq 3x-20$
$-10x \leq -30$ $\therefore x \geq 3$

06 $\dfrac{3}{2}+\dfrac{1}{4}x \leq -\dfrac{1}{2}x$, $6+x \leq -2x$
$3x \leq -6$ $\therefore x \leq -2$

07 $\dfrac{3x+1}{2}-\dfrac{x+7}{4} < 0$
$2(3x+1)-(x+7) < 0$
$6x+2-x-7 < 0$, $5x < 5$
$\therefore x < 1$

08 $\dfrac{2}{3}x-3 < \dfrac{3}{4}x-4$, $8x-36 < 9x-48$
$-x < -12$ $\therefore x > 12$

10 $\dfrac{2(x+3)}{5} > 2+0.6x$
$4(x+3) > 20+6x$
$4x+12 > 20+6x$, $-2x > 8$
$\therefore x < -4$

11 $1.2x-\dfrac{2}{5} \leq 0.7x$, $12x-4 \leq 7x$
$5x \leq 4$ $\therefore x \leq \dfrac{4}{5}$

12 $0.6x-0.2 \geq -\dfrac{2(1-2x)}{5}$
$6x-2 \geq -4(1-2x)$
$6x-2 \geq -4+8x$
$-2x \geq -2$ $\therefore x \leq 1$

14 $\dfrac{x}{2}-0.3(x-1) > x$의 양변에 10을
곱하면
$5x-3(x-1) > 10x$, $5x-3x+3 > 10x$
$-8x > -3$ $\therefore x < \dfrac{3}{8}$
따라서 주어진 부등식을 만족하는 가장
큰 정수는 0이다.

15 $0.5x+3 \leq 1-\dfrac{2x+4}{3}$의 양변에 6을
곱하면
$3x+18 \leq 6-2(2x+4)$,
$3x+18 \leq 6-4x-8$
$7x \leq -20$ $\therefore x \leq \dfrac{20}{7}$
따라서 주어진 부등식을 만족하는 가장
큰 정수는 -3이다.

08. 일차부등식의 활용 문제 풀이 순서
(본문 60쪽)

01 카네이션 x송이의 값 : $900x$(원)
안개꽃 한 다발의 값 : 2000(원)
따라서 꽃다발 전체 금액은

$900x+2000$(원)

02 (카네이션 x송이의 값)+(안개꽃 한 다발의 값)은 10000원 이하이어야 하므로 부등식을 세우면
$900x+2000 \leq 10000$

03 $900x+2000 \leq 10000$에서
$900x \leq 8000$
$\therefore x \leq \dfrac{80}{9}$

04 $x \leq \dfrac{80}{9}$이므로, x는 자연수이므로 최대 8송이까지 살 수 있다.

05 상자의 총 무게 : $20x$(kg)
사람의 몸무게 : 60(kg)
따라서 상자와 사람의 총 무게는 $20x+60$(kg)

06 (상자의 무게)+(사람의 몸무게)는 450 kg 이하이어야 하므로 부등식을 세우면
$20x+60 \leq 450$

07 $20x+60 \leq 450$에서 $20x \leq 390$
$\therefore x \leq 19.5$

08 이때 x는 자연수이므로 엘리베이터에 상자를 최대 19개까지 실어 운반할 수 있다.

10 x개월 후부터 동생의 저축액이 형의 저축액보다 많아진다고 하면
$7000+1500x > 13000+500x$
$1000x > 6000$ $\therefore x > 6$
따라서 동생의 저축액이 형의 저축액보다 많아지는 것은 7개월 후부터이다.

12 x개월 후부터 형의 저축액이 동생의 저축액의 2배보다 많아진다고 하면
$2000+1400x > 2(4000+600x)$
$2000+1400x > 8000+1200x$,
$200x > 6000$
$\therefore x > 30$
따라서 형의 저축액이 동생의 저축액의 2배보다 많아지는 것은 31개월 후부터 이다.

09. 일차부등식의 활용 (1) ― 수 (본문 62쪽)

01 $x+9 > 3x$, $2x < 9$ $\therefore x < \dfrac{9}{2}$
따라서 이를 만족하는 가장 큰 자연수는 4이다.

02 어떤 자연수를 x라고 하면
$5x+1 < 21$ $\therefore x < 4$
따라서 이를 만족하는 자연수 x는 1, 2, 3이다.

03 어떤 자연수를 x라고 하면
$5 < 4x-3 \leq 15$, $8 < 4x \leq 18$,
$2 < x \leq \dfrac{9}{2}$
따라서 이를 만족하는 자연수 x는 3, 4이다.

04 연속한 세 자연수를 $x-1$, x, $x+1$이라고 하면
$21 < (x-1)+x+(x+1) < 27$
$21 < 3x < 27$ $\therefore 7 < x < 9$
따라서 이를 만족하는 자연수 x는 8이므로 연속한 세 자연수는 7, 8, 9이다.

05 연속한 세 자연수를 $x-1$, x, $x+1$이라고 하면
$24 < (x-1)+x+(x+1) < 30$
$24 < 3x < 30$ $\therefore 8 < x < 10$
따라서 이를 만족하는 자연수 x는 9이므로 연속한 세 자연수는 8, 9, 10이다.

06 연속한 세 자연수를 $x-1$, x, $x+1$이라고 하면
$(x-1)+x+(x+1) > 30$
$3x > 30$ $\therefore x > 10$
따라서 이를 만족하는 자연수 x는 11이므로 합이 가장 작은 세 자연수는 10, 11, 12이다.

08 $700x+500(20-x) \leq 11000$
$700x+10000-500x \leq 11000$
$200x \leq 1000$ $\therefore x \leq 5$
따라서 음료수는 최대 5개까지 살수 있다.

09 700원짜리 펜을 x자루 산다고 하면 500원짜리 펜은
$(8-x)$자루 살 수 있으므로
$700x+500(8-x) < 4800$
$\therefore x < 4$
따라서 700원짜리 펜은 최대 3자루까지 살 수 있다.

10 사과를 x개 산다고 하면 귤은
$(20-x)$개 살 수 있으므로
$500x+200(20-x) \leq 7000$
$300x \leq 3000$ $\therefore x \leq 10$
따라서 사과는 최대 10개까지 살 수 있다.

11 1000원짜리 꽃을 x송이 산다고 하면 800원짜리 꽃은 $(20-x)$송이 살 수 있으므로
$1000x+800(20-x) \leq 17000$
$200x \leq 1000$ $\therefore x \leq 5$
따라서 1000원 하는 꽃은 최대 5송이까지 살 수 있다.

12 200원짜리 공책을 x권 산다고 하면 100원짜리 공책은 $20-x$권 살 수 있으므로
$200x+100(20-x) \leq 3100$

$200x+2000-100x \leq 3100$
$100x \leq 1100$ $\therefore x \leq 11$
따라서 200원짜리 공책은 최대 11권까지 살 수 있다.

10. 일차부등식의 활용 (2) ― 거리, 속력, 시간 (본문 64쪽)

03 $\dfrac{x}{2}+\dfrac{x}{3} \leq 2$, $3x+2x \leq 12$
$\therefore x \leq 2.4$

04 최대 2.4 km까지 오르고 내려오면 된다.

05 (시간)$=\dfrac{(거리)}{(속력)}$이므로 x km까지 올라갔다 내려온다고 하면 올라갈 때와 내려올 때 걸린 시간은 각각 $\dfrac{x}{3}$시간, $\dfrac{x}{4}$시간이므로 $\dfrac{x}{3}+\dfrac{x}{4} \leq \dfrac{7}{2}$, $7x \leq 42$
$\therefore x \leq 6$
따라서 6 km까지 올라갈 수 있다.

06 x km까지 올라갔다 내려온다고 하면 올라갈 때와 내려올 때 걸린 시간은 각각 $\dfrac{x}{3}$시간, $\dfrac{x}{5}$시간이므로
$\dfrac{x}{3}+\dfrac{x}{5} \leq 2$, $5x+3x \leq 30$
$8x \leq 30$ $\therefore x \leq 3.75$
따라서 3.75 km까지 올라갈 수 있다.

08 기차역에서 상점까지의 거리를 x km라고 하면
$\dfrac{x}{4}+\dfrac{10}{60}+\dfrac{x}{4} \leq 1$
$\dfrac{x}{2} \leq \dfrac{5}{6}$ $\therefore x \leq \dfrac{5}{3}$
따라서 기차역에서 $\dfrac{5}{3}$ km 이내의 상점을 이용해야 한다.

09 시속 5 km로 걸은 거리를 x km라고 하면 시속 5 km, 시속 4 km로 걸은 시간은 각각 $\dfrac{x}{5}$, $\dfrac{13-x}{4}$이다.

전체 걸리는 시간은 3시간 이내이므로
$\dfrac{x}{5}+\dfrac{13-x}{4} \leq 3$

이 부등식을 풀면 $x \geq 5$
따라서 시속 5 km로 걸은 거리는 5 km 이상이어야 한다.

10 자전거가 고장난 지점을 집에서 x km 떨어진 곳이라고 하면
$\dfrac{x}{12}+\dfrac{20-x}{4} \leq 2$ $\therefore x \geq 18$

Ⅳ. 연립방정식

01. 미지수가 2개인 일차방정식 (본문 70쪽)

06 등식이 아니다.

07 미지수가 2개이고 차수가 모두 1이므로 미지수가 2개인 일차방정식이다.

08 x^2항이 있으므로 일차식이 아니다.

09 분모에 x, y가 있으므로 다항식이 아니다.

10 미지수가 2개이고 차수가 모두 1이므로 미지수가 2개인 일차방정식이다.

11 $x^2 - y = x^2 - 2x$에서 $2x - y = 0$이므로 미지수가 2개인 일차방정식이다.

12 xy항이 있으므로 x, y에 관한 일차식이 아니다.

13 $3x - 4y = 2x - 4y + 3$에서 $x - 3 = 0$이므로 미지수가 1개인 일차방정식이다.

02. 미지수가 2개인 일차방정식의 해 (본문 71쪽)

02 주어진 방정식에 $x = 4$, $y = 1$을 대입하면
(좌변) $= 8 - 1 = 7$, (우변) $= 7$
(좌변) $=$ (우변)이므로 $(4, 1)$은 주어진 일차방정식의 해이다.

03 주어진 방정식에 $x = 4$, $y = 1$을 대입하면
(좌변) $= 12 + 2 = 14$, (우변) $= 10$
(좌변) $\neq$ (우변)이므로 $(4, 1)$은 주어진 일차방정식의 해가 아니다.

04 주어진 방정식에 $x = 4$, $y = 1$을 대입하면
(좌변) $= 4 - 4 = 0$, (우변) $= 0$
(좌변) $=$ (우변)이므로 $(4, 1)$은 주어진 일차방정식의 해이다.

05 주어진 방정식에 $x = 4$, $y = 1$을 대입하면
(좌변) $= 8 + 4 = 12$, (우변) $= 14$
(좌변) $\neq$ (우변)이므로 $(4, 1)$은 주어진 일차방정식의 해가 아니다.

10 주어진 방정식에 $x = 2$, $y = 3$을 대입하면
$2 - 3a = -10$, $3a = 12$
$\therefore a = 4$

11 주어진 방정식에 $x = 2$, $y = 3$을 대입하면
$2a + 6 = 10$, $2a = 4$
$\therefore a = 2$

12 주어진 방정식에 $x = 2$, $y = 3$을 대입하면
$-4 + 3a = 11$, $3a = 15$
$\therefore a = 5$

13 주어진 방정식에 $x = 2$, $y = 3$을 대입하면
$2a - 2 + 12 = 8$, $2a = -2$
$\therefore a = -1$

15 주어진 방정식에 $x = 3$, $y = a$를 대입하면
$15 - 2a = 5$, $2a = 10$
$\therefore a = 5$

16 주어진 방정식에 $x = 3$, $y = a$를 대입하면
$21 - 3a = 9$, $3a = 12$
$\therefore a = 4$

17 주어진 방정식에 $x = 3$, $y = a$를 대입하면
$-6 + 4a = 18$, $4a = 24$
$\therefore a = 6$

18 주어진 방정식에 $x = 3$, $y = a$를 대입하면
$-12 + 6a = 30$, $6a = 42$
$\therefore a = 7$

03. 미지수가 2개인 연립일차방정식 (본문 73쪽)

06 $\begin{cases} 3 - 1 = 2 \neq 5 \\ 3 - 2 = 1 \end{cases}$

07 $\begin{cases} 6 + 1 = 7 \\ 3 - 3 = 0 \neq -1 \end{cases}$

08 $\begin{cases} 9 + 1 = 10 \\ 6 + 3 = 9 \end{cases}$

09 $\begin{cases} 3 + 4 = 7 \\ 6 - 3 = 3 \end{cases}$

10 $\begin{cases} 3 - 2 = 1 \\ 9 - 5 = 4 \end{cases}$

11 (1) $y = 7 - x$에 $x = 1$, 2, 3, 4, 5, 6의 값을 대입한다.
(2) $y = 8 - 2x$에 $x = 1$, 2, 3의 값을 대입한다.

12 (1) $y = 6 - x$에 $x = 1$, 2, 3, 4, 5의 값을 대입한다.
(2) $y = 10 - 2x$에 $x = 1$, 2, 3, 4의 값을 대입한다.

14 $x = 1$, $y = 3$을 $ax + y = 10$에 대입하면
$a + 3 = 10$ $\therefore a = 7$
$x = 1$, $y = 3$을 $2x + 3y = b$에 대입하면
$2 \times 1 + 3 \times 3 = b$ $\therefore b = 11$
$\therefore a + b = 7 + 11 = 18$

15 $x = 1$, $y = 3$을 $x + 2y = a$에 대입하면
$1 + 2 \times 3 = a$ $\therefore a = 7$
$x = 1$, $y = 3$을 $2x + y = b$에 대입하면
$2 \times 1 + 3 = b$ $\therefore b = 5$
$\therefore a + b = 7 + 5 = 12$

16 $x = 1$, $y = 3$을 $4x + 2y = a$에 대입하면
$4 \times 1 + 2 \times 3 = a$ $\therefore a = 10$
$x = 1$, $y = 3$을 $x + by = 13$에 대입하면
$1 + b \times 3 = 13$ $\therefore b = 4$
$\therefore a + b = 10 + 4 = 14$

04. 연립일차방정식의 풀이 (1) ─ 가감법 (본문 75쪽)

02 $\begin{cases} x + y = 10 & \cdots\cdots \text{㉠} \\ 4x - y = 5 & \cdots\cdots \text{㉡} \end{cases}$에서
㉠ $+$ ㉡을 하면
$5x = 15$ $\therefore x = 3$
$x = 3$을 ㉠에 대입하면
$3 + y = 10$ $\therefore y = 7$
따라서 구하는 해는
$x = 3$, $y = 7$

03 $\begin{cases} x - 2y = 10 & \cdots\cdots \text{㉠} \\ 3x + 2y = -2 & \cdots\cdots \text{㉡} \end{cases}$에서
㉠ $+$ ㉡을 하면
$4x = 8$ $\therefore x = 2$
$x = 2$을 ㉠에 대입하면
$2 - 2y = 10$ $\therefore y = -4$
따라서 구하는 해는
$x = 2$, $y = -4$

05 $\begin{cases} 3x + 5y = 7 & \cdots\cdots \text{㉠} \\ 3x + y = -1 & \cdots\cdots \text{㉡} \end{cases}$에서
㉠ $-$ ㉡을 하면
$4y = 8$ $\therefore y = 2$
$y = 2$을 ㉡에 대입하면
$3x + 2 = -1$ $\therefore x = -1$
따라서 구하는 해는
$x = -1$, $y = 2$

06 $\begin{cases} 3x - 2y = 8 & \cdots\cdots \text{㉠} \\ 3x - 5y = 11 & \cdots\cdots \text{㉡} \end{cases}$에서
㉠ $-$ ㉡을 하면
$3y = -3$ $\therefore y = -1$
$y = -1$을 ㉠에 대입하면
$3x + 2 = 8$ $\therefore x = 2$
따라서 구하는 해는
$x = 2$, $y = -1$

08 $\begin{cases} x - 5y = -5 & \cdots\cdots \text{㉠} \\ 2x - 7y = -1 & \cdots\cdots \text{㉡} \end{cases}$에서
㉠ $\times 2 -$ ㉡을 하면
$-3y = -9$ $\therefore y = 3$
$y = 3$을 ㉠에 대입하면
$x - 15 = -5$ $\therefore x = 10$
따라서 구하는 해는

$x=10, y=3$

09 $\begin{cases} 2x+5y=9 & \cdots\cdots\ ㉠ \\ x+4y=6 & \cdots\cdots\ ㉡ \end{cases}$ 에서

㉠-㉡×2를 하면
$-3y=-3$ ∴ $y=1$
$y=1$을 ㉡에 대입하면
$x+4=6$ ∴ $x=2$
따라서 구하는 해는
$x=2, y=1$

10 $\begin{cases} x-4y=-5 & \cdots\cdots\ ㉠ \\ 3x+y=11 & \cdots\cdots\ ㉡ \end{cases}$ 에서

㉠×3-㉡을 하면
$-13y=-26$ ∴ $y=2$
$y=2$를 ㉠에 대입하면
$x-8=-5$ ∴ $x=3$
따라서 구하는 해는
$x=3, y=2$

12 $\begin{cases} 4x+7y=-13 & \cdots\cdots\ ㉠ \\ 5x+2y=4 & \cdots\cdots\ ㉡ \end{cases}$ 에서

㉠×5, ㉡×4를 하면
$\begin{cases} 20x+35y=-65 \\ 20x+8y=16 \end{cases}$
두 방정식을 변끼리 빼면
$27y=-81$ ∴ $y=-3$
$y=-3$을 ㉡에 대입하면
$5x-6=4$ ∴ $x=2$
따라서 구하는 해는
$x=2, y=-3$

13 $\begin{cases} -3x+7y=-4 & \cdots\cdots\ ㉠ \\ 4x-3y=-1 & \cdots\cdots\ ㉡ \end{cases}$ 에서

㉠×4, ㉡×3을 하면
$\begin{cases} -12x+28y=-16 \\ 12x-9y=-3 \end{cases}$
두 방정식을 변끼리 더하면
$19y=-19$ ∴ $y=-1$
$y=-1$을 ㉡에 대입하면
$4x+3=-1$ ∴ $x=-1$
따라서 구하는 해는
$x=-1, y=-1$

05. 연립일차방정식의 풀이 (2) ─ 대입법
(본문 77쪽)

02 $\begin{cases} y=-5x+2 & \cdots\cdots\ ㉠ \\ 2x+y=-1 & \cdots\cdots\ ㉡ \end{cases}$ 에서

㉠을 ㉡에 대입하면
$2x+(-5x+2)=-1$ ∴ $x=1$
$x=1$을 ㉠에 대입하면
$y=-3$
따라서 구하는 해는

03 $\begin{cases} y=2x+5 & \cdots\cdots\ ㉠ \\ 3x-y=-4 & \cdots\cdots\ ㉡ \end{cases}$ 에서

㉠을 ㉡에 대입하면
$3x-(2x+5)=-4$ ∴ $x=1$
$x=1$을 ㉠에 대입하면
$y=7$
따라서 구하는 해는
$x=1, y=7$

04 $\begin{cases} y=2x-1 & \cdots\cdots\ ㉠ \\ 5x-3y=6 & \cdots\cdots\ ㉡ \end{cases}$ 에서

㉠을 ㉡에 대입하면
$5x-3(2x-1)=6$ ∴ $x=-3$
$x=-3$을 ㉠에 대입하면
$y=-7$
따라서 구하는 해는
$x=-3, y=-7$

05 $\begin{cases} y=4x-7 & \cdots\cdots\ ㉠ \\ 2x-5y=-1 & \cdots\cdots\ ㉡ \end{cases}$ 에서

㉠을 ㉡에 대입하면
$2x-5(4x-7)=-1$ ∴ $x=2$
$x=2$를 ㉠에 대입하면
$y=1$
따라서 구하는 해는
$x=2, y=1$

06 $\begin{cases} 3x-2y=5 & \cdots\cdots\ ㉠ \\ y=2x-1 & \cdots\cdots\ ㉡ \end{cases}$ 에서

㉡을 ㉠에 대입하면
$3x-2(2x-1)=5$ ∴ $x=-3$
$x=-3$을 ㉡에 대입하면
$y=-7$
따라서 구하는 해는
$x=-3, y=-7$

07 $\begin{cases} y=4-x & \cdots\cdots\ ㉠ \\ 5x-3y=4 & \cdots\cdots\ ㉡ \end{cases}$ 에서

㉠을 ㉡에 대입하면
$5x-3(4-x)=4$ ∴ $x=2$
$x=2$를 ㉠에 대입하면
$y=2$
따라서 구하는 해는
$x=2, y=2$

08 $\begin{cases} x=y+5 & \cdots\cdots\ ㉠ \\ 2x+y=7 & \cdots\cdots\ ㉡ \end{cases}$ 에서

㉠을 ㉡에 대입하면
$2(y+5)+y=7$ ∴ $y=-1$
$y=-1$을 ㉠에 대입하면
$x=4$

따라서 구하는 해는
$x=4, y=-1$

09 $\begin{cases} x=2y+1 & \cdots\cdots\ ㉠ \\ x-4y=1 & \cdots\cdots\ ㉡ \end{cases}$ 에서

㉠을 ㉡에 대입하면
$2y+1-4y=1$ ∴ $y=0$
$y=0$을 ㉠에 대입하면
$x=1$
따라서 구하는 해는
$x=1, y=0$

10 $\begin{cases} 4x+5y=3 & \cdots\cdots\ ㉠ \\ x=-2y-9 & \cdots\cdots\ ㉡ \end{cases}$ 에서

㉡을 ㉠에 대입하면
$4(-2y-9)+5y=3$ ∴ $y=-13$
$y=-13$을 ㉡에 대입하면
따라서 구하는 해는
$x=17, y=-13$

11 $\begin{cases} 2x-5y=-12 & \cdots\cdots\ ㉠ \\ x=y+3 & \cdots\cdots\ ㉡ \end{cases}$ 에서

㉡을 ㉠에 대입하면
$2(y+3)-5y=-12$ ∴ $y=6$
$y=6$을 ㉡에 대입하면
$x=9$
따라서 구하는 해는
$x=9, y=6$

12 $\begin{cases} x=3y+1 & \cdots\cdots\ ㉠ \\ 2x-y=12 & \cdots\cdots\ ㉡ \end{cases}$ 에서

㉠을 ㉡에 대입하면
$2(3y+1)-y=12$ ∴ $y=2$
$y=2$를 ㉠에 대입하면 $x=7$
따라서 구하는 해는 $x=7, y=2$

13 $\begin{cases} 3x=2y+8 & \cdots\cdots\ ㉠ \\ 3x-4y=-2 & \cdots\cdots\ ㉡ \end{cases}$ 에서

㉠을 ㉡에 대입하면
$2y+8-4y=-2$ ∴ $y=5$
$y=5$를 ㉠에 대입하면
$3x=18$ ∴ $x=6$
따라서 구하는 해는
$x=6, y=5$

14 $\begin{cases} 2y=3x+2 & \cdots\cdots\ ㉠ \\ 2y=-2x-3 & \cdots\cdots\ ㉡ \end{cases}$ 에서

㉠을 ㉡에 대입하면
$3x+2=-2x-3$ ∴ $x=-1$
$x=-1$을 ㉠에 대입하면
$2y=-3+2$ ∴ $y=-\dfrac{1}{2}$
따라서 구하는 해는
$x=-1, y=-\dfrac{1}{2}$

06. 괄호가 있는 연립방정식의 풀이

(본문 79쪽)

02 주어진 연립방정식을 정리하면

$\begin{cases} 3x-y=4 & \cdots\cdots ㉠ \\ x-y=-2 & \cdots\cdots ㉡ \end{cases}$ 에서

㉠-㉡을 하면

$2x=6$ $\therefore x=3$

$x=3$을 ㉡에 대입하면

$3-y=-2$ $\therefore y=5$

따라서 구하는 해는

$x=3,\ y=5$

03 주어진 연립방정식을 정리하면

$\begin{cases} x+2y=1 & \cdots\cdots ㉠ \\ 3x-4y=13 & \cdots\cdots ㉡ \end{cases}$ 에서

㉠×2+㉡을 하면

$5x=15$ $\therefore x=3$

$x=3$을 ㉠에 대입하면

$3+2y=1$ $\therefore y=-1$

따라서 구하는 해는

$x=3,\ y=-1$

04 주어진 연립방정식을 정리하면

$\begin{cases} x+4y=20 & \cdots\cdots ㉠ \\ 3x-2y=-10 & \cdots\cdots ㉡ \end{cases}$ 에서

㉠+㉡×2을 하면

$7x=0$ $\therefore x=0$

$x=0$을 ㉠에 대입하면

$4y=20$ $\therefore y=5$

따라서 구하는 해는

$x=0,\ y=5$

05 주어진 연립방정식을 정리하면

$\begin{cases} 2x+5y=4 & \cdots\cdots ㉠ \\ x+4y=5 & \cdots\cdots ㉡ \end{cases}$ 에서

㉠-㉡×2를 하면

$-3y=-6$ $\therefore y=2$

$y=2$을 ㉡에 대입하면

$x+8=5$ $\therefore x=-3$

따라서 구하는 해는

$x=-3,\ y=2$

06 주어진 연립방정식을 정리하면

$\begin{cases} 6x+5y=8 & \cdots\cdots ㉠ \\ 3x+2y=2 & \cdots\cdots ㉡ \end{cases}$ 에서

㉠-㉡×2를 하면 $y=4$

$y=4$을 ㉡에 대입하면

$3x+8=2$ $\therefore x=-2$

따라서 구하는 해는

$x=-2,\ y=4$

08 주어진 연립방정식을 정리하면

$\begin{cases} x-2y=4 & \cdots\cdots ㉠ \\ 5x-2y=12 & \cdots\cdots ㉡ \end{cases}$ 에서

㉠-㉡을 하면

$-4x=-8$ $\therefore x=2$

$x=2$를 ㉠에 대입하면

$2-2y=4$ $\therefore y=-1$

$\therefore p+q=2+(-1)=1$

09 주어진 연립방정식을 정리하면

$\begin{cases} 3x-y=-14 & \cdots\cdots ㉠ \\ x+2y=7 & \cdots\cdots ㉡ \end{cases}$ 에서

㉠×2+㉡을 하면

$7x=-21$ $\therefore x=-3$

$x=-3$을 ㉡에 대입하면

$-3+2y=7$ $\therefore y=5$

$\therefore p+q=(-3)+5=2$

10 주어진 연립방정식을 정리하면

$\begin{cases} 3x-y=1 & \cdots\cdots ㉠ \\ 3x-6y=-9 & \cdots\cdots ㉡ \end{cases}$ 에서

㉠-㉡을 하면

$5y=10$ $\therefore y=2$

$y=2$를 ㉠에 대입하면

$3x-2=1$ $\therefore x=1$

$\therefore p+q=1+2=3$

11 주어진 연립방정식을 정리하면

$\begin{cases} 4x+y=-7 & \cdots\cdots ㉠ \\ 2x-y=1 & \cdots\cdots ㉡ \end{cases}$ 에서

㉠+㉡을 하면

$6x=-6$ $\therefore x=-1$

$x=-1$을 ㉠에 대입하면

$-4+y=-7$ $\therefore y=-3$

$\therefore p+q=(-1)+(-3)=-4$

12 주어진 연립방정식을 정리하면

$\begin{cases} -x-8y=5 & \cdots\cdots ㉠ \\ 2x+3y=3 & \cdots\cdots ㉡ \end{cases}$ 에서

㉠×2+㉡을 하면

$-13y=13$ $\therefore y=-1$

$y=-1$을 ㉠에 대입하면

$-x+8=5$ $\therefore x=3$

$\therefore p+q=3+(-1)=2$

07. 계수가 분수인 연립방정식의 풀이

(본문 81쪽)

02 각 일차방정식의 양변에 분모의 최소공배수를 곱하여 정리하면

$\begin{cases} x+2y=-1 & \cdots\cdots ㉠ \\ 3x-10y=45 & \cdots\cdots ㉡ \end{cases}$ 에서

㉠×3-㉡을 하면

$16y=-48$ $\therefore y=-3$

$y=-3$을 ㉠에 대입하면

$x-6=-1$ $\therefore x=5$

따라서 구하는 해는

$x=5,\ y=-3$

03 각 일차방정식의 양변에 분모의 최소공배수를 곱하여 정리하면

$\begin{cases} 6x-y=9 & \cdots\cdots ㉠ \\ 2x-3y=-5 & \cdots\cdots ㉡ \end{cases}$ 에서

㉠-㉡×3을 하면

$8y=24$ $\therefore y=3$

$y=3$을 ㉠에 대입하면

$6x-3=9$ $\therefore x=2$

따라서 구하는 해는

$x=2,\ y=3$

04 각 일차방정식의 양변에 분모의 최소공배수를 곱하여 정리하면

$\begin{cases} -4x-9y=19 & \cdots\cdots ㉠ \\ 2x+y=1 & \cdots\cdots ㉡ \end{cases}$ 에서

㉠+㉡×2를 하면

$-7y=21$ $\therefore y=-3$

$y=-3$을 ㉡에 대입하면

$2x-3=1$ $\therefore x=2$

따라서 구하는 해는

$x=2,\ y=-3$

06 각 일차방정식의 양변에 분모의 최소공배수를 곱하여 정리하면

$\begin{cases} 2x-y=11 & \cdots\cdots ㉠ \\ 10x-3y=57 & \cdots\cdots ㉡ \end{cases}$ 에서

㉠×3-㉡을 하면

$-4x=-24$ $\therefore x=6$

$x=6$을 ㉠에 대입하면

$12-y=11$ $\therefore y=1$

$\therefore p+q=6+1=7$

07 각 일차방정식의 양변에 분모의 최소공배수를 곱하여 정리하면

$\begin{cases} x-2y=-2 & \cdots\cdots ㉠ \\ 2x-3y=1 & \cdots\cdots ㉡ \end{cases}$ 에서

㉠×2-㉡을 하면

$-y=-5$ $\therefore y=5$

$y=5$를 ㉠에 대입하면

$x-10=-2$ $\therefore x=8$

$\therefore p+q=8+5=13$

08 각 일차방정식의 양변에 분모의 최소공배수를 곱하여 정리하면

$\begin{cases} 2x-y=8 & \cdots\cdots ㉠ \\ x-2y=1 & \cdots\cdots ㉡ \end{cases}$ 에서

㉠-㉡×2를 하면

$3y=6$ $\therefore y=2$

$y=2$를 ㉡에 대입하면

$x=5$

$\therefore p+q=5+2=7$

09 각 일차방정식의 양변에 분모의 최소공배수를 곱하여 정리하면

$\begin{cases} 2x+3y=12 & \cdots\cdots\, \bigcirc \\ 8x-3y=18 & \cdots\cdots\, \bigcirc \end{cases}$ 에서

$\bigcirc+\bigcirc$을 하면

$10x=30$ $\quad\therefore x=3$

$x=3$을 $\bigcirc$에 대입하면

$y=2$

$\therefore p+q=3+2=5$

10 각 일차방정식의 양변에 분모의 최소공배수를 곱하여 정리하면

$\begin{cases} x-3y=-1 & \cdots\cdots\, \bigcirc \\ 5x-12y=-2 & \cdots\cdots\, \bigcirc \end{cases}$ 에서

$\bigcirc\times4-\bigcirc$을 하면

$-x=-2$ $\quad\therefore x=2$

$x=2$를 $\bigcirc$에 대입하면

$2-3y=-1$ $\quad\therefore y=1$

$\therefore p+q=2+1=3$

08. 계수가 소수인 연립방정식의 풀이
(본문 83쪽)

02 각 일차방정식의 양변에 10의 거듭제곱을 곱하여 계수를 정수로 고치면

$\begin{cases} 2x-5y=-2 & \cdots\cdots\, \bigcirc \\ x+2y=8 & \cdots\cdots\, \bigcirc \end{cases}$ 에서

$\bigcirc-\bigcirc\times2$를 하면

$-9y=-18$ $\quad\therefore y=2$

$y=2$를 $\bigcirc$에 대입하면

$x+4=8$ $\quad\therefore x=4$

따라서 구하는 해는

$x=4,\ y=2$

03 각 일차방정식의 양변에 10의 거듭제곱을 곱하여 계수를 정수로 고치면

$\begin{cases} 3x+4y=1 & \cdots\cdots\, \bigcirc \\ 6x+5y=-1 & \cdots\cdots\, \bigcirc \end{cases}$ 에서

$\bigcirc\times2-\bigcirc$을 하면

$3y=3$ $\quad\therefore y=1$

$y=1$을 $\bigcirc$에 대입하면

$3x+4=1$ $\quad\therefore x=-1$

따라서 구하는 해는

$x=-1,\ y=1$

04 각 일차방정식의 양변에 10의 거듭제곱을 곱하여 계수를 정수로 고치면

$\begin{cases} x+3y=10 & \cdots\cdots\, \bigcirc \\ 5x-12y=-4 & \cdots\cdots\, \bigcirc \end{cases}$ 에서

$\bigcirc\times4+\bigcirc$을 하면

$9x=36$ $\quad\therefore x=4$

$x=4$를 $\bigcirc$에 대입하면

$4+3y=10$ $\quad\therefore y=2$

따라서 구하는 해는

$x=4,\ y=2$

06 각 일차방정식의 양변에 10의 거듭제곱

을 곱하여 계수를 정수로 고치면

$\begin{cases} 2x+4y=18 & \cdots\cdots\, \bigcirc \\ x-2y=-3 & \cdots\cdots\, \bigcirc \end{cases}$ 에서

$\bigcirc-\bigcirc\times2$를 하면

$8y=24$ $\quad\therefore y=3$

$y=3$을 $\bigcirc$에 대입하면

$x-6=-3$ $\quad\therefore x=3$

$\therefore p+q=3+3=6$

07 각 일차방정식의 양변에 10의 거듭제곱을 곱하여 계수를 정수로 고치면

$\begin{cases} 3x-y=-14 & \cdots\cdots\, \bigcirc \\ x+2y=7 & \cdots\cdots\, \bigcirc \end{cases}$ 에서

$\bigcirc\times2+\bigcirc$을 하면

$7x=-21$ $\quad\therefore x=-3$

$x=-3$을 $\bigcirc$에 대입하면

$-3+2y=7$ $\quad\therefore y=5$

$\therefore p+q=(-3)+5=2$

08 각 일차방정식의 양변에 10의 거듭제곱을 곱하여 계수를 정수로 고치면

$\begin{cases} 2x+3y=2 & \cdots\cdots\, \bigcirc \\ 2x+10y=16 & \cdots\cdots\, \bigcirc \end{cases}$ 에서

$\bigcirc-\bigcirc$을 하면

$-7y=-14$ $\quad\therefore y=2$

$y=2$를 $\bigcirc$에 대입하면

$2x+6=2$ $\quad\therefore x=-2$

$\therefore p+q=(-2)+2=0$

09 각 일차방정식의 양변에 10의 거듭제곱을 곱하여 계수를 정수로 고치면

$\begin{cases} x+4y=20 & \cdots\cdots\, \bigcirc \\ 3x-2y=-10 & \cdots\cdots\, \bigcirc \end{cases}$ 에서

$\bigcirc+\bigcirc\times2$을 하면

$7x=0$ $\quad\therefore x=0$

$x=0$을 $\bigcirc$에 대입하면

$4y=20$ $\quad\therefore y=5$

$\therefore p+q=0+5=5$

10 각 일차방정식의 양변에 10의 거듭제곱을 곱하여 계수를 정수로 고치면

$\begin{cases} 6x+5y=8 & \cdots\cdots\, \bigcirc \\ 3x+2y=2 & \cdots\cdots\, \bigcirc \end{cases}$ 에서

$\bigcirc-\bigcirc\times2$를 하면 $y=4$

$y=4$를 $\bigcirc$에 대입하면

$3x+8=2$ $\quad\therefore x=-2$

$\therefore p+q=(-2)+4=2$

09. 계수가 소수, 분수인 연립방정식의 풀이
(본문 85쪽)

02 각 일차방정식의 양변에 적당한 수를 곱하여 계수를 정수로 고치면

$\begin{cases} 3x-5y=19 & \cdots\cdots\, \bigcirc \\ 3x+2y=5 & \cdots\cdots\, \bigcirc \end{cases}$ 에서

$\bigcirc-\bigcirc$을 하면

$-7y=14$ $\quad\therefore y=-2$

$y=-2$를 $\bigcirc$에 대입하면

$3x-4=5$ $\quad\therefore x=3$

따라서 구하는 해는

$x=3,\ y=-2$

03 각 일차방정식의 양변에 적당한 수를 곱하여 계수를 정수로 고치면

$\begin{cases} 5x+3y=4 & \cdots\cdots\, \bigcirc \\ 2x-3y=10 & \cdots\cdots\, \bigcirc \end{cases}$ 에서

$\bigcirc+\bigcirc$을 하면

$7x=14$ $\quad\therefore x=2$

$x=2$를 $\bigcirc$에 대입하면

$10+3y=4$ $\quad\therefore y=-2$

따라서 구하는 해는

$x=2,\ y=-2$

04 각 일차방정식의 양변에 적당한 수를 곱하여 계수를 정수로 고치면

$\begin{cases} 2x+3y=2 & \cdots\cdots\, \bigcirc \\ 2x+10y=16 & \cdots\cdots\, \bigcirc \end{cases}$ 에서

$\bigcirc-\bigcirc$을 하면

$-7y=-14$ $\quad\therefore y=2$

$y=2$를 $\bigcirc$에 대입하면

$2x+6=2$ $\quad\therefore x=-2$

따라서 구하는 해는

$x=-2,\ y=2$

06 각 일차방정식의 양변에 적당한 수를 곱하여 계수를 정수로 고치면

$\begin{cases} 2x+7y=16 & \cdots\cdots\, \bigcirc \\ 2x-3y=-4 & \cdots\cdots\, \bigcirc \end{cases}$ 에서

$\bigcirc-\bigcirc$을 하면

$10y=20$ $\quad\therefore y=2$

$y=2$를 $\bigcirc$에 대입하면

$2x-6=-4$ $\quad\therefore x=1$

$\therefore p+q=1+2=3$

07 각 일차방정식의 양변에 적당한 수를 곱하여 계수를 정수로 고치면

$\begin{cases} 4x+3y=36 & \cdots\cdots\, \bigcirc \\ 4x-3y=12 & \cdots\cdots\, \bigcirc \end{cases}$ 에서

$\bigcirc+\bigcirc$을 하면

$8x=48$ $\quad\therefore x=6$

$x=6$을 $\bigcirc$에 대입하면

$24+3y=36$ $\quad\therefore y=4$

$\therefore p+q=6+4=10$

08 각 일차방정식의 양변에 적당한 수를 곱하여 계수를 정수로 고치면

$\begin{cases} 15x-8y=20 & \cdots\cdots\, \bigcirc \\ 3x+4y=32 & \cdots\cdots\, \bigcirc \end{cases}$ 에서

$\bigcirc+\bigcirc\times2$를 하면

$21x=84$ $\therefore x=4$

$x=4$를 $\bigcirc$에 대입하면

$\therefore y=5$

$\therefore p+q=4+5=9$

09 각 일차방정식의 양변에 적당한 수를 곱하여 계수를 정수로 고치면

$\begin{cases} 3x+10y=4 & \cdots\cdots\bigcirc \\ 9x+20y=2 & \cdots\cdots\bigcirc \end{cases}$에서

$\bigcirc\times2-\bigcirc$을 하면

$-3x=6$ $\therefore x=-2$

$x=-2$를 $\bigcirc$에 대입하면

$-6+10y=4$ $\therefore y=1$

$\therefore p+q=(-2)+1=-1$

10 각 일차방정식의 양변에 적당한 수를 곱하여 계수를 정수로 고치면

$\begin{cases} 6x+5y=8 & \cdots\cdots\bigcirc \\ 3x+2y=2 & \cdots\cdots\bigcirc \end{cases}$에서

$\bigcirc-\bigcirc\times2$를 하면 $y=4$

$y=4$를 $\bigcirc$에 대입하면

$3x+8=2$ $\therefore x=-2$

$\therefore p+q=(-2)+4=2$

10. 해가 같은 두 연립방정식 (본문 87쪽)

02 두 연립방정식의 해는 연립방정식

$\begin{cases} 5x+3y=7 & \cdots\cdots\bigcirc \\ 4x-7y=15 & \cdots\cdots\bigcirc \end{cases}$의 해와 같다.

$\bigcirc\times4-\bigcirc\times5$를 하면

$47y=-47$ $\therefore y=-1$

$y=-1$을 $\bigcirc$에 대입하면

$5x-3=7$ $\therefore x=2$

따라서 연립방정식의 해가 $x=2$, $y=-1$이므로

$ax-5y=13$에 대입하면

$2a+5=13$ $\therefore a=4$

$2x-by=-1$에 대입하면

$4+b=-1$ $\therefore b=-5$

03 두 연립방정식의 해는 연립방정식

$\begin{cases} 2x+7y=34 & \cdots\cdots\bigcirc \\ x-3y=-9 & \cdots\cdots\bigcirc \end{cases}$의 해와 같다.

$\bigcirc-\bigcirc\times2$를 하면

$13y=52$ $\therefore y=4$

$y=4$를 $\bigcirc$에 대입하면

$x-12=-9$ $\therefore x=3$

따라서 연립방정식의 해가 $x=3$, $y=4$이므로

$6x+ay=10$에 대입하면

$18+4a=10$ $\therefore a=-2$

$ax-by=-2$에 대입하면

$-6-4b=-2$ $\therefore b=-1$

04 두 연립방정식의 해는 연립방정식

$\begin{cases} x+y=3 & \cdots\cdots\bigcirc \\ 3x+y=7 & \cdots\cdots\bigcirc \end{cases}$의 해와 같다.

$\bigcirc-\bigcirc$을 하면

$-2x=-4$ $\therefore x=2$

$x=2$를 $\bigcirc$에 대입하면

$2+y=3$ $\therefore y=1$

따라서 연립방정식의 해가 $x=2$, $y=1$이므로

$2x-y=a$에 대입하면

$4-1=a$ $\therefore a=3$

$x+by=5$에 대입하면

$2+b=5$ $\therefore b=3$

06 $\begin{cases} -x+y=4 & \cdots\cdots\bigcirc \\ 2x+y=-5 & \cdots\cdots\bigcirc \end{cases}$

$\bigcirc-\bigcirc$을 하면

$-3x=9$ $\therefore x=-3$

$x=-3$을 $\bigcirc$에 대입하면

$3+y=4$ $\therefore y=1$

$x=-3$, $y=1$을 $x+3y=b+4$에 대입하면

$-3+3=b+4$ $\therefore b=-4$

$b=-4$, $x=-3$, $y=1$을

$3x+ay=b$에 대입하면

$-9+a=-4$ $\therefore a=5$

$\therefore a+b=5+(-4)=1$

07 $\begin{cases} x-2y=-1 & \cdots\cdots\bigcirc \\ 3x+y=4 & \cdots\cdots\bigcirc \end{cases}$

$\bigcirc+\bigcirc\times2$를 하면

$7x=7$ $\therefore x=1$

$x=1$을 $\bigcirc$에 대입하면

$3+y=4$ $\therefore y=1$

$x=1$, $y=1$을 $ax-y=4$,

$2x+by=9$에 대입하면

$a-1=4$, $2+b=9$ $\therefore a=5$, $b=7$

$\therefore a+b=5+7=12$

08 $\begin{cases} 5x+y=12 & \cdots\cdots\bigcirc \\ y=3x-4 & \cdots\cdots\bigcirc \end{cases}$

$\bigcirc$을 $\bigcirc$에 대입하면

$5x+(3x-4)=12$ $\therefore x=2$

$x=2$를 $\bigcirc$에 대입하면

$y=6-4=2$

$x=2$, $y=2$를 $ax-y=6$,

$2x+by=-2$에 각각 대입하면

$2a-2=6$, $4+2b=-2$

$\therefore a=4$, $b=-3$

$\therefore a+b=4+(-3)=1$

09 $\begin{cases} 3x+y=-1 & \cdots\cdots\bigcirc \\ y=-4x+1 & \cdots\cdots\bigcirc \end{cases}$

$\bigcirc$을 $\bigcirc$에 대입하면

$3x+(-4x+1)=-1$ $\therefore x=2$

$x=2$를 $\bigcirc$에 대입하면

$y=-8+1=-7$

$x=2$, $y=-7$을 $ax+2y=2$,

$3x-by=13$에 각각 대입하면

$2a-14=2$, $6+7b=13$

$\therefore a=8$, $b=1$

$\therefore a+b=8+1=9$

10 $\begin{cases} x-y=3 \\ 0.2x+0.1y=0.9 \end{cases}$에서

$\begin{cases} x-y=3 & \cdots\cdots\bigcirc \\ 2x+y=9 & \cdots\cdots\bigcirc \end{cases}$

$\bigcirc+\bigcirc$을 하면

$3x=12$ $\therefore x=4$

$x=4$를 $\bigcirc$에 대입하면

$2\times4+y=9$ $\therefore y=1$

$x=4$, $y=1$을 $x-2y=a$, $3x+2y=b$에 각각 대입하면 $a=2$, $b=14$ $\therefore a+b=16$

11. $A=B=C$꼴의 연립방정식의 풀이
(본문 89쪽)

02 $\begin{cases} 3x-y-8=6 \\ 2x-y=6 \end{cases}$에서

$\begin{cases} 3x-y=14 & \cdots\cdots\bigcirc \\ 2x-y=6 & \cdots\cdots\bigcirc \end{cases}$

$\bigcirc-\bigcirc$을 하면 $x=8$

$x=8$을 $\bigcirc$에 대입하면

$16-y=6$ $\therefore y=10$

따라서 구하는 해는

$x=8$, $y=10$

03 $\begin{cases} 3x-y=2-x \\ 2-x=4+y \end{cases}$에서

$\begin{cases} 4x-y=2 & \cdots\cdots\bigcirc \\ x+y=-2 & \cdots\cdots\bigcirc \end{cases}$

$\bigcirc+\bigcirc$을 하면 $5x=0$ $\therefore x=0$

$x=0$을 $\bigcirc$에 대입하면 $y=-2$

따라서 구하는 해는

$x=0$, $y=-2$

04 $\begin{cases} x+y-2=4x+2y+1 \\ x+y-2=3x+2y+2 \end{cases}$에서

$\begin{cases} 3x+y=-3 & \cdots\cdots\bigcirc \\ 2x+y=-4 & \cdots\cdots\bigcirc \end{cases}$

$\bigcirc-\bigcirc$을 하면 $x=1$

$x=1$을 $\bigcirc$에 대입하면

$3+y=-3$ $\therefore y=-6$

따라서 구하는 해는

$x=1$, $y=-6$

05 $\begin{cases} -8x+2y=-12 \\ -7x+y=-12 \end{cases}$ 에서

$\begin{cases} -8x+2y=-12 \cdots\cdots \bigcirc \\ y=7x-12 \cdots\cdots \bigcirc \bigcirc \end{cases}$

$\bigcirc \bigcirc$을 $\bigcirc$에 대입하면

$-8x+2(7x-12)=-12$

$6x=12$ ∴ $x=2$

$x=2$를 $\bigcirc \bigcirc$에 대입하면 $y=2$

따라서 구하는 해는

$x=2,\ y=2$

06 $\begin{cases} \dfrac{2x+3}{5}=\dfrac{x+y}{3} \\ \dfrac{x+y}{3}=x-\dfrac{y}{2} \end{cases}$ 에서

$\begin{cases} x-5y=-9 \cdots\cdots \bigcirc \\ y=\dfrac{4}{5}x \cdots\cdots \bigcirc \bigcirc \end{cases}$

$\bigcirc \bigcirc$을 $\bigcirc$에 대입하면

$x-5\times\dfrac{4}{5}x=-9$

$x-4x=-9,\ -3x=-9$ ∴ $x=3$

$x=3$을 $\bigcirc \bigcirc$에 대입하면 $y=\dfrac{12}{5}$

따라서 구하는 해는

$x=3,\ y=\dfrac{12}{5}$

08 $\begin{cases} \dfrac{x+y}{3}=1 \\ \dfrac{2x+y}{10}=1 \end{cases}$ 에서

$\begin{cases} x+y=3 \cdots\cdots \bigcirc \\ 2x+y=10 \cdots\cdots \bigcirc \bigcirc \end{cases}$

$\bigcirc-\bigcirc \bigcirc$을 하면

$-x=-7$ ∴ $x=7$

$x=7$을 $\bigcirc$에 대입하면

$7+y=3$ ∴ $y=-4$

∴ $a+b=7+(-4)=3$

09 $\begin{cases} x+2y=9 \cdots\cdots \bigcirc \\ -x+y=9 \cdots\cdots \bigcirc \bigcirc \end{cases}$

$\bigcirc+\bigcirc \bigcirc$을 하면

$3y=18$ ∴ $y=6$

$y=6$을 $\bigcirc \bigcirc$에 대입하면

$-x+6=9$ ∴ $x=-3$

∴ $a+b=(-3)+6=3$

10 $\begin{cases} 2x+y=x \\ x=4x-5y+4 \end{cases}$ 에서

$\begin{cases} y=-x \cdots\cdots \bigcirc \\ 3x-5y=-4 \cdots\cdots \bigcirc \bigcirc \end{cases}$

$\bigcirc$을 $\bigcirc \bigcirc$에 대입하면

$3x-5\times(-x)=-4$ ∴ $x=-\dfrac{1}{2}$

$x=-\dfrac{1}{2}$을 $\bigcirc$에 대입하면 $y=\dfrac{1}{2}$

∴ $a+b=\left(-\dfrac{1}{2}\right)+\dfrac{1}{2}=0$

11 $\begin{cases} 2x-y=3 \\ 4x-5y=3 \end{cases}$ 에서

$\begin{cases} y=2x-3 \cdots\cdots \bigcirc \\ 4x-5y=3 \cdots\cdots \bigcirc \bigcirc \end{cases}$

$\bigcirc$을 $\bigcirc \bigcirc$에 대입하면

$4x-5(2x-3)=3,$

$4x-10x+15=3$

$-6x=-12$ ∴ $x=2$

$x=2$를 $\bigcirc$에 대입하면 $y=1$

∴ $a+b=2+1=3$

12 $\begin{cases} -x+y-3=3x-2y+7 \\ -x+y-3=2x-y+4 \end{cases}$ 에서

$\begin{cases} -4x+3y=10 \cdots\cdots \bigcirc \\ -3x+2y=7 \cdots\cdots \bigcirc \bigcirc \end{cases}$

$\bigcirc\times2-\bigcirc \bigcirc\times3$을 하면 $x=-1$

$x=-1$을 $\bigcirc \bigcirc$에 대입하면

$3+2y=7$ ∴ $y=2$

∴ $a+b=(-1)+2=1$

13 $\begin{cases} 5x-4y-10=2x+y \\ 3(x-2)+2y=2x+y \end{cases}$ 에서

$\begin{cases} 3x-5y=10 \cdots\cdots \bigcirc \\ x+y=6 \cdots\cdots \bigcirc \bigcirc \end{cases}$

$\bigcirc-\bigcirc \bigcirc\times3$을 하면

$-8y=-8$ ∴ $y=1$

$y=1$을 $\bigcirc \bigcirc$에 대입하면

$x+1=6$ ∴ $x=5$

∴ $a+b=5+1=6$

14 $\begin{cases} \dfrac{2y-7}{3}=\dfrac{3x-4y+7}{2} \\ \dfrac{2y-7}{3}=\dfrac{3x+2y-2}{5} \end{cases}$ 에서

$\begin{cases} 9x-16y=-35 \cdots\cdots \bigcirc \\ 9x-4y=-29 \cdots\cdots \bigcirc \bigcirc \end{cases}$

$\bigcirc-\bigcirc \bigcirc$을 하면

$-12y=-6$ ∴ $y=\dfrac{1}{2}$

$y=\dfrac{1}{2}$을 $\bigcirc \bigcirc$에 대입하면

$9x-2=-29$ ∴ $x=-3$

∴ $a+b=(-3)+\dfrac{1}{2}=-\dfrac{5}{2}$

12. 해가 특수한 연립방정식 (본문 91쪽)

02 $\dfrac{4}{2}=\dfrac{-2}{-1}=\dfrac{8}{4}$

이므로 해가 무수히 많다.

03 $\dfrac{1}{-2}=\dfrac{2}{-4}=\dfrac{5}{-10}$

이므로 해가 무수히 많다.

04 $\dfrac{1}{-2}=\dfrac{-3}{6}=\dfrac{4}{-8}$

이므로 해가 무수히 많다.

06 $\dfrac{2}{-6}=\dfrac{3}{b}=\dfrac{a}{-12}$ 이이어야 하므로

$-\dfrac{1}{3}=\dfrac{a}{-12}$ 에서 $3a=12$ ∴ $a=4$

$-\dfrac{1}{3}=\dfrac{3}{b}$에서 $b=-9$

07 $\dfrac{3}{b}=\dfrac{-a}{6}=\dfrac{2}{-4}$ 이이어야 하므로

$\dfrac{-a}{6}=-\dfrac{1}{2}$에서 $2a=6$ ∴ $a=3$

$\dfrac{3}{b}=-\dfrac{1}{2}$에서 $b=-6$

09 $\dfrac{4}{12}=\dfrac{-5}{-15}\neq\dfrac{2}{4}$이므로 해가 없다.

10 $\dfrac{6}{2}=\dfrac{-12}{-4}\neq\dfrac{-15}{5}$

이므로 해가 없다.

11 $\dfrac{2}{-6}=\dfrac{1}{-3}\neq\dfrac{-3}{6}$

이므로 해가 없다.

12 $\dfrac{6}{-1}=\dfrac{-24}{4}\neq\dfrac{9}{-2}$

이므로 해가 없다.

13 $\dfrac{-3}{2}=\dfrac{9}{-6}\neq\dfrac{-10}{15}$

이므로 해가 없다.

14 $\dfrac{1}{4}=\dfrac{-3}{b}\neq\dfrac{a}{8}$이어야 하므로

$\dfrac{1}{4}=-\dfrac{3}{b}$에서 $b=-12$

$\dfrac{1}{4}\neq\dfrac{a}{8}$에서 $4a\neq8$ ∴ $a\neq2$

15 $\dfrac{5}{15}=\dfrac{a}{-6}\neq\dfrac{4}{b}$이어야 하므로

$\dfrac{1}{3}=\dfrac{a}{-6}$에서 $3a=-6$ ∴ $a=-2$

$\dfrac{1}{3}\neq\dfrac{4}{b}$에서 $b\neq12$

16 $\dfrac{10}{b}=\dfrac{-5}{1}\neq\dfrac{a}{2}$이어야 하므로

$\dfrac{10}{b}=-5$에서 $b=-2$

$-5\neq\dfrac{a}{2}$에서 $a\neq-10$

17 해가 존재하지 않으려면

$\dfrac{2}{2}=\dfrac{-1}{-1}\neq\dfrac{4a}{2}$ 이어야 하므로

$4a\neq2$ ∴ $a\neq\dfrac{1}{2}$

13. 연립방정식의 활용 문제 풀이 (본문 93쪽)

06 ㉠을 ㉡에 대입하면

$2y-4y=-24$ $\therefore y=12$

$y=12$를 ㉠에 대입하면 $x=24$

14. 자연수의 활용 문제 (본문 94쪽)

02 큰 수를 x, 작은 수를 y라고 하면

$\begin{cases} x+y=50 & \cdots\cdots ㉠ \\ x=5y+2 & \cdots\cdots ㉡ \end{cases}$

㉡을 ㉠에 대입하면

$(5y+2)+y=50$ $\therefore y=8$

$y=8$을 ㉡에 대입하면 $x=42$

따라서 큰 수는 42, 작은 수는 8이다.

03 큰 수를 x, 작은 수를 y라고 하면

$\begin{cases} x-5y=10 & \cdots\cdots ㉠ \\ x=6y+1 & \cdots\cdots ㉡ \end{cases}$

㉡을 ㉠에 대입하면

$(6y+1)-5y=10$ $\therefore y=9$

$y=9$를 ㉡에 대입하면 $x=55$

따라서 큰 수는 55, 작은 수는 9이다.

05 처음 두 자리의 자연수의 십의 자리의 숫자를 x, 일의 자리의 숫자를 y라고 하면

$\begin{cases} x+y=12 \\ 10y+x=(10x+y)-18 \end{cases}$에서

$\begin{cases} x+y=12 \\ x-y=2 \end{cases}$

연립방정식을 풀면 $x=7$, $y=5$

따라서 처음 자연수는 75이다.

06 처음 두 자리의 자연수의 십의 자리의 숫자를 x, 일의 자리의 숫자를 y라고 하면

$\begin{cases} x+y=14 \\ 10y+x=10x+y+36 \end{cases}$에서

$\begin{cases} x+y=14 \\ x-y=-4 \end{cases}$

연립방정식을 풀면 $x=5$, $y=9$

따라서 처음 자연수는 59이다.

15. 나이의 활용 문제 (본문 95쪽)

02 경수의 나이를 x살, 여동생의 나이를 y살이라고 하면

$\begin{cases} x-y=5 \\ x+y=27 \end{cases}$

연립방정식을 풀면 $x=16$, $y=11$

따라서 경수의 나이는 16살이고 여동생의 나이는 11살이다.

03 이모의 나이를 x살, 준수의 나이를 y살이라고 하면

$\begin{cases} x-y=11 \\ x+y=41 \end{cases}$

연립방정식을 풀면 $x=26$, $y=15$

따라서 이모의 나이는 26살이고 준수의 나이는 15살이다.

05 아버지의 나이를 x살, 딸의 나이를 y살이라고 하면

$\begin{cases} x+y=46 & \cdots\cdots ㉠ \\ x=5y-2 & \cdots\cdots ㉡ \end{cases}$

㉡을 ㉠에 대입하면

$(5y-2)+y=46$ $\therefore y=8$

을 ㉡에 대입하면

따라서 아버지의 나이는 38살, 딸의 나이는 8살이다.

06 규태의 나이를 x살, 보라의 나이를 y살이라고 하면

$\begin{cases} x=y+7 & \cdots\cdots ㉠ \\ 3y=2x-2 & \cdots\cdots ㉡ \end{cases}$

㉠을 ㉡에 대입하면

$3y=2(y+7)-2$ $\therefore y=12$

$y=12$를 ㉠에 대입하면 $x=19$

따라서 규태의 나이는 19살, 보라의 나이는 12살이다.

16. 가격, 개수의 활용 문제 (본문 96쪽)

02 50원짜리 동전을 x개, 100원짜리 동전을 y개라고 하면

$\begin{cases} x+y=10 \\ 50x+100y=900 \end{cases}$에서

$\begin{cases} x+y=10 & \cdots\cdots ㉠ \\ x+2y=18 & \cdots\cdots ㉡ \end{cases}$

㉠, ㉡을 연립하여 풀면 $x=2$, $y=8$

따라서 50원짜리 동전의 개수는 2개, 100원짜리 동전의 개수는 8개이다.

03 50원짜리 동전의 개수를 x개, 100원짜리 동전의 개수를 y개라고 하면

$\begin{cases} x+y=20 \\ 50x+100y=1700 \end{cases}$에서

$\begin{cases} x+y=20 & \cdots\cdots ㉠ \\ x+2y=34 & \cdots\cdots ㉡ \end{cases}$

㉠, ㉡을 연립하여 풀면 $x=6$, $y=14$

따라서 100원짜리 동전의 개수는 14개이다.

04 사과와 귤의 개수를 각각 x개, y개라고 하면

$\begin{cases} x+y=11 \\ 200x+120y=1800 \end{cases}$에서

$\begin{cases} x+y=11 & \cdots\cdots ㉠ \\ 5x+3y=45 & \cdots\cdots ㉡ \end{cases}$

㉠, ㉡을 연립하여 풀면

$x=6$, $y=5$

따라서 사과의 개수는 6개, 귤의 개수는 5개이다.

06 연필 한 자루의 값을 x원, 지우개 한 개의 값을 y원이라고 하면

$\begin{cases} 3x+2y=1400 & \cdots\cdots ㉠ \\ 6x+5y=3050 & \cdots\cdots ㉡ \end{cases}$

㉠×2를 하면

$\begin{cases} 6x+4y=2800 & \cdots\cdots ㉢ \\ 6x+5y=3050 & \cdots\cdots ㉣ \end{cases}$

㉣-㉢을 하면 $y=250$

이 값을 ㉠에 대입하면

$3x+500=1400$ $\therefore x=300$

따라서 연필 한 자루의 값은 300원, 지우개 한 개의 값은 250원이다.

07 볼펜 한 자루의 값을 x원, 공책 한 권의 값을 y원이라고 하면

$\begin{cases} 5x+2y=4100 & \cdots\cdots ㉠ \\ 3x+4y=4700 & \cdots\cdots ㉡ \end{cases}$

㉠×2를 하면

$\begin{cases} 10x+4y=8200 & \cdots\cdots ㉢ \\ 3x+4y=4700 & \cdots\cdots ㉣ \end{cases}$

㉢-㉣을 하면

$7x=3500$ $\therefore x=500$

이 값을 ㉠에 대입하면

$2500+2y=4100$ $\therefore y=800$

따라서 볼펜 한 자루의 값은 500원, 공책 한 권의 값은 800원이다.

08 사과 한 개의 값을 x원, 귤 한 개의 값을 y원이라고 하면

$\begin{cases} 4x+3y=2400 & \cdots\cdots ㉠ \\ 6x+2y=3200 & \cdots\cdots ㉡ \end{cases}$

㉠×2, ㉡×3을 하면

$\begin{cases} 8x+6y=4800 & \cdots\cdots ㉢ \\ 18x+6y=9600 & \cdots\cdots ㉣ \end{cases}$

㉣-㉢을 하면

$10x=4800$ $\therefore x=480$

이 값을 ㉠에 대입하면

$1920+3y=2400$

$3y=480$ $\therefore y=160$

따라서 사과 한 개의 값은 480원, 귤 한 개의 값은 160원이다.

10 장미 한 송이의 값을 x원, 튤립 한 송이의 값을 y원이라고 하면

$\begin{cases} 6x+4y=10200 \\ y=x+300 \end{cases}$에서

$$\begin{cases} 3x+2y=5100 & \cdots\cdots\ \text{㉠} \\ y=x+300 & \cdots\cdots\ \text{㉡} \end{cases}$$

㉡을 ㉠에 대입하면
$$3x+2(x+300)=5100$$
$$5x=4500 \quad \therefore x=900$$
이 값을 ㉡에 대입하면 $y=1200$
따라서 장미 한 송이의 값은 900원, 튤립 한 송이의 값은 1200원이고, 장미 3송이와 튤립 2송이를 샀을 때의 값은
$$3\times900+2\times1200=5100(원)$$

12 어른의 수와 청소년의 수를 각각 x, y라고 하면
$$\begin{cases} x+y=250 \\ 1000x+400y=190000 \end{cases}$$
$$\begin{cases} x+y=250 & \cdots\cdots\ \text{㉠} \\ 10x+4y=1900 & \cdots\cdots\ \text{㉡} \end{cases}$$
㉡$-$㉠$\times4$를 하면
$$6x=900 \quad \therefore x=150$$
이 값을 ㉠에 대입하면 $y=100$
따라서 어른은 150명, 청소년은 100명이다.

13 어른의 입장료를 x원, 어린이의 입장료를 y원이라고 하면
$$\begin{cases} 2x+8y=9000 & \cdots\cdots\ \text{㉠} \\ x=2y & \cdots\cdots\ \text{㉡} \end{cases}$$
㉠, ㉡을 연립하여 풀면
$$x=1500,\ y=750$$
따라서 어린이의 입장료의 합계는
$$750\times8=6000(원)$$

17. 도형의 활용 문제 (본문 99쪽)

02 긴 끈의 길이를 x cm, 짧은 끈의 길이를 y cm라고 하면
$$\begin{cases} x+y=320 & \cdots\cdots\ \text{㉠} \\ x=3y-20 & \cdots\cdots\ \text{㉡} \end{cases}$$
㉡을 ㉠에 대입하면
$$(3y-20)+y=320$$
$$4y=340 \quad \therefore y=85$$
이 값을 ㉡에 대입하면
$$x=3\times85-20=235$$
따라서 긴 끈의 길이는 235 cm이다.

04 가로의 길이를 x cm, 세로의 길이를 y cm라고 하면
$$\begin{cases} y=x+9 \\ 2(x+y)=82 \end{cases}에서$$
$$\begin{cases} y=x+9 & \cdots\cdots\ \text{㉠} \\ x+y=41 & \cdots\cdots\ \text{㉡} \end{cases}$$
㉠을 ㉡에 대입하면 $x+(x+9)=41$
$$2x=32 \quad \therefore x=16$$
이 값을 ㉠에 대입하면 $y=25$

따라서 직사각형의 넓이는
$$16\times25=400(\text{cm}^2)$$

18. 거리, 속력, 시간의 활용 문제 (1)
(본문 100쪽)

03 $\begin{cases} x+y=6 \\ \dfrac{x}{4}+\dfrac{y}{2}=2 \end{cases}$에서
$$\begin{cases} x+y=6 & \cdots\cdots\ \text{㉠} \\ x+2y=8 & \cdots\cdots\ \text{㉡} \end{cases}$$
연립하여 풀면 $x=4,\ y=2$

06 보라가 걸어간 거리를 x km, 뛰어간 거리를 y km라고 하면
$$\begin{cases} x+y=5 \\ \dfrac{x}{3}+\dfrac{y}{9}=1 \end{cases}에서$$
$$\begin{cases} x+y=5 & \cdots\cdots\ \text{㉠} \\ 3x+y=9 & \cdots\cdots\ \text{㉡} \end{cases}$$
㉠, ㉡을 연립하여 풀면 $x=2,\ y=3$
따라서 뛰어간 거리는 3 km이다.

08 $\begin{cases} x+y=10 \\ \dfrac{x}{2}+\dfrac{y}{4}=4 \end{cases}$에서
$$\begin{cases} x+y=10 & \cdots\cdots\ \text{㉠} \\ 2x+y=16 & \cdots\cdots\ \text{㉡} \end{cases}$$
㉠, ㉡을 연립하여 풀면 $x=6,\ y=4$

10 올라간 거리를 x km, 내려온 거리를 y km라고 하면
$$\begin{cases} y=x+2 \\ \dfrac{x}{2}+\dfrac{y}{3}=4 \end{cases}에서$$
$$\begin{cases} y=x+2 & \cdots\cdots\ \text{㉠} \\ 3x+2y=24 & \cdots\cdots\ \text{㉡} \end{cases}$$
㉠, ㉡을 연립하여 풀면 $x=4,\ y=6$
따라서 올라간 거리는 4 km, 내려온 거리는 6 km이다.

11 갈 때의 거리를 x km, 올 때의 거리를 y km라고 하면
$$\begin{cases} x+y=21 \\ \dfrac{x}{6}+\dfrac{y}{8}=3 \end{cases}에서$$
$$\begin{cases} x+y=21 & \cdots\cdots\ \text{㉠} \\ 4x+3y=72 & \cdots\cdots\ \text{㉡} \end{cases}$$
㉠, ㉡을 연립하여 풀면 $x=9,\ y=12$
따라서 갈 때의 거리는 9 km, 올 때의 거리는 12 km이다.

19. 거리, 속력, 시간의 활용 문제 (2)
(본문 102쪽)

01 다리를 완전히 통과하기 위해 기차가 움

직이는 거리는 각각 $(1300+x)$ m, $(2000+x)$ m이므로
$$\begin{cases} 1300+x=y \\ 2000+x=\dfrac{3}{2}y \end{cases}$$
02 $\begin{cases} 1300+x=y & \cdots\cdots\ \text{㉠} \\ 2000+x=\dfrac{3}{2}y & \cdots\cdots\ \text{㉡} \end{cases}$
㉡$-$㉠을 하면
$$700=\dfrac{1}{2}y \quad \therefore y=1400$$
이 값을 ㉠에 대입하면 $x=100$

04 전철의 길이를 x m, 전철의 속력을 분속 y m라고 하면
$$\begin{cases} 2500+x=2y & \cdots\cdots\ \text{㉠} \\ 1100+x=y & \cdots\cdots\ \text{㉡} \end{cases}$$
㉠$-$㉡을 하면 $y=1400$
이 값을 ㉡에 대입하면 $x=300$
따라서 전철의 길이는 300 m이다.

05 기차의 길이를 x m, 기차의 속력을 초속 y m라고 하면
$$\begin{cases} 800+x=23y & \cdots\cdots\ \text{㉠} \\ 400+x=13y & \cdots\cdots\ \text{㉡} \end{cases}$$
㉠$-$㉡을 하면 $y=40$
이 값을 ㉡에 대입하면
$$400+x=520 \quad \therefore x=120$$
따라서 기차의 길이는 120 m이다.

06 기차의 길이를 xm, 기차의 속력을 초속 ym라고 하면 다리를 완전히 통과하기 위해 기차가 움직이는 거리는 각각 $(600+x)$ m, $(1600+x)$ m이므로
$$\begin{cases} 600+x=20y \\ 1600+x=40y \end{cases}$$
07 $\begin{cases} 600+x=20y \\ 1600+x=40y \end{cases}$
㉡$-$㉠을 하면
$$1000=20y \quad \therefore y=50$$
이 값을 ㉠에 대입하면 $x=400$

09 기차의 길이를 x m, 기차의 속력을 초속 y m라고 하면
$$\begin{cases} 400+x=15y & \cdots\cdots\ \text{㉠} \\ 800+x=25y & \cdots\cdots\ \text{㉡} \end{cases}$$
㉡$-$㉠을 하면
$$400=10y \quad \therefore y=40$$
따라서 기차의 속력은 초속 40 m이다.

10 기차의 길이를 x m, 기차의 속력을 초속 y m라고 하면
$$\begin{cases} 1700+x=120y & \cdots\cdots\ \text{㉠} \\ 800+x=60y & \cdots\cdots\ \text{㉡} \end{cases}$$
㉠$-$㉡을 하면
$$900=60y \quad \therefore y=15$$
따라서 기차의 속력은 초속 15 m이다.

11 기차의 길이를 x m, 기차의 속력을 초속 y m라고 하면
$$\begin{cases} 700+x=30y & \cdots\cdots \text{㉠} \\ 1600+x=60y & \cdots\cdots \text{㉡} \end{cases}$$
㉡−㉠을 하면
$$900=30y \quad \therefore y=30$$
따라서 기차의 속력은 초속 30 m이다.

20. 증가와 감소의 활용 문제 (본문 104쪽)

03 $\begin{cases} x+y=450 \\ \dfrac{20}{100}x-\dfrac{50}{100}y=-50 \end{cases}$에서
$$\begin{cases} x+y=450 & \cdots\cdots \text{㉠} \\ 2x-5y=-500 & \cdots\cdots \text{㉡} \end{cases}$$
㉠×2−㉡을 하면
$$7y=1400 \quad \therefore y=200$$
이 값을 ㉠에 대입하면 $x=250$

04 올해의 남학생 수는
$$250+250\times0.2=250+50=300(명)$$
올해의 여학생 수는
$$200-200\times0.5=200-100=100(명)$$

05 작년의 수확량은 사과와 배를 합하여 500상자이므로
$$x+y=500$$
올해는 작년에 비해 사과는 5 % 감소하고 배는 10 % 증가하여 전체적으로 4 %가 늘었으므로
$$-\frac{5}{100}x+\frac{10}{100}y=500\times\frac{4}{100}$$
즉, 미지수가 2개인 연립방정식을 얻는다.
$$\begin{cases} x+y=500 \\ -\dfrac{5}{100}x+\dfrac{10}{100}y=20 \end{cases}$$

06 $\begin{cases} x+y=500 \\ -\dfrac{5}{100}y+\dfrac{10}{100}y=20 \end{cases}$에서
$$\begin{cases} x+y=500 & \cdots\cdots \text{㉠} \\ -x+2y=400 & \cdots\cdots \text{㉡} \end{cases}$$
㉠+㉡을 하면
$$3y=900 \quad \therefore y=300$$
이 값을 ㉠에 대입하면 $x=200$
따라서 작년의 사과 수확량은 200상자이고, 배 수확량은 300상자이다.
올해의 사과 수확량은
$$200-200\times0.05=190(상자)$$
올해의 배 수확량은
$$300+300\times0.1=330(상자)$$

---

01. 함수 (본문 110쪽)

19 $y=ax$에 $x=1$, $y=5$를 대입하면
$$5=a \quad \therefore y=5x$$

20 $y=ax$에 $x=-6$, $y=-6$을 대입하면
$$-6=-6a,\ a=1 \quad \therefore y=x$$

21 $y=ax$에 $x=-3$, $y=-9$를 대입하면
$$-9=-3a,\ a=3$$
$$\therefore y=3x$$

22 $y=ax$에 $x=5$, $y=-10$을 대입하면
$$-10=5a,\ a=-2$$
$$\therefore y=-2x$$

23 $y=ax$에 $x=-8$, $y=4$를 대입하면
$$4=-8a,\ a=-\frac{1}{2}$$
$$\therefore y=-\frac{1}{2}x$$

25 $y=\dfrac{a}{x}$에 $x=1$, $y=5$를 대입하면
$$5=a \quad \therefore y=\frac{5}{x}$$

26 $y=\dfrac{a}{x}$에 $x=-6$, $y=-6$을 대입하면
$$-6=\frac{a}{-6},\ a=36 \quad \therefore y=\frac{36}{x}$$

27 $y=\dfrac{a}{x}$에 $x=-3$, $y=-9$를 대입하면
$$-9=\frac{a}{-3},\ a=27 \quad \therefore y=\frac{27}{x}$$

28 $y=\dfrac{a}{x}$에 $x=5$, $y=-10$을 대입하면
$$-10=\frac{a}{5},\ a=-50 \quad \therefore y=-\frac{50}{x}$$

29 $y=\dfrac{a}{x}$에 $x=-8$, $y=4$를 대입하면
$$4=\frac{a}{-8},\ a=-32 \quad \therefore y=-\frac{32}{x}$$

02. 함숫값 (본문 113쪽)

02 $f(1)=12\times1=12$

03 $f(0)=12\times0=0$

04 $f(-1)=12\times(-1)=-12$

05 $f(-4)=12\times(-4)=-48$

06 $f\left(\dfrac{1}{3}\right)=12\times\dfrac{1}{3}=4$

08 $f(1)=\dfrac{12}{1}=12$

09 $f(12)=\dfrac{12}{12}=1$

10 $f(-1)=\dfrac{12}{-1}=-12$

---

11 $f(-4)=\dfrac{12}{-4}=-3$

12 $f\left(\dfrac{1}{3}\right)=\dfrac{12}{\dfrac{1}{3}}=12\div\left(\dfrac{1}{3}\right)$
$$=12\times3=36$$

14 $f(1)=-3\times1=-3$

15 $f(0)=-3\times0=0$

16 $f(-1)=-3\times(-1)=3$

17 $f(-4)=-3\times(-4)=12$

18 $f\left(\dfrac{1}{3}\right)=-3\times\dfrac{1}{3}=-1$

20 $f(1)=9\times1-7=2$

21 $f(0)=9\times0-7=-7$

22 $f(-1)=9\times(-1)-7=-16$

23 $f(-4)=9\times(-4)-7=-43$

24 $f\left(\dfrac{1}{3}\right)=9\times\dfrac{1}{3}-7=-4$

26 $-\dfrac{1}{2}a=3 \quad \therefore a=-6$

27 $-\dfrac{1}{2}a=2 \quad \therefore a=-4$

28 $-\dfrac{1}{2}a=-1 \quad \therefore a=2$

29 $-\dfrac{1}{2}a=-5 \quad \therefore a=10$

30 $-\dfrac{1}{2}a=0 \quad \therefore a=0$

32 $y=\dfrac{24}{a}+1=3$에서 $\dfrac{24}{a}=2$
$$\therefore a=12$$

33 $y=\dfrac{24}{a}+1=2$에서 $\dfrac{24}{a}=1$
$$\therefore a=24$$

34 $y=\dfrac{24}{a}+1=-1$에서 $\dfrac{24}{a}=-2$
$$\therefore a=-12$$

35 $y=\dfrac{24}{a}+1=-5$에서 $\dfrac{24}{a}=-6$
$$\therefore a=-4$$

36 $y=\dfrac{24}{a}+1=0$에서 $\dfrac{24}{a}=-1$
$$\therefore a=-24$$

38 $2a=6$, $a=3$이므로 $f(x)=3x$
$$\therefore f(-3)=3\times(-3)=-9$$

39 $10a=-4$, $a=-\dfrac{2}{5}$이므로
$$f(x)=-\frac{2}{5}x$$
$$\therefore f(-5)=-\frac{2}{5}\times(-5)=2$$

40 $3a=-4$, $a=-\dfrac{4}{3}$이므로
$$f(x)=-\frac{4}{3}x$$

$\therefore f(6)=-\dfrac{4}{3}\times 6=-8$

42 $\dfrac{a}{2}=6$, $a=12$이므로

$f(x)=\dfrac{12}{x}$

$\therefore f(x)=\dfrac{12}{-3}=-4$

43 $\dfrac{a}{10}=4$, $a=40$이므로 $f(x)=\dfrac{40}{x}$

$\therefore f(-5)=\dfrac{40}{-5}=-8$

44 $\dfrac{a}{-3}=-4$, $a=12$이므로 $f(x)=\dfrac{12}{x}$

$\therefore f(6)=\dfrac{12}{6}=2$

04. 일차함수의 뜻 (본문 118쪽)

01 x항이 없다.

04 x가 분모에 있다.

05 정리하면 $y=-5x+5$

06 x에 관한 이차식이다.

07 정리하면 $y=-1$이므로 x항이 없다.

08 정리하면 $y=-x+4$

09 $f(2)=2\times 2+3=7$

10 $f(3)=2\times 3+3=9$

11 $f(2)=7$, $f(3)=9$이므로
$f(2)+f(3)=7+9=16$

12 $f(1)=2\times 1+3=5$,
$f(4)=2\times 4+3=11$
$f(1)-f(4)=5-11=-6$

05. 일차함수의 그래프와 평행이동
(본문 119쪽)

09 일차함수 $y=-\dfrac{3}{2}x+b$의 그래프는

$y=-\dfrac{3}{2}x$의 그래프를 y축의 방향으로

b만큼 평행이동한 것이다.

$\therefore a=-\dfrac{3}{2}$, $b=6$

11 $y=-\dfrac{1}{4}x-7$에서 $x=2$일 때 y의 값

은 $y=-\dfrac{1}{4}\times 2-7=-\dfrac{15}{2}\neq -8$

따라서 $(2,\ -8)$은 이 그래프 위에 있지
않다.

12 $y=-\dfrac{1}{4}x-7$에서 $x=8$일 때 y의 값

은 $y=-\dfrac{1}{4}\times 8-7=-9$

따라서 $(8,\ -9)$는 이 그래프 위의 점이다.

14 $y=ax+1$에 $x=-2$, $y=3$을 대입하
면 $3=-2a+1$ $\therefore a=-1$
일차함수 $y=ax+1$, 즉 $y=-x+1$의
그래프를 y축의 방향으로 5만큼 평행이
동하면 $y=-x+6$
이 그래프가 점 $(2,\ b)$를 지나므로
$b=-2+6=4$

15 일차함수 $y=ax+b$의 그래프를 y축의
방향으로 -2만큼 평행이동하면
$y=ax+b-2$
이 그래프가 두 점 $(3,\ 1)$, $(-6,\ 4)$를
지나므로
$1=3a+b-2$ $\therefore 3a+b=3$ ⋯⋯ ㉠
$4=-6a+b-2$
$\therefore 6a-b=-6$ ⋯⋯ ㉡
㉠, ㉡을 연립하여 풀면
$a=-\dfrac{1}{3}$, $b=4$

06. x절편, y절편 (본문 121쪽)

09 x절편이 -3이므로 $0=2\times(-3)+b$
$\therefore b=6$
따라서 일차함수 $y=2x+6$의 그래프에
서 절편은 6이다.

10 $y=\dfrac{1}{2}x+b$에 $(4,\ 0)$을 대입하면

$0=\dfrac{1}{2}\times 4+b$ $\therefore b=-2$

12 x절편 : -4, 절편 : 4
그래프는 오른쪽
그림과 같으므로 구
하는 넓이는
$\dfrac{1}{2}+4\times 4=8$

13 x절편 : $0=-5x+20$ $\therefore x=4$
y절편 : $y=-5\times 0+20$ $\therefore y=20$
그래프는 오른쪽
그림과 같으므로 구
하는 넓이는
$\dfrac{1}{2}+4\times 20=40$

07. 일차함수의 그래프의 기울기 (본문 123쪽)

10 $a=$(기울기)$=\dfrac{(y\text{의 값의 증가량})}{(x\text{의 값의 증가량})}$

$a=\dfrac{-15}{3}=-5$

11 (기울기)$=\dfrac{(y\text{의 값의 증가량})}{(x\text{의 값의 증가량})}$

(기울기)$=\dfrac{-8}{2}=-4$

12 (기울기)$=\dfrac{(y\text{의 값의 증가량})}{(x\text{의 값의 증가량})}=\dfrac{3}{2}$

13 (기울기)$=\dfrac{(y\text{의 값의 증가량})}{(x\text{의 값의 증가량})}=\dfrac{2}{3}$

14 두 점 $(0,\ -5)$, $(2,\ -2)$를 지나므로

(기울기)$=\dfrac{(y\text{의 값의 증가량})}{(x\text{의 값의 증가량})}=\dfrac{3}{2}$

16 (기울기)$=\dfrac{2-4}{4-(-2)}=\dfrac{-2}{6}=-\dfrac{1}{3}$

17 (기울기)$=\dfrac{2-4}{5-(-3)}=\dfrac{-2}{8}=-\dfrac{1}{4}$

19 $\dfrac{3-1}{-2-(-1)}=\dfrac{(k-1)-1}{k-(-1)}$

$-2=\dfrac{k-2}{k+1}$

$-2k-2=k-2$, $3k=0$

$\therefore k=0$

20 $\dfrac{-5-(-3)}{1-(-2)}=\dfrac{-3-k}{-2-(-8)}$

$\dfrac{-2}{3}=\dfrac{-3-k}{6}$, $-12=-9-3k$

$\therefore k=1$

08. 기울기와 y절편으로 그래프 그리기
(본문 126쪽)

01 $x=1$일때, $y=-2$이고,
$x=4$일때, $y=7$이므로
y값의 증가량은 $7-(-2)=9$이다.

09. 일차함수의 그래프의 성질 (본문 127쪽)

15 오른쪽 아래로 향하므로 $a<0$
y축과 양의 부분에서 만나므로 $b>0$

16 오른쪽 위로 향하므로 $a>0$,
y축과 음의 부분에서 만나므로 $b<0$

17 $y=-ax-b$의 그래프가 오른쪽 아래로
향하므로
$-a<0$ $\therefore a>0$
y축과 음의 부분에서 만나므로
$-b<0$ $\therefore b>0$

19 $y=ax+b$의 그래프가 오른쪽 아래로
향하므로 $a<0$,
y축과 음의 부분에서 만나므로 $b<0$
따라서 $y=bx-a$에서 기울기 $b<0$,
y절편 $-a>0$

따라서 $y=bx-a$의 그래프는 다음 그림과 같으므로 제3사분면을 지나지 않는다.

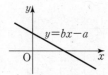

10. 일차함수의 그래프의 평행과 일치
(본문 129쪽)

01 기울기가 5로 같고, y절편은 서로 다른 ⓒ, ⓒ이다.

02 기울기가 -2로 같고, y절편은 서로 다른 ⓒ이다.

03 기울기가 $\dfrac{1}{3}$로 같고, y절편은 서로 다른 ㉠이다.

05 두 직선이 평행하려면 두 직선의 기울기가 같아야 하므로 $k=4$

06 ③ $y=-\dfrac{1}{2}(3-4x)=2x-\dfrac{3}{2}$
따라서 그래프가 $y=2x+3$의 그래프와 평행하므로 만나지 않는다.

08 $2a=-1$, $-4=3b$에서
$a=-\dfrac{1}{2}$, $b=-\dfrac{4}{3}$

09 $-a=\dfrac{1}{3}$, $-2=2b$에서
$a=-\dfrac{1}{3}$, $b=-1$

11 $y=2ax-1$의 그래프를 y축의 방향으로 k만큼 평행이동하면
$y=2ax-1+k$
이 그래프가 $y=-4x-5$의 그래프와 일치하므로
$2a=-4$, $-1+k=-5$
$\therefore a=-2$, $k=-4$

12 (1) $y=ax+b$에서 기울기는
$a=\dfrac{-6}{2}=-3$이고, y절편은 $b=6$
이다. 즉, $y=-3x+6$의 그래프이다. 기울기가 -3이고, y절편이 6이 아닌 것을 찾으면 ⓒ이다.
(2) 기울기가 -3이고, y절편이 6인 것을 찾으면 ㉠이다.

11. 기울기와 한 점을 알 때 일차함수의 식 구하기 (본문 131쪽)

03 점 $(0, 3)$을 지나므로 y절편이 3이다.

$\therefore y=2x+3$

04 점 $(0, -5)$를 지나므로 y절편이 -5이다.
$\therefore y=3x-5$

06 기울기가 2이고, y절편이 -8이므로
$y=2x-8$

08 $y=\dfrac{1}{2}x+b$로 놓으면 점 $(-4, 5)$를 지나므로
$5=-2+b$ $\therefore b=7$
$\therefore y=\dfrac{1}{2}x+7$

09 $y=3x+b$로 놓으면 점 $(1, -2)$를 지나므로
$-2=3+b$ $\therefore b=-5$
$\therefore y=3x-5$

10 일차함수 $y=\dfrac{3}{4}x-1$의 그래프와 평행하면 기울기가 $\dfrac{3}{4}$이므로 $y=\dfrac{3}{4}x+b$로 놓고 $x=4$, $y=-1$을 대입하면
$-1=3+b$ $\therefore b=-4$
$\therefore y=\dfrac{3}{4}x-4$

11 기울기가 -2이므로 $y=-2x+b$로 놓으면 일차함수 $y=\dfrac{1}{3}x-1$의 그래프의 x절편이 3이므로 $y=-2x+b$의 그래프의 x절편도 3이어야 한다.
$y=-2x+b$에 $x=3$, $y=0$을 대입하면 $0=-6+b$ $\therefore b=6$
$\therefore y=-2x+6$

12. 두 점을 알 때 일차함수의 식 구하기 (본문 133쪽)

02 (기울기)$=\dfrac{-1-(-2)}{-1-2}=-\dfrac{1}{3}$
$y=-\dfrac{1}{3}x+b$로 놓으면
점 $(-1, -1)$을 지나므로
$-1=\dfrac{1}{3}+b$ $\therefore b=-\dfrac{4}{3}$
$\therefore y=-\dfrac{1}{3}x-\dfrac{4}{3}$

03 (기울기)$=\dfrac{1-(-1)}{-2-2}=-\dfrac{1}{2}$
$y=-\dfrac{1}{2}x+b$로 놓으면 점 $(2, -1)$을 지나므로

$-1=-1+b$ $\therefore b=0$
따라서 $y=-\dfrac{1}{2}x$의 그래프를 y축의 방향으로 만큼 평행 이동하면
$y=-\dfrac{1}{2}x+2$

04 두 점 $(-1, 10)$, $(2, -2)$를 지나는
직선의 기울기는 $\dfrac{-2-10}{2-(-1)}=-4$

$y=-4x+b$의 그래프가 점 $(2, -2)$를 지나므로
$-2=-8+b$ $\therefore b=6$
$\therefore y=-4x+6$
이 그래프를 y축의 방향으로 2만큼 평행 이동하면
$y=-4x+8$

06 구하는 식을 $y=ax+b$라고 하면
점 $(-2, 1)$을 지나므로
$-2a+b=1$ ⋯⋯㉠
또, 점 $(3, 11)$을 지나므로
$3a+b=11$ ⋯⋯ⓒ
㉠, ⓒ을 연립하여 풀면 $a=2$, $b=5$
따라서 구하는 일차함수의 식은
$y=2x+5$

07 구하는 식을 $y=ax+b$라고 하면
점 $(1, 2)$을 지나므로
$a+b=2$ ⋯⋯㉠
또, 점 $(3, -2)$을 지나므로
$3a+b=-2$ ⋯⋯ⓒ
㉠, ⓒ을 연립하여 풀면
$a=-2$, $b=4$
따라서 구하는 일차함수의 식은
$y=-2x+4$

08 구하는 식을 $y=ax+b$라고 하면
점 $(-1, 1)$을 지나므로
$1=a\times(-1)+b$
$\therefore -a+b=1$ ⋯⋯㉠
또, 점 $(1, 5)$을 지나므로
$5=a\times1+b$
$\therefore a+b=5$ ⋯⋯ⓒ
㉠, ⓒ을 연립하여 풀면
$a=2$, $b=3$
따라서 구하는 일차함수의 식은
$y=2x+3$

09 구하는 식을 $y=ax+b$라고 하면
점 $(2, 1)$을 지나므로
$1=2a+b$ ⋯⋯㉠
또, 점 $(3, -1)$을 지나므로
$-1=3a+b$ ⋯⋯ⓒ
㉠, ⓒ을 연립하여 풀면
$a=-2$, $b=5$
따라서 구하는 일차함수의 식은

$y=-2x+5$

10 점 $(-1, 4)$를 지나므로
$$-a+b=4 \qquad \cdots\cdots \text{㉠}$$
또, 점 $(2, 1)$을 지나므로
$$2a+b=1 \qquad \cdots\cdots \text{㉡}$$
㉠, ㉡을 연립하여 풀면
$a=-1, b=3$
$a+b=2$

13. x절편, y절편을 알 때 일차함수의 식 구하기 (본문 135쪽)

01 기울기는 $\dfrac{-3-0}{0-6}=\dfrac{1}{2}$,

y절편은 -3이므로
$$y=\dfrac{1}{2}x-3$$

02 두 점 $(3, 0)$, $(0, 2)$를 지나므로
기울기는 $\dfrac{2-0}{0-3}=-\dfrac{2}{3}$

또, y절편은 2이므로 $y=-\dfrac{2}{3}x+2$

03 두 점 $(1, 0)$, $(0, -2)$를 지나므로
기울기는 $\dfrac{-2-0}{0-1}=2$

또, y절편은 -2이므로 $y=2x-2$

04 (기울기)$=-\dfrac{4}{2}=-2$,

y절편이 4인 직선 $y=-2x+4$

| 다른 풀이 |

공식 $\dfrac{x}{a}+\dfrac{y}{b}=1$에 대입하면

$$\dfrac{x}{2}+\dfrac{y}{4}=1$$

이것을 정리하면 $y=-2x+4$

05 기울기는 $\dfrac{-3-0}{0-5}=\dfrac{3}{5}$,

y절편은 -3이므로 $y=\dfrac{3}{5}x-3$

| 다른 풀이 |

공식 $\dfrac{x}{a}+\dfrac{y}{b}=1$에 대입하면

$$\dfrac{x}{5}+\dfrac{y}{-3}=1$$

이것을 정리하면 $y=\dfrac{3}{5}x-3$

14. 함수의 활용 (본문 136쪽)

02 $y=4\times15=60\,(\text{km})$

03 $100=4\times x$ $\therefore x=25\,(\text{분})$

04 연필 1자루의 가격은 700원이므로
$$y=700x$$

05 $y=700\times12=8400\,(\text{원})$

06 $14000=700\times x$ $\therefore x=20\,(\text{자루})$

08 $y=\dfrac{2}{3}\times6=4\,(\text{번})$

09 $10=\dfrac{2}{3}\times x$ $x=15\,(\text{번})$

11 $y=4\times8=32\,(\text{L})$

12 $120=4\times x$ $\therefore x=30\,(\text{분})$

14 $y=2.5\times10=25\,(\text{cm})$

15 $10=2.5\times x$ $\therefore x=4\,(\text{g})$

17 $y=12\times25=300\,(\text{km})$

18 $60=12\times x$ $\therefore x=5\,(\text{L})$

19 (1) 1분마다 2 cm씩 짧아지므로 x와 y 사이의 관계식은 $y=30-2x$
(2) $y=30-2x$에 $x=12$를 대입하면
$$y=30-2\times12=6$$
따라서 불을 붙인 지 12분 후의 남은 양초의 길이는 6 cm이다.
(3) $y=30-2x$에 $y=14$를 대입하면
$$14=30-2x, \ 2x=16 \ \therefore x=8$$
따라서 남은 양초의 길이가 14 cm가 되는 것은 불을 붙인 지 8분 후이다.

21 비커를 실온에 놓은 x지 분 후의 물의 온도를 $y\,^\circ\text{C}$라고 하자.
물의 온도가 2분에 $4\,^\circ\text{C}$ 내려가므로 1분에 $2\,^\circ\text{C}$씩 내려간다. 즉, x, y 사이의 관계식은 $y=100-2x$
위의 식에 $y=50$을 대입하면
$$50=100-2x \ \therefore x=25$$
따라서 물의 온도가 $50\,^\circ\text{C}$가 되는 것은 비커를 실온에 놓은 지 25분 후이다.

22 (1) 기온이 $x\,^\circ\text{C}$일 때의 소리의 속력을 초속 y m라고 하면 기온이 $5\,^\circ\text{C}$씩 올라갈 때, 소리의 속력은 초속 3 m씩 증가하므로 기온이 $1\,^\circ\text{C}$ 올라갈 때마다 소리의 속력은 초속 $\dfrac{3}{5}$ m씩 증가한다. 즉, x, y 사이의 관계식은
$$y=\dfrac{3}{5}x+331$$
(2) 위의 식에 $x=30$을 대입하면
$$y=349$$
따라서 기온이 $30\,^\circ\text{C}$인 날의 소리의 속력은 초속 349 m이다.
(3) 위의 식에 $x=35$를 대입하면
$$y=352$$
따라서 기온이 $35\,^\circ\text{C}$인 날의 소리의 속력은 초속 352 m이다.

23 추의 무게가 $20-10=10\,(\text{g})$ 늘어날 때

용수철의 길이가 $29-27=2\,(\text{cm})$ 늘어났으므로 추의 무게가 1 g 늘어 날 때 용수철의 길이는 $\dfrac{1}{5}$ cm씩 늘어난다.

처음 용수철의 길이를 b cm라고 하면 x, y 사이의 관계식은 $y=b+\dfrac{1}{5}x$,

$x=10$, $y=27$을 대입하면 $27=b+2$
$\therefore b=25$

따라서 구하는 관계식은 $y=\dfrac{1}{5}x+25$

위의 식에 $x=30$을 대입하면 $y=31$

따라서 30 g의 추를 달았을 때 용수철의 길이는 31 cm이다.

24 물을 채우기 시작한 지 $15-10=5\,(\text{분})$ 동안 물의 높이가 $33-30=3\,(\text{cm})$ 늘어났으므로 물의 높이는 1분에 $\dfrac{3}{5}$ cm씩 늘어난다.

처음에 들어 있던 물의 높이를 b cm, 물을 채우기 시작한 지 x분 후의 물의 높이를 y cm라고 하면 x, y 사이의 관계식은 $y=b+\dfrac{3}{5}x$

$x=10$, $y=30$을 대입하면
$$30=b+6 \ \therefore b=24$$
따라서 처음에 들어 있던 물의 높이는 24 cm이다.

25 (1) x시간 동안 $40x$ km만큼 가므로 x와 y 사이의 관계식은
$$y=149-40x$$
(2) $y=29$를 대입하면
$$29=149-40x, \ 40x=120$$
$$\therefore x=3$$
따라서 이어도까지 남은 거리가 29 km라면 마라도에서 배로 3시간 동안 간 것이다.

26 출발한 지 x분 후의 남은 거리가 y m이므로 x, y 사이의 관계식은
$$y=2000-50x$$
$x=25$를 대입하면
$$y=2000-50\times25=750$$
따라서 출발한 지 25분 후의 남은 거리는 750 m이다.

27 x km를 달린 후 남아 있는 휘발유의 양을 y L라고 하면 1 km를 달리는 데 필요한 휘발유의 양은 $\dfrac{1}{25}$ L이므로
$$y=70-\dfrac{1}{25}x$$
위의 식에 $y=20$을 대입하면

$20=70-\dfrac{1}{25}x,\ \dfrac{1}{25}x=50$

$\therefore x=1250$

따라서 휘발유가 20 L 남았을 때 자동차가 달린 거리는 1250 km이다.

28 4 km=4000 m, 분속 200 m로 달리고, 출발한 지 x분 후에 결승점까지 남은 거리가 y m이므로 $x,\ y$ 사이의 관계식은 $y=4000-200x$

$y=1800$을 대입하면

$18000=4000-200x,\ 200x=2200$

$\therefore x=11$

따라서 결승점까지 1800 m 남은 지점을 통과하는 것은 출발한 지 11분 후이다.

29 (1) x초 후 $\overline{BP}=\dfrac{1}{2}x$ cm이므로

$$y=\dfrac{1}{2}\times\dfrac{1}{2}x\times8\quad\therefore y=2x$$

(2) $y=2x$에 $y=30$을 대입하면

$30=2x\quad\therefore x=15$

따라서 $\triangle ABP$의 넓이가 30 cm²가 되는 것은 출발한 지 15초 후이다.

30 x초 후 $\overline{BP}=2x$ cm이므로

$\overline{PC}=(14-2x)$cm

점 P가 출발한 지 x초 후 사다리꼴 APCD의 넓이가 y cm²이므로

$x,\ y$ 사이의 관계식은

$y=\dfrac{1}{2}\times\{14+(14-2x)\}\times8$

$\therefore y=112-8x$

위의 식에 $y=48$을 대입하면

$48=112-8x,\ 8x=64\quad\therefore x=8$

따라서 사다리꼴 APCD의 넓이가 48 cm²가 되는 것은 출발한 지 8초 후이다.

31 $\overline{BP}=x$ cm일 때,

$\overline{PC}=(18-x)$cm이므로

$\triangle ABP=\dfrac{1}{2}\times x\times10=5x$

$\triangle DPC=\dfrac{1}{2}\times(18-x)\times6=54-3x$

즉, $x,\ y$ 사이의 관계식은

$y=5x+(54-3x)\quad\therefore y=2x+54$

$y=2x+54$에 $y=80$을 대입하면

$80=2x+54,\ 2x=26\quad\therefore x=13$

따라서 두 삼각형의 넓이의 합이 80 cm²일 때의 $\overline{BP}$의 길이는 13 cm이다.

15. 일차방정식과 일차함수의 관계
(본문 143쪽)

01 $x+2y-2=0,\ 2y=-x+2$

$\therefore y=-\dfrac{1}{2}x+1$

02 $x-3y+6=0,\ 3y=x+6$

$\therefore y=\dfrac{1}{3}x+2$

06 $2x-3y-6=0$을 y에 관한 식으로 나타내면

$-3y=-2x+6\quad\therefore y=\dfrac{2}{3}x-2$

따라서 기울기는 $\dfrac{2}{3}$, y절편은 -2이다.

07 $7x-4y=8$에서 $-4y=-7x+8$

$\therefore y=\dfrac{7}{4}x-2$

x절편을 구하면 $\dfrac{7}{4}x-2=0,\ x=\dfrac{8}{7}$

y절편은 $y=-2$

08 ① y에 관하여 풀면 $y=\dfrac{5}{2}x-10$이므로 직선이다.

② $0=\dfrac{5}{2}x-10\quad\therefore x=4$

③ y절편은 -10이다.

④ $x=2$를 대입하면

$y=\dfrac{5}{2}\times2-10=-5$

⑤ $y=\dfrac{5}{2}x$와 기울기가 같으므로 평행하다.

09 $ax+2y-12=0$을 y에 관한 식으로 나타내면

$2y=-ax+12,\ y=-\dfrac{a}{2}x+6$

$-\dfrac{a}{2}=\dfrac{3}{2}\quad\therefore a=-3$

10 $ax+by+6=0$에서

$y=-\dfrac{a}{b}x-\dfrac{6}{b}$이므로

기울기 $-2=-\dfrac{a}{b}$, y절편 $3=-\dfrac{6}{b}$

즉, $3=-\dfrac{6}{b}$에서 $b=-2$

$-2=-\dfrac{a}{b}=-\dfrac{a}{(-2)}$에서 $a=-4$

$\therefore a-b=-4-(-2)=-2$

11 주어진 식을 일차함수 $y=ax+b$의 꼴로 고치면,

$x-2y+6=0,\ 2y=x+6$

따라서 $y=\dfrac{1}{2}x+3$이므로

$a=\dfrac{1}{2},\ b=3$

$y=0$일 때, $x+6=0,\ x=-6$

$\therefore c=-6$

$\therefore abc=\dfrac{1}{2}\times3\times(-6)=-9$

12 $3x-y-4=0$에

$x=a,\ y=-1$을 대입하면

$3a+1-4=0,\ 3a=3$

$\therefore a=1$

13 $10x-ay+b=0$에서 $y=\dfrac{10}{a}x+\dfrac{b}{a}$

이 그래프를 y축의 방향으로 -2만큼 평행이동하면

$y=\dfrac{10}{a}x+\dfrac{b}{a}-2$

따라서 $\dfrac{10}{a}=\dfrac{5}{4},\ \dfrac{b}{a}-2=-\dfrac{7}{4}$이므로

$a=8,\ b=2$

$\therefore a+b=8+2=10$

14 $x-2y+8=0$에서

$x=2a,\ y=1$을 대입하면

$2a-2+8=0,\ 2a=-6$

$\therefore a=-3$

$x=-4,\ y=b$를 대입하면

$-4-2b+8=0,\ -2b=-4$

$\therefore b=2$

$\therefore a+b=(-3)+2=-1$

15 일차방정식 $ax+by+6=0$의 그래프가 점 $(-3,\ 0)$을 지나므로

$x=-3,\ y=0$을 대입하면

$-3a+6=0\quad\therefore a=2$

또, 점 $(0,\ 2)$를 지나므로

$x=0,\ y=2$를 대입하면

$2b+6=0\quad\therefore b=-3$

$\therefore a+b=2+(-3)=-1$

16 일차방정식 $ax+by-2=0$에

$x=-2,\ y=0$을 대입하면

$-2a-2=0\quad\therefore a=-1$

$x=0,\ y=-3$을 대입하면

$-3b-2=0\quad\therefore b=-\dfrac{2}{3}$

$\therefore a+b=-1+\left(-\dfrac{2}{3}\right)=-\dfrac{5}{3}$

17 $ax+by+c=0$을 y에 관하여 풀면

$y=-\dfrac{a}{b}x-\dfrac{c}{b}$

$(\text{기울기})=-\dfrac{a}{b}>0,\ (y\text{절편})=-\dfrac{c}{b}<0$

또, $cx+by+a=0$을 y에 관하여 풀면

$y=-\dfrac{c}{b}x-\dfrac{a}{b}$

$(\text{기울기})=-\dfrac{c}{b}<0,\ (y\text{절편})=-\dfrac{a}{b}>0$

이므로 제 3사분면을 지나지 않는다.

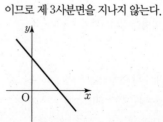

18 $ax+by-c=0$을 y에 관하여 풀면

$$y=-\frac{a}{b}x+\frac{c}{b}$$

그런데 $ab>0$에서 $-\frac{a}{b}<0$이고,

$bc>0$에서 $\frac{c}{b}>0$이다.

따라서 기울기는 음수이고, y절편은 양수이므로 그래프는 오른쪽 그림과 같고 제 3사분면을 지나지 않는다.

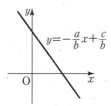

19 일차방정식 $ax-y+c=0$을 y에 관하여 풀면 $y=ax+c$

그래프의 기울기가 2, 절편이 -6이므로 $a=2$, $c=-6$ $\therefore y=2x-6$

㉣ $x=2$, $y=2$를 대입하면 $2\neq4-6$이므로 일차방정식의 해가 아니다.

20 $ax+by+c=0$에서

$$by=-ax-c \quad \therefore y=-\frac{a}{b}x-\frac{c}{b}$$

기울기 $-\frac{a}{b}<0$이므로 $\frac{a}{b}>0$,

y절편 $-\frac{c}{b}<0$이므로 $\frac{c}{b}>0$

따라서 $a>0$이면 $b>0$, $c>0$이고,

$a<0$이면 $b<0$, $c<0$

16. 일차방정식 $x=p$, $y=q$의 그래프 (p, q는 상수) (본문 147쪽)

03 x축에 평행한 직선의 방정식은 $y=q$의 꼴이다.

점 $(3, -1)$을 지나므로

직선의 방정식은 $y=-1$

04 y축에 평행한 직선의 방정식은 $x=p$의 꼴이다.

점 $\left(3, -\frac{7}{2}\right)$을 지나므로

직선의 방정식은 $x=3$

05 두 점의 y좌표가 7로 같으므로 직선의 방정식은 $y=7$

06 두 점의 x좌표가 0으로 같으므로 직선의 방정식은 $x=0$

07 x축에 평행한 직선 위의 점들은 y좌표가 일정하므로

$a=-3a+8$, $4a=8$ $\therefore a=2$

08 y축에 평행한 직선 위의 점들은 x좌표가 일정하므로

$5-a=2a-1$, $-3a=-6$ $\therefore a=2$

09 x축에 평행한 직선 위의 점들은 y좌표가 일정하므로

$a-4=-2a+8$, $3a=12$ $\therefore a=4$

11 x축에 평행하고 $(0, 3)$을 지나므로 직선의 방정식은 $y=3$이다.

12 y축에 평행하고 $(-2, 0)$을 지나므로 직선의 방정식은 $x=-2$이다.

14

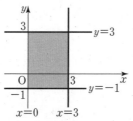

네 직선으로 둘러싸인 도형은 위의 그림과 같이 가로의 길이

$4-(-2)=6$,

세로의 길이 $1-(-3)=4$인 직사각형이다.

따라서 구하는 넓이는 $6\times4=24$

15 $-x=0$에서 $x=0$,

$x-3=0$에서 $x=3$,

$y+1=0$에서 $y=-1$,

$3y-9=0$에서 $y=3$

네 직선 $x=0$, $x=3$,

$y=-1$, $y=3$으로 둘러싸인 도형은 다음 그림과 같이 가로, 세로의 길이가 3, 4인 직사각형이다.

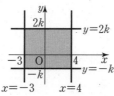

따라서 구하는 넓이는 $3\times4=12$

16 $x-4=0$에서 $x=4$

$2x+6=0$에서 $x=-3$

$y+k=0$에서 $y=-k$

$y-2k=0$에서 $y=2k$

즉, 네 직선 $x=4$, $x=-3$

$y=-k$, $y=2k$로 둘러싸인 도형은 다음 그림과 같다.

가로, 세로의 길이가 7, $3k$인 직사각형이고 넓이가 42이므로 $7\times3k=42$

$21k=42$ $\therefore k=2$

17. 일차함수의 그래프와 연립일차방정식의 해 (본문 150쪽)

01 두 직선의 교점이 연립방정식의 해이므로, 구하는 해는 $x=0$, $y=-1$이다.

02 두 직선의 교점이 연립방정식의 해이므로, 구하는 해는 $x=2$, $y=1$이다.

03 두 일차함수의 그래프에서 교점의 좌표는 연립방정식 $\begin{cases} y=\frac{1}{2}x+\frac{3}{2} \\ y=-x+6 \end{cases}$ 의 해와 같다.

연립방정식을 풀면 $x=3$, $y=3$

따라서 두 그래프의 교점의 좌표는 $(3, 3)$이다.

04 연립방정식 $\begin{cases} x-y-4=0 \\ 2x+y-2=0 \end{cases}$ 을 풀면

$x=2$, $y=-2$

따라서 두 그래프의 교점의 좌표는 $(2, -2)$이다.

05 연립방정식 $\begin{cases} 5x+y+3=0 \\ 2x-y-10=0 \end{cases}$ 을 풀면

$x=1$, $y=-8$

따라서 두 그래프의 교점의 좌표는 $(1, -8)$이다.

07 $\begin{cases} x+y=5 \\ ax-y=4 \end{cases}$ 의 그래프의 교점의 x좌

표가 3이므로 $y=-3+5=2$

즉, 교점의 좌표는 $(3, 2)$이다.

따라서 $x=3$, $y=2$를 $y=ax-4$에 대입하면

$2=3a-4$ $\therefore a=2$

08 두 일차방정식에 $x=-1$, $y=2$를 각각 대입하면

$-1-2a=-4$, $2a=3$ $\therefore a=\frac{3}{2}$

$-1+2a=b$

$\therefore b=2a-1=2\times\frac{3}{2}-1=2$

09 두 일차방정식에 $x=3$, $y=1$을 각각 대입하면

$3a+1=7$에서 $3a=6$ $\therefore a=2$

$6-b=3$에서 $b=3$

11 $\begin{cases} x+y+3=0 \\ 2x-y+4=0 \end{cases}$ 을 풀면

$x=-\frac{7}{3}$, $y=-\frac{2}{3}$

점 $\left(-\frac{7}{3}, -\frac{2}{3}\right)$를 지나고 y축에 평행한 직선의 방정식은

$x=-\frac{7}{3}$

12 $\begin{cases} y=1-3x \\ y=x+3 \end{cases}$ 을 풀면

$1-3x=x+3$ ∴ $x=-\dfrac{1}{2}$

$y=-\dfrac{1}{2}+3=\dfrac{5}{2}$

점 $\left(-\dfrac{1}{2}, \dfrac{5}{2}\right)$ 를 지나고 y축에 수직인

직선의 방정식은

$y=\dfrac{5}{2}$

14 $\begin{cases} 2x+y=9 \\ -x+3y=-1 \end{cases}$ 을 풀면

$x=4, y=1$

$ax-y=11$에 $x=4, y=1$을 대입하면

$4a-1=11, 4a=12$ ∴ $a=3$

15 $\begin{cases} y=4x+1 \\ y=3x-1 \end{cases}$ 을 풀면

$x=-2, y=-7$

$y=ax+5$에 $x=-2, y=-7$을 대입

하면

$-7=-2a+5$ ∴ $a=6$

18. 연립방정식의 해와 그래프의 위치 관계
(본문 153쪽)

01 두 일차방정식을 각각 y에 관하여 풀면
$y=2x-2, y=2x+1$이므로 두 일차
함수의 그래프는 다음 그림과 같다.

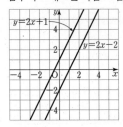

이때, 두 직선이 평행하고 교점이 없으므
로 연립방정식의 해는 없다.

02 두 일차방정식을 각각 y에 관하여 풀면
$y=-2x+4, y=-2x+2$이므로 두
일차함수의 그래프는 다음 그림과 같다.

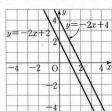

이때, 두 직선이 평행하고 교점이 없으므
로 연립방정식의 해는 없다.

03 두 일차방정식을 각각 y에 관하여 풀면
$y=-\dfrac{1}{2}x+1, y=-\dfrac{1}{2}x+1$이므로

두 일차함수의 그래프는 다음 그림과 같
다.

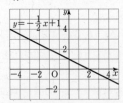

이때, 두 직선이 일치하여 직선 위의 모
든 점이 교점이므로 연립방정식의 해는
무수히 많다.

04 두 일차방정식을 각각 y에 관하여 풀면
$y=x-2, y=x-2$이므로 두 일차함수
의 그래프는 다음 그림과 같다.

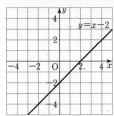

이때, 두 직선이 일치하여 직선 위의 모
든 점이 교점이므로 연립방정식의 해는
무수히 많다.

06 두 일차방정식의 그래프가 일치하므로
$\dfrac{3}{6}=\dfrac{a}{2}=\dfrac{2}{b}$

$\dfrac{3}{6}=\dfrac{a}{2}$에서 $6a=6$ ∴ $a=1$

$\dfrac{3}{6}=\dfrac{2}{b}$에서 $3b=12$ ∴ $b=4$

∴ $a+b=1+4=5$

07 두 일차방정식의 그래프가 일치하므로
$\dfrac{2}{4}=\dfrac{-a}{-3}=\dfrac{b}{1}, \dfrac{2}{4}=\dfrac{-a}{-3}$에서

$-4a=-6$ ∴ $a=\dfrac{3}{2}$

$\dfrac{2}{4}=\dfrac{b}{1}$에서 $4b=2$ ∴ $b=\dfrac{1}{2}$

∴ $a+b=\dfrac{3}{2}+\dfrac{1}{2}=2$

08 두 일차방정식 $ax-y+1=0$,
$3x+y-5=0$의 그래프가 평행하므로

$\dfrac{a}{3}=\dfrac{-1}{1} \neq \dfrac{1}{-5}$에서 $a=-3$

09 두 일차방정식 $x+y=2$,
$ax+2y=8$의 그래프가 평행하므로

$\dfrac{1}{a}=\dfrac{1}{2} \neq \dfrac{2}{8}$에서 $a=2$

10 ② $\dfrac{2}{4}=\dfrac{-1}{-2} \neq \dfrac{-1}{2}$

연산으로 마스터하는

중학 수학 2 (상)